Manuel des INVOCATIONS EXAUCÉES

Ibn Daud

ادعوني أستجب لكم

«Invoquez-Moi, et Je vous exaucerai.»

[Ghāfir 40:60]

Manuel des Invocations Exaucées

Commentaires et suggestions

Allāh ﷻ dit « Seigneur, ne nous châtie pas s'il nous arrive d'oublier ou de commettre une erreur. » [Al-Baqarah 2:286]

L'auteur sera reconnaissant à ses lecteurs pour chaque commentaire et suggestion. Si vous trouvez des erreurs dans ce livre, elles sont dues uniquement aux lacunes de l'auteur. Veuillez lui envoyer un e-mail directement, il fera de son mieux pour les corriger dans la prochaine édition, inshā'Allāh.

Première édition par Ibn Daud Books, Leicester, Royaume-Uni
et imprimé par Sofiaprint.

ISBN
Relié : 978-1-91682-401-0
Broché : 978-19168-2400-3
Coffret souple deux volumes : 978-1-91682-406-5
Coffret cartonné deux volumes : 978-1-91682-407-2

TABLE DES MATIÈRES

Glossaire des émotions 6

Cheminement de l'auteur 22

Recommandations 28

Remerciements 31

Comment utiliser ce manuel ? 34

Introduction à l'« Architecture de l'Invocation » 38
Méthodologie islamique

« Architecture de l'Invocation »

Qu'est-ce qu'une du'ā' ? 42
Pourquoi les invocations sont-elles importantes ? 44
Quelles sont leurs bienfaits ? 46
Quelles sont les conditions requises pour les invocations ? 52
Dans quels contextes sont-elles facilement exaucées ? 54
Quelle est la bonne manière de faire une invocation ? 71
Comment s'assurer qu'une invocation soit exaucée ? 94

1. Amour de ce monde 102
2. Avarice 110
3. Aversion pour la mort 120
4. Colère 128
5. Confiance en autre qu'Allāh ﷻ 136
6. Crainte de la pauvreté 146
7. Débauche ou Avidité 158
8. Dureté de cœur 166

9.	Envie	176
10.	Extravagance	186
11.	Fantasme	194
12.	Fraude	204
13.	Haine	214
14.	Illusion	224
15.	Inconscience des bienfaits ou Ingratitude	232
16.	Injustice	244
17.	Insouciance	256
18.	Mécontentement face aux critiques et aux reproches	266
19.	Mécontentement face au Décret Divin	274
20.	Moquerie	282
21.	Ostentation ou Frime	290
22.	Retenue blâmable	298
23.	Sentiments négatifs	306
24.	Souci de la réputation	322
25.	Vanité	330
26.	Vantardise, Arrogance et Orgueil	338
	Glossaire des Noms Excellents d'Allāh ﷾	346
	Glossaire des termes arabes	356
	Bibliographie	360
	L'équipe du manuel	366

GLOSSAIRE DES ÉMOTIONS

Les émotions ne sont pas toujours faciles à discerner. Nous devons commencer par admettre une évidence : les débordements émotionnels nous mettent souvent dans des situations embarrassantes ou hors de contrôle, sans aucun bénéfice spirituel. Certaines personnes ont plus de "contrôle" sur leurs émotions que d'autres. Dans tous les cas, pour adopter une attitude constructive face à ces troubles, il faut toujours chercher à se réorienter vers Allāh ﷻ et à trouver, en soi-même et en général, comment éviter ces réactions émotionnelles négatives.

L'auteur a sélectionné un certain nombre d'émotions réparties dans les différents chapitres (correspondants aux différents troubles spirituels) avec lesquelles le lecteur s'identifiera plus ou moins. Chacune de ces émotions est accompagnée de définitions et d'explications. Nous espérons que cette méthode aidera le lecteur à accéder directement aux chapitres et aux invocations les plus bénéfiques pour lui, inshā'Allāh.

Les définitions ci-dessous sont de brèves tentatives d'éclaircissement qui s'appuient sur plusieurs dictionnaires standards, dont le New Oxford Dictionary of English, le Cambridge Dictionary, le Merriam-Webster (en ligne), le Collins Online Dictionary et Dictionary.com. Certaines références proviennent également du livre de Patrick Michael Ryan intitulé "Dictionary of Emotions" (2014, édition Kindle).

A

Émotion	Définition	Trouble	Page
Abattu	Anxieux et tourmenté, troublé, ou accablé ; bouleversé ou inquiet.	Aversion pour la mort	120
		Mécontentement face aux critiques et aux reproches	266
		Mécontentement face au Décret Divin	274
		Envie	176
		Crainte de la pauvreté	146
		Injustice	244
		Moquerie	282
		Sentiments négatifs	306
Agité (voir Agacé, Amer, Frustré)	Inquiet ou nerveux, préoccupé par des soucis.	Colère	128
		Injustice	244

GLOSSAIRE DES ÉMOTIONS

Émotion	Définition	Trouble	Page
Agressif	Poursuit énergiquement son ou ses objectif(s) ; comportement colérique et violent, souvent envers les autres.	Colère	128
		Dureté de cœur	166
		Haine	214
		Vanité	330
Aigri (voir Agité)	Une personne aigrie est une personne en colère, malheureuse, blessée, pleine de ressentiment ou cynique parce qu'elle ne parvient pas à oublier (ou ne veut pas oublier) les mauvaises expériences du passé.	Colère	128
		Mécontentement face au Décret Divin	274
		Envie	176
		Haine	214
		Sentiments négatifs	306
		Inconscience des bienfaits ou Ingratitude	232
Amer	Aigri ou en colère parce que vous avez dû accepter quelque chose ou quelqu'un contre votre gré.	Mécontentement face aux critiques et aux reproches	266
		Mécontentement face au Décret Divin	274
		Envie	176
		Haine	214
		Sentiments négatifs	306
Anxieux	Craintif ou préoccupé par les évènements et les circonstances futurs, l'esprit inquiet ; troublé, agité et impatient ; vous pouvez avoir tendance à manquer de considération envers les autres car vous êtes obnubilés par votre propre bien-être.	Aversion pour la mort	120
		Mécontentement face aux critiques et aux reproches	266
		Mécontentement face au Décret Divin	274
		Crainte de la pauvreté	146
		Fraude	204
		Injustice	244
		Avarice	110
		Sentiments négatifs	306
Apathique (voir Indifférent)	Indifférent et désintéressé, manque de motivation pour faire quoi que ce soit ou se préoccuper de votre environnement.	Dureté de cœur	166
Appréhensif	Sentiment d'appréhension lorsque vous vous projetez ; crainte à cause d'une chose que vous devez entreprendre ou qui pourrait vous arriver.	Aversion pour la mort	120
		Retenue blâmable	298
		Crainte de la pauvreté	146
		Avarice	110
		Confiance en autre qu'Allāh ﷻ	136

GLOSSAIRE DES ÉMOTIONS

Émotion	Définition	Trouble	Page
Arrogant	Hautain et débordant de fierté ; fier mais d'une manière désagréable, vous comportant comme si vous étiez plus important ou en saviez plus que les autres.	Vantardise, Arrogance et Orgueil	338
		Mécontentement face au Décret Divin	274
		Dureté de cœur	166
		Injustice	244
		Inconscience des bienfaits ou Ingratitude	232
		Ostentation ou Frime	290
		Confiance en autre qu'Allāh ﷻ	136

B

Émotion	Définition	Trouble	Page
Bien-pensant	Pieux de manière démesurée ou hypocrite ; vous estimez que votre attitude et vos pensées sont moralement supérieures à celles des autres.	Vantardise, Arrogance et Orgueil	338
		Ostentation ou Frime	290
		Vanité	330
Blessé	Offensé, peiné ou contrarié ; amer ou indigné ; se sentant insulté par quelqu'un ou quelque chose, souvent à cause d'une attitude désagréable.	Colère	128
		Mécontentement face aux critiques et aux reproches	266
		Dureté de cœur	166
		Moquerie	282

C

Émotion	Définition	Trouble	Page
Confus	Hésitant quant à vos opinions et vos croyances ; touché par l'incertitude et le doute.	Aversion pour la mort	120
		Mécontentement face au Décret Divin	274
		Illusion	224
		Crainte de la pauvreté	146
		Avarice	110
		Confiance en autre qu'Allāh ﷻ	136

GLOSSAIRE DES ÉMOTIONS

Émotion	Définition	Trouble	Page
Contrarié	Mécontent et irrité ; exaspéré et en colère.	Colère	128
		Aversion pour la mort	120
		Mécontentement face aux critiques et aux reproches	266
		Mécontentement face au Décret Divin	274
		Envie	176
		Injustice	244
		Sentiments négatifs	306
Coupable	Se sent responsable pour un mal occasionné, une faute particulière ou une erreur.	Fraude	204
		Sentiments négatifs	306
Craintif (ou Lâche)	Sentiment de crainte ou d'anxiété face à une situation ou un événement possible ou probable ; effrayé ou inquiet à propos de quelque chose.	Aversion pour la mort	120
		Retenue blâmable	298
		Mécontentement face au Décret Divin	274
Cruel	Féroce et sans cœur ; affreusement méchant et désagréable, infligeant intentionnellement de la douleur aux êtres humains ou aux animaux.	Vantardise, Arrogance et Orgueil	338
		Fraude	204
		Dureté de cœur	166
		Injustice	244
		Avarice	110
		Moquerie	282
		Débauche ou Avidité	158
Cynique (voir Pessimiste)	Sceptique et/ou se méfiant des gens et des choses ; persuadé que l'homme, mû par son intérêt propre, ne peut jamais être sincère.	Aversion pour la mort	120
		Mécontentement face au Décret Divin	274
		Dureté de cœur	166
		Avarice	110
		Moquerie	282
		Sentiments négatifs	306
		Inconscience des bienfaits ou Ingratitude	232
		Confiance en autre qu'Allāh ﷻ	136

GLOSSAIRE DES ÉMOTIONS

D

Émotion	Définition	Trouble	Page
Déçu	Découragé ou contrarié à cause d'espoirs non réalisés ou d'attentes infructueuses ; malheureux parce que quelqu'un ou quelque chose n'était pas à la hauteur de vos espoirs, ou parce que rien ne s'est produit.	Mécontentement face aux critiques et aux reproches	266
		Mécontentement face au Décret Divin	274
		Injustice	244
		Confiance en autre qu'Allāh ﷻ	136
		Souci de la réputation	322
		Vanité	330
		Débauche ou Avidité	158
Dédaigneux	Indique que vous ne pensez pas qu'une chose vaille la peine d'être prise en considération ; tendance à critiquer ou à rabaisser quelqu'un ou quelque chose d'une manière qui montre le peu de valeur et de respect que vous lui accorder (dénigrement).	Moquerie	282
Déficient	Manquant des qualités ou des ressources nécessaires pour accomplir une tâche ; pas assez bon ou trop faible.	Extravagance	186
		Amour de ce monde	102
		Confiance en autre qu'Allāh ﷻ	136
		Souci de la réputation	322
		Vanité	330
Dépendant	Physiquement et mentalement dépendant de quelque chose ; incapable d'arrêter la consommation d'une matière (la drogue, par ex.) ou de mettre fin à action, une habitude.	Extravagance	186
		Fantasme	194
		Amour de ce monde	102
		Moquerie	282
		Ostentation ou Frime	290
		Souci de la réputation	322
		Vanité	330
Déprimé	Découragé, généralement par rapport à soi-même ou à sa situation ; sans espoir.	Envie	176
		Extravagance	186
		Crainte de la pauvreté	146
		Injustice	244
		Moquerie	282
		Sentiments négatifs	306
		Débauche ou Avidité	158

GLOSSAIRE DES ÉMOTIONS

Émotion	Définition	Trouble	Page
Désagréable	Ne traitant pas quelqu'un comme il faut ; ne prenant pas en considération les sentiments d'autrui.	Vantardise, Arrogant & Orgueil	338
		Dureté de cœur	166
		Avarice	110
		Moquerie	282
		Sentiments négatifs	306
Désinvolte	Manquant de considération pour les autres ; irréfléchi ; maladroit.	Insouciance	256
		Injustice	244
		Moquerie	282
		Inconscience des bienfaits ou Ingratitude	232
Discuteur	Disputeur, aime être en désaccord avec les opinions des autres ; débat souvent ou souhaite débattre.	Colère	128
		Mécontentement face aux critiques et aux reproches	266
		Dureté de cœur	166
		Haine	214
		Confiance en autre qu'Allāh ﷻ	136
Distrait (voir Égaré)	Incapable de vous concentrer ; préoccupé, anxieux et/ou perturbé ; nerveux ou confus parce que vous êtes inquiet de quelque chose.	Amour de ce monde	102
Dur	Action ou effet rude ou désagréable ; méchant, cruel ou plus sévère que nécessaire.	Colère	128
		Vantardise, Arrogance et Orgueil	338
		Dureté de cœur	166
		Moquerie	282
		Souci de la réputation	322

E

Émotion	Définition	Trouble	Page
Égaré	Éloigné du bon chemin ou de la bonne manière d'agir, tombant dans l'erreur ou la confusion.	Aversion pour la mort	120
		Insouciance	256
		Confiance en autre qu'Allāh ﷻ	136

GLOSSAIRE DES ÉMOTIONS

Émotion	Définition	Trouble	Page
Égocentré	Occupé par vos propres pensées et activités.	Vantardise, Arrogance et Orgueil	338
		Amour de ce monde	102
		Avarice	110
		Souci de la réputation	322
		Vanité	330
Égocentrique	Incroyablement vaniteux et absorbé par vous-mêmes ; centré sur vous ; considérant que vous êtes meilleur et plus important que les autres.	Vantardise, Arrogance et Orgueil	338
		Injustice	244
		Moquerie	282
		Ostentation ou Frime	290
		Souci de la réputation	322
		Vanité	330
Embarrassé	Sentiment de malaise causé par la honte ou une fierté blessée ; inconfort ; timidité.	Retenue blâmable	298
		Confiance en autre qu'Allāh ﷻ	136
Énervé	À force d'irritations et de taquineries, vous avez laissé monter en vous la tension et la colère ; très inquiet ou nerveux.	Colère	128
		Mécontentement face aux critiques et aux reproches	266
		Moquerie	282
		Confiance en autre qu'Allāh ﷻ	136
Envieux	Rongé par la convoitise de ce que les autres possèdent « en plus » ; désir démesuré de posséder quelque chose, surtout si cela appartient à quelqu'un d'autre.	Envie	176
		Amour de ce monde	102
		Inconscience des bienfaits ou Ingratitude	232
		Souci de la réputation	322
		Débauche ou Avidité	158
Étourdi	Négligent ; incapable de se souvenir ou ne souhaitant pas se souvenir ; oublie souvent quelque chose.	Insouciance	256
		Amour de ce monde	102
		Inconscience des bienfaits ou Ingratitude	232
		Vanité	330

GLOSSAIRE DES ÉMOTIONS

Émotion	Définition	Trouble	Page
Excessif	Sans retenue ; allant au-delà de la limite ou du degré habituel, nécessaire ou approprié ; une quantité qui dépasse ce qui est acceptable, attendu ou raisonnable	Extravagance	186
		Fantasme	194
		Amour de ce monde	102
		Avarice	110
		Moquerie	282
		Ostentation ou Frime	290
		Vanité	330
		Débauche ou Avidité	158

F

Émotion	Définition	Trouble	Page
Fourbe	C'est le fait de cacher la vérité, en particulier pour en tirer un avantage. Tromper délibérément, notamment en affichant certains sentiments (une « façade ») et en agissant sous l'influence de quelqu'un d'autre ; trompeur et frauduleux ; indigne de confiance, qu'on ne peut pas croire, malhonnête.	Mécontentement face au Décret Divin	274
		Fraude	204
		Injustice	244
		Amour de ce monde	102
		Confiance en autre qu'Allāh ﷻ	136
		Souci de la réputation	322
		Débauche ou Avidité	158
Frustré	Contrarié et agacé ; agacé et en perte de confiance car vous ne parvenez pas à vos fins.	Colère	128
		Aversion pour la mort	120
		Mécontentement face aux critiques et aux reproches	266
		Mécontentement face au Décret Divin	274
		Envie	176
		Injustice	244
		Sentiments négatifs	306
Furieux	Extrêmement en colère avec une énergie violente.	Colère	128
		Mécontentement face au Décret Divin	274
		Haine	214
		Injustice	244

GLOSSAIRE DES ÉMOTIONS

H

Émotion	Définition	Trouble	Page
Hésitant	Manquant de confiance et d'assurance ; ne sachant que faire ou que croire, ou ne parvenant pas à prendre une décision.	Illusion	224
		Crainte de la pauvreté	146
		Confiance en autre qu'Allāh ﷻ	136
Honteux	Sentiment d'humiliation, de culpabilité, d'embarras et/ou de remord à cause d'une chose que vous avez faite, d'un trait de votre caractère ou de certaines relations.	Retenue blâmable	298
		Crainte de la pauvreté	146
		Fraude	204
		Confiance en autre qu'Allāh ﷻ	136
Hostile	Inamical et en opposition ou en colère ; n'aimant pas quelque chose ou quelqu'un.	Colère	128
		Aversion pour la mort	120
		Mécontentement face au Décret Divin	274
		Envie	176
		Haine	214
		Injustice	244
		Moquerie	282
		Inconscience des bienfaits ou Ingratitude	232
Hypercritique	Ayant un point de vue fort ou excessif ; trop prompt à critiquer les autres.	Vantardise, Arrogance et Orgueil	338
		Envie	176
		Moquerie	282
		Ostentation ou Frime	290
		Confiance en autre qu'Allāh ﷻ	136
Hypocrite	Manque de sincérité ; prétendre ressentir quelque chose que vous ne ressentez pas, ou ne pas penser ce que vous dites.	Vantardise, Arrogance et Orgueil	338
		Fraude	204
		Moquerie	282
		Sentiments négatifs	306
		Ostentation ou Frime	290
		Confiance en autre qu'Allāh ﷻ	136
		Souci de la réputation	322
		Vanité	330

GLOSSAIRE DES ÉMOTIONS

I

Émotion	Définition	Trouble	Page
Ignorant	Manquant de compréhension, de savoir et d'informations à propos de quelque chose.	Aversion pour la mort	120
		Retenue blâmable	298
		Mécontentement face au Décret Divin	274
		Illusion	224
		Insouciance	256
		Amour de ce monde	102
		Moquerie	282
		Confiance en autre qu'Allāh ﷻ	136
		Vanité	330
Illusionné	Croit à des choses qui ne sont pas réelles ou fausses.	Illusion	224
		Fantasme	194
		Amour de ce monde	102
		Confiance en autre qu'Allāh ﷻ	136
		Vanité	330
		Aversion pour la mort	120
		Mécontentement face aux critiques et aux reproches	266
		Mécontentement face au Décret Divin	274
Immature	Pas complètement développé émotionnellement ou intellectuellement ; ayant un comportement qui manque encore de sagesse et de calme par rapport à l'âge que vous avez.	Fantasme	194
		Illusion	224
		Amour de ce monde	102
		Moquerie	282
		Inconscience des bienfaits ou Ingratitude	232
		Ostentation ou Frime	290
		Vanité	330
Immodéré	Dépassant les limites justes et raisonnables.	Extravagance	186
		Amour de ce monde	102
		Souci de la réputation	322
Impatient	Agité et/ou pressé ; vite en colère face au retard et à l'opposition ; facilement énervé par les erreurs des autres ou parce que vous devez attendre.	Mécontentement face au Décret Divin	274

GLOSSAIRE DES ÉMOTIONS

Émotion	Définition	Trouble	Page
Impitoyable	Insensible, cruel, méchant et sans aucun sentiment ou sympathie pour les autres.	Vantardise, Arrogance et Orgueil	338
		Injustice	244
		Avarice	110
		Débauche ou Avidité	158
Imprudent	Totalement indifférent aux conséquences de ses actes ; sans précaution ; irresponsable	Insouciance	256
		Débauche ou Avidité	158
Impuissant	Dépourvu de force ou de pouvoir ; privé de ses capacités ; incapable de faire quoi que ce soit pour vous-même ou quelqu'un d'autre.	Crainte de la pauvreté	146
		Injustice	244
Inattentif	Insouciant, négligent, ne faisant pas assez attention à ses actes ; manque de considération, de prévoyance et d'application.	Vantardise, Arrogance et Orgueil	338
		Moquerie	282
		Insouciance	256
Inconscient	Inattentif ; irréfléchi ; inconséquent.	Aversion pour la mort	120
		Extravagance	186
		Insouciance	256
		Amour de ce monde	102
		Inconscience des bienfaits ou Ingratitude	232
		Souci de la réputation	322
		Vanité	330
Indifférent (voir Apathique)	Ayant perdu tout intérêt ou préoccupation ; ne pense et ne s'intéresse à rien ni personne ; insensible aux émotions fortes (sans passion) ; ne se soucie pas de savoir ou non (désintérêt).	Extravagance	186
		Illusion	224
		Dureté de cœur	166
		Insouciance	256
		Avarice	110
		Inconscience des bienfaits ou Ingratitude	232
Indigne	Ayant l'habitude de se ridiculiser et perdant ainsi le respect des autres, surtout à cause d'un manque de contrôle, de sérieux ou de calme.	Moquerie	282
		Ostentation ou Frime	290
		Vanité	330

GLOSSAIRE DES ÉMOTIONS

Émotion	Définition	Trouble	Page
Inquiet	Manque de confiance en soi; état (émotionnel) d'un défaut d'assurance pour mener une tâche ou se mettre en avant; les personnes fragiles manquent de confiance, doutent de leurs propres capacités et questionnent l'affection qu'ils peuvent susciter chez les autres.	Aversion pour la mort	120
		Retenue blâmable	298
		Mécontentement face au Décret Divin	266
		Envie	176
		Extravagance	186
		Crainte de la pauvreté	146
		Injustice	244
		Amour de ce monde	102
		Avarice	110
		Inconscience des bienfaits ou Ingratitude	232
		Souci de la réputation	322
		Vanité	330
Insensible	Manque de sensibilité, d'humanité, de sentiments appropriés, de considération pour les autres; froid; rude.	Dureté de cœur	166
		Insouciance	256
		Moquerie	282
		Souci de la réputation	322
Irrationnel	Sans clarté mentale normale ou jugement sensé.	Illusion	224
		Fantasme	194

L

Émotion	Définition	Trouble	Page
Las	Dépourvu d'enthousiasme intellectuel, émotionnel ou spirituel; ni enthousiasme, ni intérêt.	Confiance en autre qu'Allāh ﷻ	136
Lubrique	Stimulé par, ressentant ou lié à un puissant désir.	Fantasme	194
		Amour de ce monde	102
		Ostentation ou Frime	290
		Souci de la réputation	322
		Vanité	330
		Débauche ou Avidité	158

GLOSSAIRE DES ÉMOTIONS

M

Émotion	Définition	Trouble	Page
Malveillant	Ayant l'intention de blesser les autres ou de leur faire de la peine ; cruel.	Envie	176
		Injustice	244
		Moquerie	282
		Sentiments négatifs	306
		Souci de la réputation	322
		Débauche ou Avidité	158
Manipulateur	Influence ou tente d'influencer le comportement ou les émotions des autres pour ses propres intérêts.	Fraude	204
		Dureté de cœur	166
		Injustice	244
		Souci de la réputation	322
		Débauche ou Avidité	158
Méchant	Mauvais et injuste.	Dureté de cœur	166
		Avarice	110
		Confiance en autre qu'Allāh ﷻ	136
Menacé	Avoir le sentiment qu'un malheur pourrait arriver ou que quelqu'un pourrait vous faire du mal.	Aversion pour la mort	120
		Retenue blâmable	298
		Injustice	244
Méprisant	Fait preuve de dédain et d'irrespect teintés d'un profond dégoût cynique ; marqué par un mépris extrême.	Colère	128
		Vantardise, Arrogance et Orgueil	338
		Injustice	244
		Moquerie	282

N

Émotion	Définition	Trouble	Page
Négligent	Ne prend pas soin comme il faut de quelqu'un ou de quelque chose ; ne fournit pas assez de soin ou d'attention.	Aversion pour la mort	120
		Illusion	224
		Dureté de cœur	166
		Insouciance	256
		Injustice	244
		Avarice	110
		Inconscience des bienfaits ou Ingratitude	232
		Confiance en autre qu'Allāh ﷻ	136

GLOSSAIRE DES ÉMOTIONS

O

Émotion	Définition	Trouble	Page
Obstiné	Attaché fermement ou de manière têtue à son objectif, son opinion, etc.; ne cédant ni à l'argumentation ni à la persuasion; attitude rigide et persistante.	Vantardise, Arrogance et Orgueil	338
		Mécontentement face aux critiques et aux reproches	266
		Envie	176
		Insouciance	256
		Avarice	110
		Sentiments négatifs	306

P

Émotion	Définition	Trouble	Page
Paresseux	Peu enclin ou peu disposé à travailler ou à fournir un effort.	Aversion pour la mort	120
		Illusion	224
		Insouciance	256
		Amour de ce monde	102
Pessimiste (voire Cynique)	S'attend au pire; pense que les malheurs ont plus de chances de se produire ou souligne le mauvais côté d'une situation.	Crainte de la pauvreté	146
		Moquerie	282
		Sentiments négatifs	306
		Confiance en autre qu'Allāh ﷻ	136
Prétentieux	Se crée et maintient un air d'importance et de distinction non méritée; vous cherchez à paraître plus important ou intelligent que vous ne l'êtes.	Vantardise, Arrogance et Orgueil	338
		Ostentation ou Frime	290
		Confiance en autre qu'Allāh ﷻ	136
		Souci de la réputation	322
		Vanité	330

R

Émotion	Définition	Trouble	Page
Réfractaire	Refuse d'accepter quelque chose, en particulier le changement ou les idées nouvelles.	Avarice	110
		Inconscience des bienfaits ou Ingratitude	232

GLOSSAIRE DES ÉMOTIONS

Émotion	Définition	Trouble	Page
Réticent	Peu disposé, peu enclin, incertain, ou hésitant à propos d'une chose qu'il fera donc très lentement, surtout si elle est contraire à ses habitudes.	Aversion pour la mort Retenue blâmable Mécontentement face aux critiques et aux reproches Mécontentement face au Décret Divin Avarice	120 298 266 274 110
Rétif	Affiche ou reflète une résistance ou un manque de volonté pour agir de manière agréable ou porter assistance (matérielle) ; peu disposé à accepter, admettre ou donner quelque chose.	Aversion pour la mort Envie Mécontentement face aux critiques et aux reproches Mécontentement face au Décret Divin Haine Avarice Inconscience des bienfaits ou Ingratitude Débauche ou Avidité	128 176 266 274 214 110 232 158

S

Émotion	Définition	Trouble	Page
Sombre	Préoccupé par des souvenirs ou des pensées déprimantes, morbides ou douloureuses ; tendance à ressasser les difficultés ; mal à l'aise et inquiet, comme si quelque chose de mauvais devait arriver.	Inconscience des bienfaits ou Ingratitude Confiance en autre qu'Allāh ﷻ	266 136
Soupçonneux	Ouvertement méfiant et refusant de faire confiance ; tendance à penser que quelque chose d'illégale se trame ou que quelque chose ne tourne pas rond.	Sentiments négatifs Confiance en autre qu'Allāh ﷻ	306 136
Submergé	Se sent dépassé ou même englouti par quelque chose, une émotion par exemple.	Mécontentement face au Décret Divin Crainte de la pauvreté Amour de ce monde Souci de la réputation Débauche ou Avidité	274 146 102 322 158
Superstitieux	Croyance non fondée sur la raison humaine ou le savoir scientifique, mais sur de vieilles idées liées à la magie, la chance, etc.	Illusion Confiance en autre qu'Allāh ﷻ	224 136

GLOSSAIRE DES ÉMOTIONS

T

Émotion	Définition	Trouble	Page
Timide	Manque de confiance en soi ; nerveux et mal à l'aise en présence des autres ; discret et nerveux ; sans trop d'assurance ; vite effrayé.	Retenue blâmable	298
Troublé	Gêné ; anxieux ; légèrement inquiet ou inconfortable face à une certaine situation.	Retenue blâmable	298
		Mécontentement face aux critiques et aux reproches	266
		Mécontentement face au Décret Divin	274
		Crainte de la pauvreté	146
		Confiance en autre qu'Allāh ﷻ	136

V

Émotion	Définition	Trouble	Page
Vaniteux	Marqué par une fierté mal placée ; ayant un sentiment exagéré de sa propre importance.	Vantardise, Arrogance et Orgueil	338
		Amour de ce monde	102
		Ostentation ou Frime	290
		Souci de la réputation	322
		Vanité	330
Vidé	Sans espoir, insignifiant, vain, n'ayant rien à offrir.	Crainte de la pauvreté	146
		Amour de ce monde	102
		Sentiments négatifs	306
		Confiance en autre qu'Allāh ﷻ	136
		Souci de la réputation	322
Vindicatif	Ayant un désir puissant et irraisonné de vengeance ; ayant ou montrant l'envie de blesser quelqu'un parce que vous estimez qu'il vous a fait du mal ; ne souhaitant pas pardonner.	Envie	176
		Dureté de cœur	166
		Haine	214
		Sentiments négatifs	306
		Confiance en autre qu'Allāh ﷻ	136
Vulgaire	Choquant, détestable ; inapproprié, impur, non-digne ou laid.	Vantardise, Arrogance et Orgueil	338
		Fantasme	194
		Ostentation ou Frime	290
Vulnérable	Exposé, non protégé, qui peut être facilement blessé, influencé ou attaqué physiquement ou psychologiquement.	Retenue blâmable	298
		Crainte de la pauvreté	146
		Injustice	244
		Confiance en autre qu'Allāh ﷻ	136

CHEMINEMENT DE L'AUTEUR

Les meilleures leçons sont souvent tirées des situations les plus communes. Dans mon premier livre, Manuel de Médecine Spirituelle, je me consacrais aux troubles spirituels qui frappent chacun d'entre nous. Sur la couverture, il est noté qu'il s'agit d'essayer de fournir des antidotes à partir des remèdes concrets offerts par le Qur'ān et les Ḥadiths (paroles prophétiques) authentiques.

Fin 2020, un lecteur bien avisé fit une suggestion : un livre d'invocations serait un excellent complément à cette « médecine spirituelle ». Au pic de la pandémie mondiale, les discussions (dans les médias ou en privée) étaient pleines de théories sur le bien-être. On découvrit beaucoup de mots et d'emballages nouveaux pour une idée simple : il est fort utile de « parler des problèmes » afin d'apaiser son esprit. En y réfléchissant, je me suis demandé : « Avec qui mieux en parler qu'avec Allāh ﷻ ? » Une idée germait dans mon esprit.

Je me suis rappelé tous les ouvrages d'invocations, tant excellents qu'essentiels, que j'avais pu parcourir au fil des années et j'ai commencé à noter mes préférences personnelles pour me servir de guide d'invocations. Les choses s'éclaircissaient. J'ai d'abord remarqué qu'il manquait quelque chose dans tous ces ouvrages : je ne parvenais pas à trouver d'invocations pour soigner des émotions différentes de celles citées traditionnellement comme la colère et la jalousie. Ensuite, j'ai aperçu deux bénéfices, complémentaires entre-eux, à l'élaboration d'un nouvel ouvrage. Il y a évidemment le fait que l'invocation (ou du'ā', le fait de supplier son Seigneur) est une pratique fondamentale, un acte méritoire dans l'adoration qui nous rapproche toujours d'Allāh ﷻ. Mais il y a aussi le fait que ce 21e siècle, avec son environnement particulier, a tendance à nous distraire de notre but supérieur. Certes, nos intentions peuvent être nobles... Mais il y a tant de bêtises autour de nous ! Tous les esprits qui ont la moindre sympathie pour la profession de foi « lā ilāha illa Allāh » (point de divinité si ce n'est Allāh) reconnaîtront la sagesse et la vérité contenues dans ce ḥadīth : « L'homme sera croyant le matin et mécréant le soir. » [Ṣaḥīḥ Muslim 118]. Nous pouvons tous observer à quel point les aspirations et les espoirs que nous portons au début de la journée sont facilement déformés, tordus et malmenés à cause des distractions générées par ce monde moderne (surtout lorsque frappent les malheurs et les épreuves).

Je voudrais dire à tous ceux qui souhaitent se libérer de ces distractions, qui cherchent une clairière à travers les branches tortueuses de cette déroutante forêt du quotidien : nous pouvons y parvenir en nous saisissant du « mukh » (terme arabe rendu généralement par « essence » mais je vais explorer d'autres traductions, soyez patients), du cœur de l'adoration.

À présent, permettez-moi de m'adresser un peu à mes frères et sœurs musulmans. Je n'oublie pas, évidemment, la fraternité universelle qui m'unit à tous les hommes mais j'ai une chose à leur dire à propos des cinq prières que les Musulmans doivent accomplir. Dans ces actes dits de « dévotion », observons-nous : à quel point sommes-nous dévoués ? N'arrive-t-il pas souvent au Musulman ordinaire, le « muṣalli » (celui qui accomplit la ṣalāh), lorsqu'il a pris le temps de se lever, de s'incliner et de se mettre à genoux pour la prière rituelle puis (à son crédit) lorsqu'il a accompli une courte prière surérogatoire, de se sentir satisfait, l'air de dire « mission accomplie » ? N'est-il pas un peu trop facile de se relever et de quitter le lieu de prière avec ce sentiment de satisfaction en rejoignant les collègues, le salon, la salle à manger, ou les amis du club de sport ? N'avons-nous pas, trop souvent, l'impression que s'acquitter de cette « tâche », la prière, est suffisant ?

Je ne nie pas que mes frères et sœurs musulmans sont nombreux à réciter « astaghfirullah » à la fin de la prière collective. C'est sincèrement merveilleux, cela montre que nous avons conscience de notre incapacité à accomplir parfaitement la prière, comme Allāh ﷻ le mériterait.

Mais réciter « astaghfirullāh », est-ce suffisant ? Le terme « mukh » peut également être traduit à partir du fameux ḥadīth qui rapporte que « l'invocation est le « mukh » (la moelle ou le cerveau) de l'adoration » [Jāmi' At-Tirmidhī 3371]. Du coup, nous pouvons commencer à adopter une attitude critique (dans les deux sens du mot). Nous pourrions d'abord conclure hâtivement, de ce dernier ḥadīth, qu'en intensifiant ou en améliorant nos invocations, en nous appliquant dans les demandes que vous et moi adressons à Allāh ﷻ, il y aurait une sorte de gain intellectuel. C'est une idée plaisante qui signifierait que dans la supplication, dans le fait d'implorer Allāh ﷻ, de Lui ouvrir votre cœur, vous travaillez votre esprit, exactement comme quand vous faites des mots croisés. Ce n'est peut-être pas le meilleur exemple, les mots croisés ne sont pas du goût de tout le monde, mais c'est juste pour expliquer qu'il y a une stimulation cérébrale. Nous devons peut-être entendre d'une manière plus générale le sens du mot « mukh » en réfléchissant à la nature de cet acte d'invocation. Dans cet acte, les meilleures idées qui nous viennent à l'esprit, que nous transformons ensuite en mots sur notre langue, montrent - bien que nous ne soyons pas concentrés précisément sur cela - notre état de servitude et de dépendance envers Allāh ﷻ.

Le ḥadīth « l'invocation est la moelle (ou le cerveau) de l'adoration » est un exemple intéressant de la manière dont Allāh ﷻ, à travers les paroles du Prophète Muḥammad ﷺ, nous permet d'accéder à certaines sagesses : la personne qui offre des invocations est intelligente ; la personne qui n'invoque jamais est stupide. J'aurais pu adoucir un peu les choses mais, au moins, cela a l'avantage d'être clair.

Ne soyons pas trop dur : mon but est de nous encourager, pas de critiquer. Avec ce nouveau Manuel des Invocations Exaucées, j'essaye en quelque sorte de « mettre la barre plus haut ». L'intention affichée du Manuel de Médecine Spirituelle était de fournir un plan définitif, une ligne de conduite structurée, un encouragement à épouser les bons comportements illustrés par le plus noble des caractères, celui de notre Prophète bien-aimé Muḥammad ﷺ. Évidemment, se mettre en quête de la bonté c'est s'améliorer. Ce second manuel prend exactement la même direction et, toujours centré sur les troubles spirituels qui affectent le cœur, il propose des invocations qui aident à gérer les émotions correspondantes. Mais la particularité de ce second livre c'est qu'il montre, encore plus clairement, que toute demande de remède se doit d'être adressée directement à la plus haute des autorités. Il y a des conditions que nous devons connaître afin que ces demandes soient acceptées et des règles générales que nous devons respecter.

La partie intitulée « Architecture de l'Invocation » présente ces règles générales.

Il y a donc des éléments que nous devons absolument « mettre » dans nos invocations. Cependant, il est tout à fait logique d'espérer quelque chose en retour. Allāh ﷻ a décrété que nous devons Le reconnaître comme « Ar-Raḥmān » et « Ar-Raḥīm » : nous répétons ces noms dans « l'ouverture » de nos prières quotidiennes, « Al-Fātiḥah ». Ils signifient qu'Il est Celui qui fait miséricorde et le Miséricordieux. C'est donc très logiquement que nous cherchons à obtenir de Lui des bienfaits. Me concernant, je souhaite être éloigné des bavardages futiles et gagner la faveur d'Allāh ﷻ le Créateur, loin des imperfections tortueuses de ce bas-monde. Je souhaite y trouver une place privilégiée, peut-être pas parfaite mais proche de la satisfaction (et surtout pas de l'autosatisfaction !), afin d'accomplir mon temps sur Terre, avant d'y être enterré. Je désire améliorer la sincérité de mes invocations, m'éloigner du pur rituel et des gestes mécaniques, me rapprocher d'une attitude plus belle, authentique, sincère et agréable aux yeux d'Allāh ﷻ, fondée sur la méthode enseignée par le Qur'ān et la Sunnah. J'aimerais inviter chacune des personnes qui se saisit de ce manuel à me rejoindre dans cet élan et à choisir avec moi cette destination : celle de l'esprit et des sentiments plus apaisés, plus radieux, atteinte grâce à l'exploration des invocations en tant qu'essence, pivot et centre de l'adoration. Son cerveau.

Qui sont les lecteurs de ce livre ? D'une manière générale, le lecteur qui choisit d'ouvrir ce livre souhaite, comme moi, améliorer sa relation avec Allāh ﷻ Le Tout-Puissant. Vous avez sans doute déjà lu ce genre de note d'intention auparavant. L'originalité ou (j'espère) ce qui peut être intéressant dans ce manuel des invocations, c'est que vous y trouverez une certaine structure. Je l'ai dit plus haut, mais c'était déjà une évidence : le manque d'harmonie de nos vies modernes, ce mouvement de dépravation et de marginalisation, indique que nous avons tout intérêt à engager des conversations régulières et intimes avec Allāh ﷻ. Mais par où commencer exactement ? Et quel type de conversation correspond à nos besoins ? Bien évidemment, nous avons tous beaucoup d'objectifs communs, de demandes semblables déposées devant la porte d'Allāh ﷻ : vous voulez des enfants pieux et une épouse attentionnée ? Je veux la même chose. Oncle Ahmad, lui, veut une occasion de partir faire le Hajj à la Mecque, dans la maison d'Allāh ﷻ, et il veut que son pèlerinage soit accepté, exactement comme vous. Mais, si je m'assois et si je réfléchis à ma situation personnelle, à mon caractère et à mes émotions, je vais trouver des qualités et des défauts différents d'une autre personne. Alors, je vais peut-être supplier Allāh ﷻ de me donner des enfants pieux et une épouse attentionnée capables de me pardonner d'avoir le cœur dur. Et oncle Ahmad pourrait bien demander à faire le Hajj en bonne santé, supplier Allāh ﷻ (en tant qu'Il est Celui qui attribue santé et bien-être) de ne pas faire de ce voyage une épreuve trop dure pour lui. J'ai ainsi souhaité que la structure et la disposition de ce manuel permettent à chaque lecteur et à moi-même, par la grâce d'Allāh ﷻ, de trouver son propre chemin vers l'illumination de ses conversations avec Allāh ﷻ, un chemin adapté à sa nature unique.

Pour trouver ce chemin et cette illumination, il faut que nous nous efforcions de comprendre une chose : le moment qui nous a été donné de vivre dans ce monde est le seul pendant lequel nos invocations peuvent avoir un effet sur notre situation. Cela vaut pour notre situation dans ce monde et dans l'Au-Delà. C'est avec cette intention que je prie Allāh ﷻ de vous accorder l'aisance, une vie longue et joyeuse dans ce monde, pleine de bonnes actions, de bons comportements, une vie dans laquelle vos épreuves ne sont jamais si lourdes que vous ne puissiez les supporter. Je prie pour que vous vous souveniez de moi dans vos invocations, pour que vous demandiez pour moi ce que je demande pour vous :

Ô Allāh ! Accorde-nous la plus haute place au Paradis, la demeure la plus incroyablement bénie, et (Ô Allāh !) ne permet pas que nous goûtions ou touchions le feu de l'Enfer même pour le plus fugace des instants.
Ô Allāh ! Tu as créé nos corps d'argile et de boue, de matière terrestre. Tu nous as donné des onguents et des baumes pour apaiser nos souffrances physiques. Nos âmes, cependant, Tu les as créées dans les cieux et, lorsque nos émotions semblent troublées ou agitées, Permets-nous de nous tourner vers Toi, car nous comprenons que Tu es l'Aimant Suprême et que, toujours, Tu entendras nos prières. Tu es Celui qui contrôle les cœurs et les âmes.

Ô Allāh! Tu es le Roi Unique, Possesseur et Soutien du visible et de l'invisible.

اللَّهُمَّ إِنِّي أَعُوذُ بِكَ مِنْ عِلْمٍ لاَ يَنْفَعُ وَمِنْ قَلْبٍ لاَ يَخْشَعُ وَمِنْ نَفْسٍ لاَ تَشْبَعُ وَمِنْ دُعَاءٍ لاَ يُسْمَعُ

Allāhumma innī a'ūdhu bika min 'ilmin lā yanfa' wa min qalbin lā yakhsha' wa min nafsin lā tashba' wa min du'ā' in lā yusma'

Ô Allāh, je demande Ta protection contre le savoir qui n'est d'aucun bénéfice, le cœur qui n'est pas humble, l'âme insatisfaite et l'invocation qui n'est pas entendue. [Sunan An-Nasaī 5536]

Āmīn.

Ibn Daud

Leicester, Royaume-Uni
Jumada Al-Akhirah 1444 (Janvier 2023)

RECOMMANDATIONS

Malgré de nombreux ouvrages rédigés sur le thème de l'invocation, Ibn Daud a écrit et organisé ce livre de manière méthodique et très accessible.

De plus, il a relié les du'ā' aux émotions et aux troubles spirituels, ce qui constitue, je pense, une des originalités de ce travail. L'auteur fournit plusieurs du'ā' pour chacun des troubles avec des titres pertinents et des références aux sources originales.

Il a également joint à ces troubles Al-Asmā Al-ḥusnā ainsi que « Aṣ-Ṣalāh Al-Ibrāhīmiyyah ». À mon humble avis, c'est un ouvrage à lire absolument et à conserver comme référence afin de comprendre et mémoriser ces du'ā' tirées du Qur'ān et de la Sunnah. Elles sont fondamentales et salutaires face aux épreuves les plus difficiles et puissantes dans les moments les plus pénibles.

Dr Shaykh Ashraf Makadam
Directeur de la fondation « Madani Schools Federation »

Leicester, Royaume-Uni
Jumādā Al-Akhirah 1444 (Janvier 2023)

Mā shā'a Allāh, le Manuel des Invocations Exaucées d'Ibn Daud est un recueil de du'ā' habilement structuré.

Ce livre d'invocations, entièrement référencées et classées en fonction de différentes émotions et sentiments, se doit d'être tenu en grande estime. Qu'Allāh ﷻ accepte cet effort réalisé par notre frère Jamal et le transforme en ṣadaqah jāriyah pour tous ceux qui ont pris part à sa publication. Āmīn.

Muḥammad Yahya (Mawlānā)
Directeur des éditions An Nasihah

Leicester, Royaume-Uni
Jumādā Al-Akhirah 1444 (Janvier 2023)

RECOMMANDATIONS

Mā shā'a Allāh, ce livre met en lumière les valeurs et les pratiques essentielles que la plupart des Musulmans de notre époque ont tendance à négliger.

L'auteur propose avec ce manuel un outil efficace et incroyablement stimulant puisque le lecteur peut accéder directement au trouble qui le concerne et trouver à sa disposition ad'iyāh et adhkār correspondants.

Shaykh Imran bin Adam
Directeur de l'école Jame'ah 'Uloom Al Qur'ān

Leicester, Royaume-Uni
Jumādā Al-Akhirah 1444 (Janvier 2023)

RECOMMANDATIONS

Au Nom d'Allāh, le Tout Miséricordieux et le Très Miséricordieux.

Louange à Allāh Ta'ala qui nous accorde constamment Sa grâce, nous gratifiant sans cesse de Ses bénédictions et qui dit dans le Qur'ān :

« Invoquez-Moi, et Je vous exaucerai. » [Ghāfir 40:60]

Que la Paix et les bénédictions soient sur Muḥammad, le meilleur de la création, dont la bonté et la beauté n'étaient que perfection ainsi que sur sa famille, ses compagnons et ceux qui le suivent dans l'excellence jusqu'au Jour du Jugement.

Le Manuel des Invocations Exaucées est une source inestimable de conseils pratiques, adaptés à chaque circonstance ou émotion grâce au large éventail de du'ā' proposé. Il offre des paroles de réconfort et d'espoir, aidant les lecteurs à renforcer leur relation avec Allāh ﷾ dans les périodes de difficultés, de craintes et de tristesse. Ce livre est un outil précieux pour tous ceux qui cherchent une relation approfondie avec Allāh ﷾ et qui espèrent Son amour et Son soutien permanents. Une ressource indispensable à adopter pour invoquer et être inspiré.

Après avoir examiné ce livre, je fus impressionné par la clarté du format, par les traductions et les translittérations qui le rendent accessible et utile pour tout un chacun. Qu'Allāh ﷾ Ta'ala soit loué pour ce qu'Il a permis à mon cher frère Jamal d'accomplir.

Je demande à Allāh ﷾ Ta'āla d'accepter ses efforts, de le maintenir en 'āfiyah et de lui accorder le succès permanent dans les deux mondes. Āmīn.

Shaykh Faheem bin Ismaeel
Directeur de « The Imam Muḥammad Adam Institute »

Leicester, Royaume-Uni
Jumādā Al-Akhirah 1444 (Janvier 2023)

REMERCIEMENTS

Le Prophète ﷺ a dit : « Celui qui ne remercie pas les gens n'a pas remercié Allāh سبحانه وتعالى » [Sunan Abī Dawūd 4811]

Toutes les louanges vont à Allāh سبحانه وتعالى, Seigneur et Soutien de l'Univers, pour m'avoir aidé à accomplir ce travail, et que les salutations et la paix soient faites au Messager ﷺ de la miséricorde et du droit chemin ainsi qu'à sa famille, à ses pieux Compagnons et à tous ceux qui suivent ses traces.

Ce travail est le fruit des encouragements et des conseils de nombreux esprits d'exception parmi les honorables 'Ulama' de Leicester ou d'ailleurs, auxquels je veux exprimer ma plus profonde gratitude : Dr Shaykh Ashraf Makadam, directeur de la fondation « Madani Schools Federation », Mawlānā Imran bin Adam, directeur de l'école « Jame'ah 'Uloom Al-Qur'ān », Shaykh Faheem bin Ismaeel, Directeur de l'école « The Imam Muḥammad Adam Institute » et Mawlana Yahya ibn Faruq, directeur des éditions An Nasihah. Qu'Allāh سبحانه وتعالى les protège et les élève en degré. Āmīn

Je dois également beaucoup à mon équipe éditoriale, Mawlānā Amaan Muḥammad, Mustafa Abid Russell, Irfan Chhatbar et Khaleel Kassim, sans lesquels je n'aurais pas eu les outils, la patience, les compétences et l'expertise nécessaires pour l'éclosion de ce livre. Je suis sincèrement honoré et profondément reconnaissant d'avoir pu m'entourer d'individus aussi gentils, patients et dévoués à Allāh سبحانه وتعالى.

Je voudrais aussi exprimer ma gratitude à mes tendres enfants, Ammaarah, Hafsah et Muḥammad-Ali pour m'avoir aidé à comprendre, grâce à leur regard, comment « bien » présenter les choses, et à mes sœurs aimantes et bienveillantes, Tehmina et Mashal, pour avoir corrigé avec passion mes premières ébauches et pour leurs continuels encouragements.

Tout au long de ce chemin, j'ai reçu le soutien inestimable de beaucoup d'autres personnes bienveillantes et généreuses. Qu'Allāh سبحانه وتعالى leur accorde en retour les plus belles récompenses dans les deux mondes. Āmīn

Mon immense gratitude s'adresse aussi à ma femme, Sana, dont la patience extrême au coeur des périodes difficiles, les bons conseils et la sagesse au cours de ce périple, ont été pour moi une formidable source d'énergie.

Enfin, je dois énormément à mes chers parents, Hameeda Parekh et le défunt Muḥammad Daud Parekh pour leur éducation et pour m'avoir élevé. Ils sont des exemples qui me guident.

Je prie Allāh ﷻ d'accorder les plus belles récompenses à notre Prophète ﷺ, ses héritiers, les savants de l'Islam et ceux qui suivent leurs traces vers le bonheur et le salut dans cette vie et dans l'Au-Delà. Āmīn.

Ibn Daud

Leicester, Royaume-Uni
Jumādā Al-Akhirah 1444 (Janvier 2023)

TABLE DE TRANSLITTÉRATION

Voyelles

A	Voyelle courte comme dans « amour »	I	Voyelle courte comme dans « prix »
Ā	Voyelle longue comme dans « flamme »	Ī	Voyelle longue comme dans « mise »
AY	Diphtongue comme dans « pays »	AW	Diphtongue comme dans l'anglais « Home ».
''	Démarrage abrupte ou pause	U	Prononcé (OU) - Voyelle courte comme dans « roux »
Ū	Prononcé (OU) - Voyelle longue comme dans « soulier »		

Consonnes

ب	B	Le B comme en français	ص	Ṣ	Son avec la bouche pleine
ت	T	Le T comme en français	ض	Ḍ	Son avec la bouche pleine, utilisant les bords de la langue
ث	TH	Comme dans l'anglais « Thin »	ط	Ṭ	Son avec avec la bouche pleine
ح	Ḥ	Son guttural	ظ	Ẓ	Son avec avec la bouche pleine comme dans « Dhur »
خ	KH	Très guttural sans utiliser la langue mais le haut du palais	ع	'	Son guttural qui accompagne les voyelles
د	D	Le D français, souple	غ	GH	Son très guttural sans utiliser la langue.
ذ	DH	Comme dans l'anglais « The »	ق	Q	Le K français, plus sec et avec la langue relevée
س	S	Le S comme en français	و	W	Le son « OUA » comme dans « roi »
ش	SH	Comme dans « chat »	ي	Y	Comme dans « briller »

NOTE : Les consonnes doubles sont prononcées en insistant sur les deux lettres, sans pause. Exemple : « Allāhumma » sera lu « al-lāhum-ma ».

Allāh est le terme arabe pour Dieu, le Seul Vrai Dieu, commun à tous les monothéismes traditionnels comme le Judaïsme, le Christianisme et l'Islam. Dans ce livre, c'est ce terme arabe, Allāh, qui sera utilisé pour désigner Dieu.

Subhānahū wa ta'āla - Qu'Il soit glorifié et exalté

Ṣallalāhu 'alayhi wa sallam - Que la paix et les bénédictions d'Allāh soient sur lui

'Alayhis salām - Que la paix soit avec lui

Radiyallāhu 'anhu - Qu'Allāh soit satisfait de lui

Rahimahullāh - Qu'Allāh lui fasse miséricorde

COMMENT UTILISER CE LIVRE ?

Les principales étapes pour utiliser ce livre :

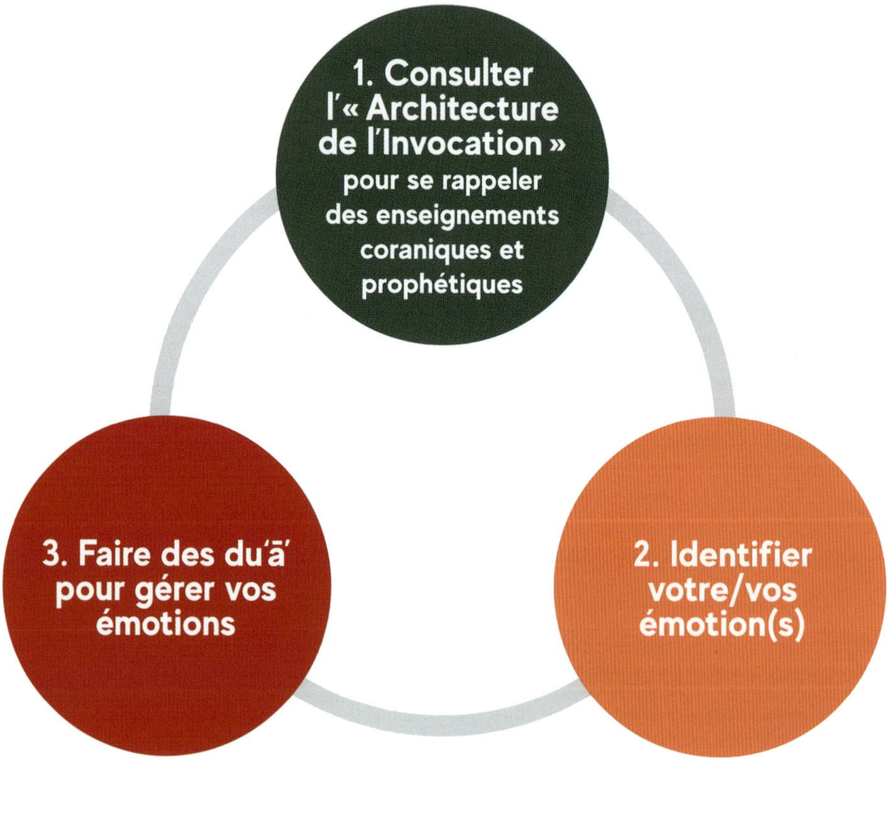

Étape 1 : Consulter l'« Architecture de l'Invocation » pour se rappeler, à ce sujet, des enseignements coraniques et prophétiques

- **Introduction** à l'« Architecture de l'Invocation »

- **Qu'est-ce** qu'une du'ā' ? Définition et explication

- **Pourquoi** sont-elles importantes ? Cette vie est une épreuve et les invocations sont des adorations

- **Quelles** sont leurs vertus ? Les bienfaits des invocations

- **Quelles** sont les conditions préalables aux invocations ?
- Comment se préparer pour l'invocation ?

- **Quel** est le meilleur moment pour faire une invocation ? Les périodes et les contextes dans lesquels elles sont cxaucées

- **Quelle** méthode pour l'invocation ? La meilleure manière de faire une invocation

- **Comment** la faire accepter ? Les clés dont il faut se souvenir pour s'assurer que nos invocations soient exaucées

Étape 2 : Identifier votre/vos émotion(s)

Il est important de comprendre et d'identifier nos états émotionnels si nous voulons tirer le maximum de bénéfices du large éventail d'invocations prescrites par le Qur'ān et les Ḥadiths.

Le Qur'ān et les Ḥadiths font, à de nombreuses reprises, des références directes ou indirectes aux états émotionnels de l'homme. Le fait qu'ils influencent les aspects que prennent nos vies n'est donc pas une nouveauté. Nous sommes des individus sociaux dotés de schémas comportementaux complexes, n'importe quel anthropologue vous le dira. Si nous parvenons à prendre conscience, en permanence, de la nature de nos émotions (peut-être même de nos émotions profondes), alors nous pourrons nourrir nos invocations de ce « savoir » et nous tourner vers Allāh ﷻ avec l'assurance de rétablir notre « équilibre », si nous Lui demandons de la bonne manière.

Allāh ﷻ dit : « C'est Lui qui fait rire et pleurer » [An-Najm 53:43]. Allāh ﷻ a implanté dans ses créatures la capacité de rire et de pleurer ainsi que ce qui déclenche ces deux opposés. [Tafsīr Ibn Kathīr 7:466 sous les versets 53:43].

1. **Table des Matières (Troubles Spirituels) :** vous pouvez être concernés par un ou plusieurs de ces « troubles spirituels » (qui sont également des états émotionnels). Chacun d'entre eux se trouve défini en début de chapitre afin d'aider le lecteur à comprendre et à reconnaître leurs spécificités.

2. **Glossaire des Émotions :** l'auteur a relié un certain nombre d'émotions aux différents chapitres (et donc aux différents troubles spirituels). C'est un moyen de naviguer directement vers les chapitres et les invocations qui vous seront le plus bénéfiques inshā'Allāh. Une liste de définitions « standards » est fournie pour vous aider à reconnaître les caractéristiques de ces émotions et, peut-être, vous y reconnaître.

Étape 3 : Faire des du'ā' pour gérer vos émotions

Faire des du'ā', c'est vouloir gérer efficacement vos propres émotions et celles des autres, ce qu'on appelle l'intelligence émotionnelle. C'est donc invoquer sincèrement pour vous-mêmes et pour les autres.

Faire des du'ā', c'est vouloir quitter ou atteindre un état émotionnel. Très concrètement, il s'agit d'utiliser les trésors du Qur'ān et de la Sunnah pour entamer une conversation avec notre Créateur afin de passer d'une situation négative à une situation positive.

Souvent, notre Prophète demandait à Allāh ﷻ la patience, la compassion et le bien-être afin de se consoler dans les périodes de tristesse, de solitude, d'inquiétude et d'anxiété.

En naviguant à travers ce livre et en se servant des invocations, le lecteur, fermement convaincu qu'Allāh ﷻ l'écoute, peut entamer une conversation avec son Créateur et mettre en place une relation profonde. Pour certains, c'est peut-être le début d'une connexion totalement nouvelle, transformatrice.

INTRODUCTION À L'« ARCHITECTURE DE L'INVOCATION »

Méthodologie Islamique

Avec la volonté de remettre l'invocation dans les cœurs et les esprits de la Ummah, pas seulement comme un « rituel » ou un « dernier recours », l'auteur a pris le temps de construire une « Architecture de l'Invocation ». Il s'agit essentiellement, pour ce dernier, de rappeler d'abord à lui-même puis aux lecteurs la nécessité de faire un pas de recul, de revenir aux enseignements coraniques et prophétiques, à la manière dont ils nous guident au sujet des invocations : que sont-elles, pourquoi sont-elles si importantes, leurs bienfaits, comment s'y préparer au mieux, le meilleur moment pour les faire, la manière de s'y prendre et comment s'assurer qu'elles soient exaucées.

Si nous faisons des invocations, elles changeront notre situation intérieure et extérieure, comme Allāh ﷻ l'a promis ; « Et qui est plus véridique qu'Allāh ﷻ en parole ? » [An-Nisā 4:87] Le Messager d'Allāh ﷺ croisa le chemin d'une communauté en détresse. Il conseilla : « Pourquoi ne demandent-ils pas l'aide d'Allāh ﷻ ? » En effet, selon un ḥadīth, seul l'invocation a le pouvoir de modifier le destin. [Sunan Ibn Majah 90].

L'auteur a collecté des invocations dans le Qur'ān et les Ḥadiths, puis les a reliés aux troubles spirituels qui peuvent atteindre les cœurs et par lesquels certains lecteurs se sentiront immédiatement concernés. Il a également lié ces invocations aux nombreuses émotions associées à ces troubles. Ainsi, le lecteur a toutes les cartes en main pour s'assurer d'utiliser le plus efficacement possible ces invocations sacrées : au bon moment, de la bonne manière, pour la bonne cause.

Les invocations doivent ressembler à une conversation murmurée avec Allāh ﷻ, notre Créateur, notre Seigneur et notre Soutien. En invoquant Ses noms les plus appropriés, au bon moment, en demandant la bénédiction de Son Rasūl bien-aimé ﷺ, avec un cœur sincère et attentif, nous obtenons la permission d'entrer dans le royaume des invocations exaucées.

Nous devons demander à Allāh ﷻ car Allāh ﷻ est le Seul à pouvoir donner. C'est un formidable rappel de notre incapacité radicale comme de la puissance illimitée d'Allāh ﷻ. Il a pouvoir sur tout quand nous n'en avons aucun. Son savoir englobe tout quand nous ne savons presque rien. Il est le Seigneur et nous sommes Ses serviteurs.

En ces temps si troubles, nous pouvons encore utiliser « l'arme » la plus puissante à disposition de tout croyant : l'invocation, se tenir devant Allāh ﷻ Tout Puissant et Lui demander Son aide.

اللَّهُمَّ اغْسِلْ خَطَايَايَ بِمَاءِ الثَّلْجِ وَالْبَرَدِ، وَنَقِّ قَلْبِي مِنَ الْخَطَايَا، كَمَا يُنَقَّى الثَّوْبُ الأَبْيَضُ مِنَ الدَّنَسِ، وَبَاعِدْ بَيْنِي وَبَيْنَ خَطَايَايَ كَمَا بَاعَدْتَ بَيْنَ الْمَشْرِقِ وَالْمَغْرِبِ

Allāhumma ghsil khatāyāya bi mā'i th-thalji wa l-barad, wa naqqi qalbī mina l-khatāyā kamā yunaqqa th-thawbu l-abyadu mina d-danasi, wa bā'id baynī wa bayna khatāyāya kamā bā'adta bayna l-mashriqi wa l-maghribi

Seigneur ! Lave-moi de mes péchés avec de la neige et de la glace, purifie mon cœur de ses erreurs comme on lave la saleté du tissu blanc et éloigne-moi de mes péchés tel que Tu as disposé loin l'un de l'autre le Levant et le Couchant. [Ṣaḥīḥ Al-Bukhārī 6375]

Ibn Daud

L'« ARCHITECTURE DE L'INVOCATION »

Méthodologie Islamique

2. Pourquoi les invocations sont-elles importantes ?
3. Quelles sont leurs bienfaits ?
4. Quelles sont les conditions requises pour les invocations ?
5. Quand sont-elles facilement exaucées ?

1. QU'EST-CE QU'UNE DU'Ā' ?

Les du'ā' sont les murmures d'une conversation avec Allāh ﷻ, notre Créateur, Seigneur et Soutien. C'est vers Lui que nous nous tournons car Lui Seul peut satisfaire nos besoins. Voir les invocations de cette manière - une relation entre des serviteurs dépourvus faisant appel au Maître, Celui qui pourvoit en toutes choses - c'est s'offrir un formidable rappel de l'humaine incapacité et de la puissance illimitée d'Allāh ﷻ. Il a pouvoir sur tout quand nous n'en avons aucun. Son savoir englobe tout quand nous ne savons presque rien. Il est le Seigneur et nous sommes Ses serviteurs.

Le Messager d'Allāh ﷺ a dit : « Il n'y a rien de plus noble auprès d'Allāh ﷻ que l'invocation. » Il ﷺ a dit également : « Allāh ﷻ est en colère contre ceux qui ne L'invoquent pas. »

Invoquer, en prendre l'habitude, c'est se forcer à considérer sa position dans l'Univers et, du coup, renforcer son imān (sa foi). L'acte d'invocation démontre :

- Que nous n'avons absolument aucun contrôle sur notre destin.
- Que nous n'avons ni le pouvoir d'attirer un bienfait ni celui d'éviter un mal.
- Qu'il faut percevoir, dans la relation à notre Seigneur, à quel point nous sommes dans le besoin et sans secours.
- Notre complète soumission et 'ubūdiyyah (servitude) à Lui.
- Que nous croyons sincèrement qu'Allāh ﷻ nous entend et répondra à notre demande.
- Que nous affirmons également l'Infini Miséricorde d'Allāh ﷻ, Sa Bienfaisance et Sa Générosité.
- Que nous savons qu'il faut cultiver la conscience d'être pauvre, dans tous les sens du terme, comparé à la Miséricorde de notre Seigneur.
- Que le serviteur doit ressentir une constante humilité ; ses « épanchements » lors de ses conversations avec son Seigneur seront en adéquation avec cette humilité.
- La reconnaissance de la perfection des noms et des attributs d'Allāh ﷻ.

Au fondement du monothéisme islamique, il y a le mot même « Islām », un terme arabe. Traduit en français, il signifie « Soumission à la volonté de Dieu ». Le terme « īmān », lui, est généralement compris comme la « foi » qui se trouve dans le cœur du croyant. Ce n'est pourtant pas exact puisque, dans le Qur'ān, « īmān » renvoie à une conviction fondée sur la raison et le savoir, une conviction qui découle entièrement du consentement intellectuel. L'īmān, avec l'intégralité de son sens, fait du croyant un homme totalement convaincu.

L'invocation, cette démarche réfléchie par laquelle le croyant se tourne vers Allāh ﷻ, illustre le mot « īmān ». Il sait qu'en toute chose il a besoin d'Allāh ﷻ et sollicite Son attention. Quant au croyant méditatif, il est aussi pleinement conscient de la parfaite nature d'Allāh ﷻ. Combinés, ces deux attitudes forment l'essence de l'īmān et de la servitude envers Allāh ﷻ.

C'est pourquoi le Messager d'Allāh ﷺ a dit :

- « L'invocation est une adoration » [Jāmi` At-Tirmidhī 2969]
- « L'invocation est l'essence de l'adoration » [Jāmi` At-Tirmidhī 3371]

Lors des invocations nous parlons directement à Allāh ﷻ : nous n'avons besoin ni d'intermédiaires ni d'autorisation particulière. Il n'y a pas non plus d'attente avant d'obtenir une audience : nous pouvons adresser nos demandes à Allāh ﷻ instantanément, partout, tout le temps. Cette intimité et ce lien que nous partageons avec Lui sont soulignés dans ce verset :

« Et quand Mes serviteurs t'interrogent sur Moi... alors Je suis tout proche : Je réponds à l'appel de celui qui Me prie quand il Me prie. Qu'ils répondent à Mon appel, et qu'ils croient en Moi, afin qu'ils soient bien guidés. ». [Al-Baqarah 2:186]

Les invocations sont un véritable don que nous devrions utiliser pleinement comme un élément indispensable de notre quotidien. Le cœur du croyant sera facilement persuadé des bénéfices à en tirer.

2. POURQUOI LES INVOCATIONS SONT-ELLES IMPORTANTES ?

La vie est une épreuve

Allāh ﷻ est : « Celui qui a créé la mort et la vie afin de vous éprouver (et de savoir) qui de vous est le meilleur en œuvre, et c'est Lui le Puissant, le Pardonneur. » [Al-Mulk 67:2].

En tant qu'êtres humains, nos vies dans ce monde sont marquées par des situations variables qui nous rendent heureux ou tristes. Personne ne connaît la félicité ou la misère perpétuelle. Notre foi et notre croyance sont mises à l'épreuve lorsque nous affrontons la difficulté et le malheur. Ces difficultés peuvent être physiques, émotionnelles, financières et/ou psychologiques. Ces situations compliquées peuvent parfois s'abattre sur un individu, une famille, une communauté ou une large partie de la Ummah comme c'est le cas actuellement dans de nombreux pays du monde. La vie, par sa nature même, est une épreuve.

Cette conception est héritée du verset suivant :
« Très certainement, Nous vous éprouverons par un peu de peur, de faim et de diminution de biens, de personnes et de fruits. Et fais la bonne annonce aux endurants » [Al-Baqarah 2:155].

En tant que croyants, nous devons croire que chaque situation est la manifestation de la volonté d'Allāh ﷻ. Ce qui nous est épargné n'était pas censé nous frapper et ce qui nous frappe n'était pas censé nous être épargné. Les situations heureuses et favorables doivent nous trouver reconnaissants et humbles, les situations compliquées exigent que nous soyons patients et cherchions de l'aide auprès d'Allāh ﷻ.

Le Prophète ﷺ a dit : « Le secours vient avec la patience, le soulagement après les soucis et la facilité après la difficulté. » [Musnad Aḥmad 2803].

L'invocation est une adoration

Nous devrions nous efforcer de considérer le fait d'invoquer Allāh ﷻ comme une solution à nos problèmes, petits ou grands. Cependant, et malheureusement, les invocations se sont transformées, pour bon nombre d'entre nous, en rituel creux. Combien d'entre nous réservent leurs profondes et lumineuses invocations pour « l'ultime » occasion, comme un dernier recours ? Nous attendons que toutes les autres options se soient évanouies, que tous les moyens soient épuisés. Nos invocations sont devenues tièdes, limitées, étroites et nous doutons qu'elles puissent être exaucées. Pourtant, Allāh ﷻ nous dit dans le Qur'ān :

- « Et les dons de ton Seigneur ne sont refusés [à personne]. » [Al-Isrā 17:20]
- « Quand Il décide d'une chose, Il lui dit seulement : « Sois » et elle est aussitôt. » [Āl 'Imrān 3:47]

Nous devrions donc saisir l'opportunité d'invoquer pour nous et pour les autres. Le Prophète ﷺ a dit : « Il n'y a aucun serviteur musulman qui invoque pour son frère dans son dos (en son absence) sans que l'ange (près de sa tête) ne dise : « et à toi la même chose ». » [Ṣaḥīḥ Muslim 2732]

Le Messager d'Allāh ﷺ est très clair, formel et catégorique dans ces paroles : « L'invocation est une adoration » et « L'Invocation est l'essence de l'adoration. » [Jāmi' At-Tirmidhī 3371].

Comment se fait-il que nous prêtions si peu d'attention à ce qui est décrit comme « l'essence » de l'adoration voire l'adoration elle-même ? L'invocation est un acte censé « connecter » le serviteur à son Maître. Le serviteur tend sa main à l'image du mendiant, en toute humilité, avec un cœur attentif, plein d'espoir dans son Créateur, Celui qui façonne et Celui qui soutient. Mettez-vous un instant, s'il vous plaît, à la place d'une mère aimante devant son enfant désobéissant ou mauvais qui lui demande de l'aide : face à ce dilemme, elle choisit de ne pas l'ignorer ou de le renvoyer d'un revers de main. C'est dans sa nature de chérir et d'avoir de l'empathie. De la même manière, mais éternellement, universellement et à un rythme et une intensité bien plus élevés, Allāh ﷻ le Très Miséricordieux n'abandonne jamais celui qui mendie et ne laisse jamais sa main vide. Plus encore, c'est Son Amour qui inspire l'amour maternel face aux mêmes dilemmes, partout à travers le monde : Sa Miséricorde insuffle la douceur dans le cœur des mères qui pardonnent, chez les humains, les mammifères, les insectes, les poissons et les oiseaux.

3. QUELS SONT LES BIENFAITS DES INVOCATIONS ?

Les 10 bienfaits des invocations

Les invocations engagent une conversation avec Allāh ﷻ

Les invocations engendrent un sentiment d'espoir et d'optimisme, une confiance accrue dans la miséricorde d'Allāh ﷻ. Pour certains, convaincus qu'Allāh ﷻ les entend, c'est peut-être le début d'une nouvelle relation. Leur īmān (la foi) augmente, tout comme leur amour d'Allāh ﷻ. En parallèle, ils se souviennent des péchés qui pourraient empêcher leurs invocations d'être exaucées et ils craignent, en raison de ces péchés, que leurs invocations soient rejetées. Ils demandent donc pardon à Allāh ﷻ et se mettent à réformer leurs vies, s'efforçant de plaire à Allāh ﷻ et réalisant que Lui Seul peut changer leur situation.

Finalement, quelques rares bienheureux atteindront un stade où le plaisir de cette conversation devient plus doux à leurs âmes que ne le serait la réponse à leurs invocations !

Allāh ﷻ dit : « Et quand Mes serviteurs t'interrogent sur Moi... alors Je suis tout proche : Je réponds à l'appel de celui qui Me prie quand il Me prie. » [Al-Baqarah 2:186]

Les invocations sont un remède pour tous nos maux

Ibn Qayyim a dit : « L'invocation est parmi les remèdes les plus utiles. Et elle est l'ennemie du malheur : elle le repousse, y remédie, elle empêche sa survenue et elle l'ôte ou l'allège lorsqu'il survient. Elle est l'arme du croyant. » [Ad-Dā' wa Ad-Dawā', p10]. Le malheur, ici, est à la fois physique (du simple mal de tête au cancer) et spirituel (colère, jalousie ou amour de ce monde).

Les invocations nous aident à gérer nos émotions

Pour nombre d'entre nous, les invocations visent à s'éloigner ou à se rapprocher de certains états émotionnels. Très concrètement, il s'agit d'utiliser les trésors du Qur'ān et de la Sunnah pour entamer une conversation avec notre Créateur et passer d'une situation négative à une situation positive.

Allāh ﷻ dit : « Et cherchez secours dans l'endurance et la Salāh : certes, la Salāh est une lourde obligation, sauf pour les humbles. » [Al-Baqarah 2:45]

Les invocations rendent humbles et sont le signe de notre ferveur et de notre persévérance

Lorsque la réponse à l'invocation tarde à se manifester, nous réalisons encore plus clairement qu'il n'y a personne, en-dehors d'Allāh ﷻ, pour nous aider ou nous répondre. Cette prise de conscience engendre la soumission et le profond respect exigé par la présence d'Allāh ﷻ. L'humilité et la modestie s'installent comme nous saisissons la faiblesse et la fragilité de notre nature.

Ce délai entre l'invocation et la réponse d'Allāh ﷻ (ou ce que nous percevons comme un délai), permet au croyant de témoigner sa satisfaction face au décret divin en ne se montrant ni frustré ni mécontent. Une réponse immédiate n'aurait peut-être pas permis au serviteur de percevoir un tel sentiment d'humilité ou la volonté de développer cette humilité en présence de l'Être Divin.

Allāh ﷻ dit : « Ils concouraient au bien et Nous invoquaient par amour et par crainte. Et ils étaient humbles devant Nous. » [Al-Anbiyā' 21:90]. Le Qur'ān est, en effet, rempli de versets dans lesquels anges, prophètes et croyants adressent des invocations à Allāh ﷻ.

Le Prophète ﷺ a dit : « Le plus faible des hommes est le plus faible en invocation et le plus avare des hommes est celui qui est avare dans le salām. » [Ibn Ḥibbān 4498]

Il existe des paroles spécifiques qu'Allāh ﷻ a ordonnées de réciter quotidiennement pour nous rappeler notre état de dépendance dans cette relation à Lui. Parmi ces paroles : « C'est Toi [Seul] que nous adorons, et c'est Toi [Seul] dont nous implorons secours. » [Al-Fātiḥah 1:5]. Dans ces paroles, les interprétations nombreuses et variées qui tentent d'analyser Al-Fātiḥah perçoivent, toutes et sans exception, une conversation très profonde et une série d'invocations adressées au Tout-Puissant par un serviteur dans le besoin.

Les invocations éloignent la colère d'Allāh ﷻ

Le Prophète ﷺ a dit : « Celui qui n'invoque pas Allāh ﷻ, Allāh ﷻ se met en colère contre lui. » [Jāmi` At-Tirmidhī 3373] De plus, si quelqu'un délaisse l'invocation par arrogance, ou sentiment d'autosuffisance, il tombe en réalité dans la mécréance car il s'adore lui-même et devient son propre dieu.

Les invocations repoussent ce qui était prédestiné

Le Prophète ﷺ a dit : « Ne repousse le destin (qadar) que l'invocation. » [Ibn Mājah 90] En d'autres termes, il est possible qu'Allāh ﷻ, alors qu'un malheur a été décrété, le repousse grâce à la sincérité et à la qualité des invocations de la personne concernée, modifiant ainsi le cours du destin.

Les invocations sont le signe d'un esprit éclairé

Celui qui fait appel à Allāh ﷻ, qui choisit l'invocation comme moyen idéal pour atteindre ses objectifs, a pris une sage décision. Il a compris que l'accomplissement de tout ce qu'il désire repose entre les mains d'Allāh ﷻ, tout comme les moyens d'accomplir ces désirs.

« Est-ce que celui qui, aux heures de la nuit, reste en dévotion, prosterné et debout, prenant garde à l'Au-Delà et espérant la miséricorde de son Seigneur. Dis : « Sont-ils égaux, ceux qui savent et ceux qui ne savent pas ? » Seuls les doués d'intelligence se rappellent. » [Az-Zumar 39:9]

Les invocations sont la signature du croyant et renforcent la croyance

Attendre patiemment une réponse qui tarde à venir, après avoir invoquer, nécessite un solide espoir en Allāh ﷻ et un ferme optimisme quant à Sa miséricorde et Ses bienfaits. Et plus la réponse tarde, plus cette relation et cette connexion deviennent puissantes. Ainsi, la répétition des invocations renforce notre īmān.

Sans aucun doute, Shayṭān sème des graines de doute dans le cœur des hommes. Pour lui, l'absence de réponse aux invocations est l'opportunité d'accroître la négativité dans les cœurs. Et il exploitera ces opportunités au maximum ! Car voici des serviteurs, fragiles et humbles devant Allāh ﷻ, L'appelant et L'implorant : « Seigneur ! Seigneur ! » Et cependant, aucune réponse !

C'est vrai, ce genre de situation n'est pas rare. Mais le véritable croyant retourne cette situation en défaveur du maudit Shayṭān et transforme la tentation de l'amertume en élan vers le bien. Le croyant aperçoit les dangers, il est cet individu dont la foi puissante le rend vigilant face aux attaques répétées de Shayṭān. Alors, au lieu de laisser ces menaces le détourner de l'adoration d'Allāh ﷻ, il les saisit comme des opportunités de s'attaquer, au contraire, à Shayṭān. Il demeure fidèle dans son adoration d'Allāh ﷻ et l'intensifie. Il se tourne vers Lui encore et encore, cherchant refuge contre son ennemi. En effet, il réalise que son seul espoir de demeurer sain et sauf réside en Allāh ﷻ et que son seul refuge, ou havre de paix, se trouve auprès d'Allāh ﷻ le Tout-Puissant. Dans cet intense combat entre Shayṭān et les fils d'Adam, l'arme brandie est donc cette invocation faite à Allāh ﷻ et l'armure, ce refuge protecteur espéré auprès d'Allāh ﷻ.

Le Prophète ﷺ a dit : « Le serviteur ne cesse d'être exaucé tant qu'il n'invoque pas pour un péché ou pour rompre des liens de parenté et tant qu'il ne s'impatiente pas. » On demanda : « Ô Messager d'Allāh ! Qu'est-ce que l'impatience ? » [Le Prophète ﷺ] répondit : « Une personne qui dit : « J'ai invoqué et invoqué, mais je ne me vois pas exaucé ! » puis se lasse et abandonne l'invocation. » [Ṣaḥīḥ Muslim 2735]

Les invocations sont un signe de fraternité

Nous avons la garantie d'obtenir une réponse : c'est un vrai signe d'amour et de solidarité. De plus, le fait qu'un croyant se souvienne d'un autre musulman en son absence démontre clairement qu'il se soucie de lui et en prend soin.

Le Prophète ﷺ a dit : « Il n'y a aucun serviteur musulman qui invoque pour son frère dans son dos (en son absence) sans que l'ange (près de sa tête) ne dise : « et à toi la même chose ». » [Ṣaḥīḥ Muslim 2732]

Les invocations sont très simples

Les invocations ne sont réservées ni à certaines personnes, ni à certains lieux ou à certains moments. Bien au contraire, tout le monde – homme ou femme, jeune ou vieux, riche ou pauvre, savant ou simple fidèle – peut faire des invocations partout et à tout moment. Fondamentalement, seuls sont requis un cœur attentif et une âme empreinte d'humilité.

'A'ishah رضي الله عنها rapporte que le Messager d'Allāh ﷺ avait l'habitude de se remémorer Allāh ﷻ à chaque instant. [Ṣaḥīḥ Muslim 373]

4. QUELLES SONT LES CONDITIONS REQUISES POUR LES INVOCATIONS ?

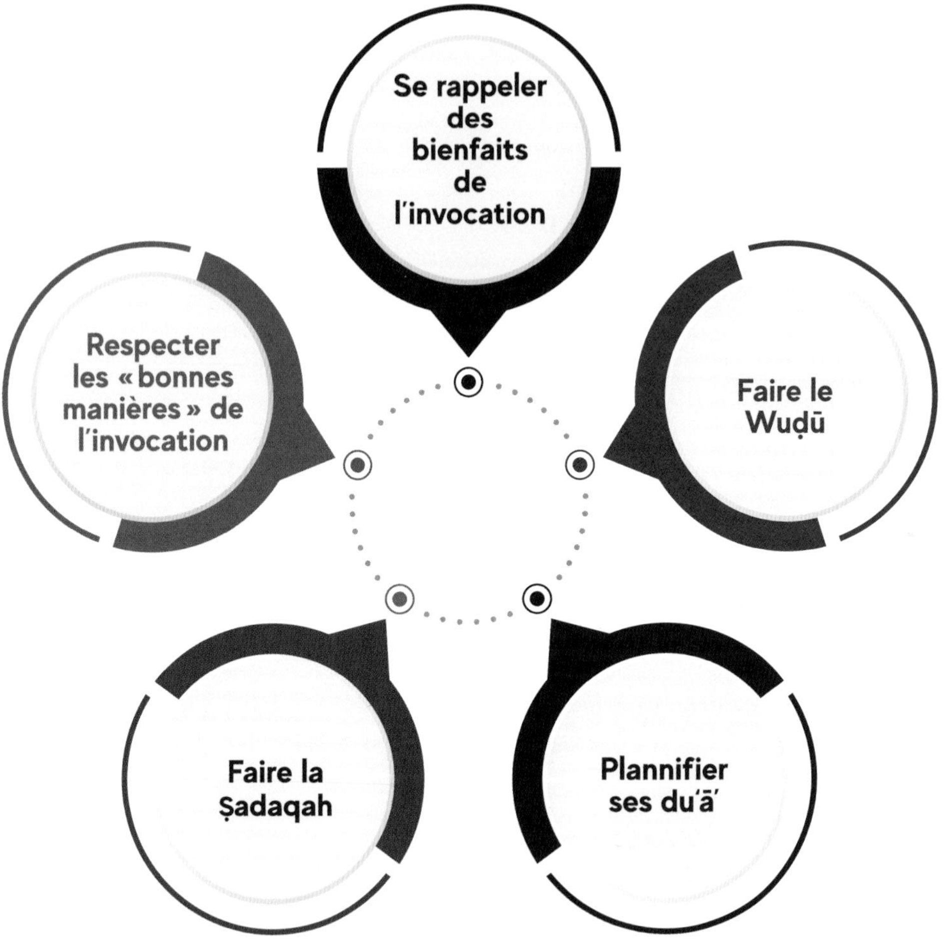

Se rappeler de certains bienfaits essentiels de l'invocation

Dans la section précédente, nous avons souligné 10 bienfaits de l'invocation. Le Prophète ﷺ a dit : « Rien n'est aussi noble pour Allāh ﷻ que l'invocation. » [Jāmi' At-Tirmidhī 3370]. En effet, les invocations sont le moyen d'afficher notre pauvreté et notre impuissance en comparaison à la force et à la puissance dominante d'Allāh ﷻ.

Faire le Wuḍū

Le Prophète ﷺ a dit : « Je n'aime pas me souvenir d'Allāh ﷻ sans être purifié. » [Sunan Abī Dawūd 17]

Planifier ses du'ā'

Vous devez choisir un moment pendant lequel les invocations sont facilement exaucées (voir le chapitre suivant). L'imam Al-Ghazāli insistait sur l'importance de construire des routines : « Votre temps ne devrait pas manquer d'un cadre, comme si les différentes occupations vous tombaient dessus arbitrairement. Au contraire, vous devez le structurer et plannifier vos actes d'adoration aux différentes heures du jour et de la nuit, assignant à chaque intervalle de temps une activité qui ne pourra être ni négligée ni remplacée. Vous verrez spontanément apparaître les bienfaits de cette organisation temporelle. » [Bidāyah Al-Hidāyah, p.60- 61, (voir trad. Initiation à la foi, éditions Albouraq)]

'Abdullāh ibn 'Amr ﵁ a dit : « Organise tes affaires pour ce bas monde comme si tu devais y vivre éternellement et organise-les pour l'Au-Delà comme si tu devais mourir demain. » [Gharīb Al-Ḥadīth v.1 p.286]

Faire la ṣadaqah

Le Prophète ﷺ a dit :

- « L'aumône est une preuve » [Ṣaḥīḥ Muslim 223]
- « L'aumône versée éteint la colère d'Allāh ﷻ et repousse la mauvaise mort » [Jāmi' At-Tirmidhī 664]

Allāh ﷻ dit :

- « Vous n'atteindrez la (vraie) piété, que si vous faites largesses de ce que vous chérissez. Tout ce dont vous faites largesses, Allāh ﷻ le sait certainement bien. » [Āl 'Imrān 3:92]
- « La miséricorde d'Allāh ﷻ est proche des bienfaisants. » [Al-A'rāf 7:56]

Les savants sont unanimes : il est bénéfique de faire précéder ses invocations par une bonne action.

Se conformer aux « bonnes manières » de l'invocation

Naturellement, et comme l'enseigne notre Prophète ﷺ, vous devez essayer de faire appel à Allāh ﷻ d'une façon qui Lui est agréable. La 6ème partie de l'« Architecture de l'Invocation » rappelle ces bonnes manières.

5. DANS QUELS CONTEXTES LES INVOCATIONS SONT-ELLES FACILEMENT EXAUCÉES ?

MOMENTS SPÉCIFIQUES EN LIEN AVEC LA ṢALAH

Il est plus profitable et plus méritoire d'effectuer ses invocations à certains moments, dans certaines situations ou conditions.

- L'invocation après le Wuḍū
- L'invocation lors de l'Adhān
- L'invocation entre l'Adhān et l'Iqāmah
- L'invocation avant Ẓuhr
- L'invocation pendant la récitation d'Al-Fātiḥah
- L'invocation pendant la prosternation
- L'invocation avant la fin de la Ṣalah
- À la fin des prières obligatoires (farḍ)
- Le jour de Jumu'ah
- Lors du dernier tiers de la nuit
- Au cours d'une certaine heure de la nuit

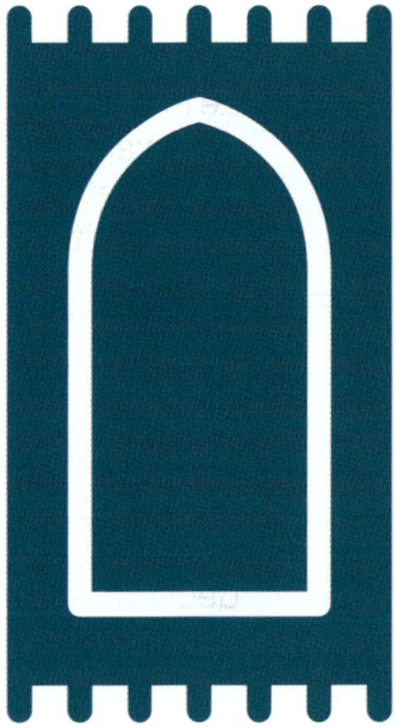

- **L'invocation après le Wuḍū**
  Le Prophète ﷺ a dit : « Aucun d'entre vous n'accomplit les ablutions parfaitement puis déclare : « J'atteste qu'il n'y a aucune divinité digne d'être adorée en-dehors d'Allāh سبحانه وتعالى, Seul et sans associé et j'atteste que Muḥammad est Son serviteur et Son envoyé », sans que les huit portes du Paradis ne s'ouvrent pour lui. Il rentre par celle qu'il désire. » [Ṣaḥīḥ Muslim 234]

Ce ḥadīth, indique que les invocations faites à cet instant ont plus de chance d'obtenir une réponse puisque toutes les portes du Paradis sont alors ouvertes.

- **L'invocation lors de l'Adhān**
  Le Prophète ﷺ a dit : « Lorsqu'on appelle à la prière, les portes du ciel s'ouvrent et les invocations sont exaucées. » [Musnad Abī Dāwūd Aṭ-Ṭayālisī 2220]

- **L'invocation entre l'Adhān et l'Iqāmah**
  Le Prophète ﷺ a dit : « L'invocation faite entre l'adhān et l'iqamah est exaucée. » [Jāmi` At-Tirmidhī 3595]. Cinq fois par jour, alors que le fidèle patiente avant d'offrir sa prière à Allāh ﷻ, une opportunité lui est offerte afin d'adresser à Allāh ﷻ ses besoins pour ce monde et pour l'Au-Delà. Le Prophète ﷺ a dit : « L'invocation entre l'adhān et l'iqamah est exaucée, alors invoquez ! » [Musnad Aḥmad 12584]

- **L'invocation avant Ẓuhr**
  À propos de ce laps de temps entre le moment où le soleil atteint son zénith (le midi solaire) et Ẓuhr, le Prophète ﷺ a déclaré : « C'est une période pendant laquelle les portes du Paradis sont ouvertes. » [Jāmi` At-Tirmidhī 478]

- **L'invocation pendant la récitation d'Al-Fātiḥah**
  Le Prophète ﷺ a dit : « Allāh ﷻ le Très Haut a dit : J'ai divisé la prière en deux parties, entre Moi et Mon serviteur, et Mon serviteur obtient ce qu'il demande. **Ainsi, lorsque le serviteur dit** : « Louange à Allāh ﷻ, Seigneur de l'univers. », **Allāh ﷻ dit** : Mon serviteur M'a loué. **Lorsqu'il dit** : « Le Tout Miséricordieux, le Très Miséricordieux », **Allāh ﷻ dit** : Mon serviteur M'a glorifié. **Lorsqu'il dit** : « Maître du Jour de la rétribution », **Allāh ﷻ dit** : Mon serviteur M'a honoré. **Lorsqu'il dit** : « C'est Toi [Seul] que nous adorons, et c'est Toi [Seul] dont nous implorons secours », **Allāh ﷻ dit** : Ceci est entre Moi et Mon serviteur et Mon serviteur obtient ce qu'il demande. **Lorsqu'il dit** : « Guide-nous dans le droit chemin, le chemin de ceux que Tu as comblés de faveurs, non pas de ceux qui ont encouru Ta colère, ni

des égarés ». Allāh ﷻ dit : Ceci est pour Mon serviteur et Mon serviteur obtient ce qu'il demande. » [Ṣaḥīḥ Muslim 395]

Nous sommes donc vigoureusement encouragés, dans chaque prière, à réciter Al-Fātiḥah avec une profonde humilité et une parfaite attention afin d'être exaucés.

- **L'invocation pendant la prosternation**
  Le Prophète ﷺ a dit « Jamais le serviteur n'est plus proche de son Seigneur que lorsqu'il est prosterné. Multipliez donc vos invocations dans cette position. » [Ṣaḥīḥ Muslim 482] Lors de la prosternation, l'homme met à terre la partie la plus noble et la plus sacré de son corps dans le but de plaire à son Seigneur et d'obtenir Son pardon. C'est une noble posture qui représente le summum de l'humilité et de la soumission : c'est la posture qu'Allāh ﷻ aime le plus.

- **L'invocation avant la fin de la Ṣalah**
  'Abdullāh ibn Mas'ūd ؓ raconte : « Un jour, j'étais en train de prier et le Prophète ﷺ, Abū Bakr, et 'Umar (étaient présents). Lorsque je me suis assis (pour le tashahhud final), j'ai loué Allāh ﷻ, demandé les bénédictions sur le Prophète ﷺ puis j'ai commencé à prier pour moi-même. Le Prophète ﷺ a alors dit : « Demande, et tu seras exaucé ! Demande, et tu seras exaucé ! » » [Jāmi' At-Tirmidhī 593]

- **À la fin des prières obligatoires (farḍ)**
  Quelqu'un interrogea : « Ô Messager d'Allāh, quelles sont les invocations qui ont le plus de chance d'être exaucées ? Il répondit : « (Pendant) la dernière partie de la nuit et à la fin des prières obligatoires. » [Jāmi' At-Tirmidhī 3499]

- **Le jour de Jumu'ah**
  Le Prophète ﷺ a dit : « Il y a, en ce jour, une heure (un moment opportun) durant laquelle aucun serviteur musulman en train de prier ne demande une chose à Allāh ﷻ sans qu'Il ne la lui donne. » Puis, il fit un signe de la main afin de montrer que ce moment ne dure pas longtemps. [Ṣaḥīḥ Al-Bukhārī 935].

Il y a deux opinions principales quant au moment dont il s'agit :

1. Il s'agit du temps entre le moment où l'Imam s'assoit jusqu'à la fin de la prière. Le Prophète ﷺ a dit « Il s'agit du temps entre le moment où l'Imam s'asseoit et la fin de la prière » [Ṣaḥīḥ Muslim 853]
2. Il s'agit de 'Aṣr, (c'est-à-dire de la dernière portion du jour de Jumu'ah). Le Prophète ﷺ a dit : « Le vendredi est divisé en douze heures. Parmi ces heures, il y en a une durant laquelle aucun Musulman ne demande quoi que ce soit à Allāh ﷻ sans être exaucé. Mettez-vous donc à la recherche de cette heure après la prière de l'après-midi. » [Sunan Abī Dawūd 1048]

- **Lors du dernier tiers de la nuit**
  Le Prophète ﷺ a dit : « Notre Seigneur, Béni et Exalté soit-Il, descend chaque nuit au ciel le plus bas, quand il ne reste que le dernier tiers de la nuit. Il déclare : « Qui M'invoque que Je l'exauce ? Qui Me demande que Je lui donne ? Qui implore Mon pardon que Je lui pardonne ? » » [Ṣaḥīḥ Al-Bukhārī 1145]

  Dans son livre, l'Imam Al-Bukhari mentionne ce ḥadīth au chapitre du tahajjud. Il y a donc un lien entre ce ḥadīth et cette prière spécifique de la nuit. Cependant, ce ḥadīth n'est pas réservé à la prière du tahajjud puisqu'Allāh ﷻ dit (en décrivant les vertueux) : « Ils dormaient peu la nuit, et aux dernières heures de la nuit ils imploraient le pardon [d'Allāh ﷻ] » [Ad-Dhāriyāt 51: 17-18]

  Le Prophète ﷺ a dit : « Le Seigneur n'est jamais aussi proche du fidèle que lors de la dernière partie de la nuit. Donc, si vous êtes capables de vous souvenir d'Allāh ﷻ à ce moment-là, faites-le. » [Jāmi' At-Tirmidhī 3579]

- **Au cours d'une certaine heure de la nuit**
  Le Prophète ﷺ a dit : « Chaque nuit, il y a une heure pendant laquelle Allāh ﷻ exauce toutes les prières du musulman en ce qui concerne les biens de ce bas-monde ou ceux de l'Au-Delà. » [Ṣaḥīḥ Muslim 757]

PRIER POUR LES AUTRES

Quand une personne malade invoque en faveur de quelqu'un d'autre

Le Prophète ﷺ a dit : « Quand vous rencontrez un malade, demandez-lui de prier pour vous car ses invocations sont semblables à celles des anges. » [Ibn Mājah 1441]

Quand un parent fait une invocation pour ses enfants

Le Prophète ﷺ a dit : « Il y a trois invocations qui obtiendront, sans aucun doute, une réponse : celle de l'opprimé, celle du voyageur, et celle du père pour son enfant. » [Ibn Mājah 3862]

Quand les enfants font des invocations pour leurs parents

Les enfants sont encouragés à prier pour leurs parents décédés. Le Prophète ﷺ a dit : « Lorsqu'une personne meurt, elle est séparée de ses actes à l'exception de trois choses : une aumône qui continue d'agir, un savoir dont les gens continuent de profiter et un enfant pieux qui invoque pour lui ». [Ṣaḥīḥ Muslim 1631]

Le Qur'ān lui-même recommande ces invocations. Allāh ﷻ dit :

رَّبِّ ارْحَمْهُمَا كَمَا رَبَّيَانِي صَغِيرًا

Rabbirḥamhumā kamā rabbayānī ṣaghīrā

« Et par miséricorde, abaisse pour eux l'aile de l'humilité, et dis : « Ô mon Seigneur, fais-leur, à tous deux, miséricorde comme ils m'ont élevé tout petit ». » [Al-Isrā 17:24]

Quand l'âme d'une personne est emportée

Sitôt que nous nous trouvons en présence d'une personne sur le point de mourir, nous devons prier Allāh سبحانه وتعالى d'accorder ce qu'il y a de meilleur au mourant, à sa famille et à nous-même. En effet, les anges de la mort sont tout près. Ils patientent avant de s'emparer de l'âme et disent « Āmīn » après chaque invocation prononcée en cette occasion.

Le Prophète ﷺ entra auprès d'Abū Salamah qui venait de mourir, les yeux ouverts. Il les lui referma puis dit : « Certes, quand l'âme est saisie, le regard la suit. » lorsque des membres de sa famille éclatèrent bruyamment en sanglots, Le Prophète ﷺ intervint : « Ne faites d'invocations pour vous qu'en bien ! Car les anges répondent « Āmīn » à vos propos. » Il poursuivit : « Ô Allāh ! Pardonne à Abū Salamah ! Élève son degré parmi les bien-guidés ! Accorde-lui un successeur parmi ses descendants en vie ! Pardonne-nous, ainsi qu'à lui, Ô Seigneur des mondes ! Agrandis sa tombe et illumine-la ! » [Ṣaḥīḥ Muslim 920]

Pour votre frère, en son absence

Le Prophète ﷺ a dit : « Il n'y a aucun serviteur musulman qui invoque pour son frère dans son dos (en son absence) sans que l'ange (près de sa tête) ne dise : « et à toi la même chose ». » [Ṣaḥīḥ Muslim 2732]

LORSQUE NOUS SOMMES VULNÉRABLES OU DANS UNE SITUATION COMPLIQUÉE/DIFFICILE

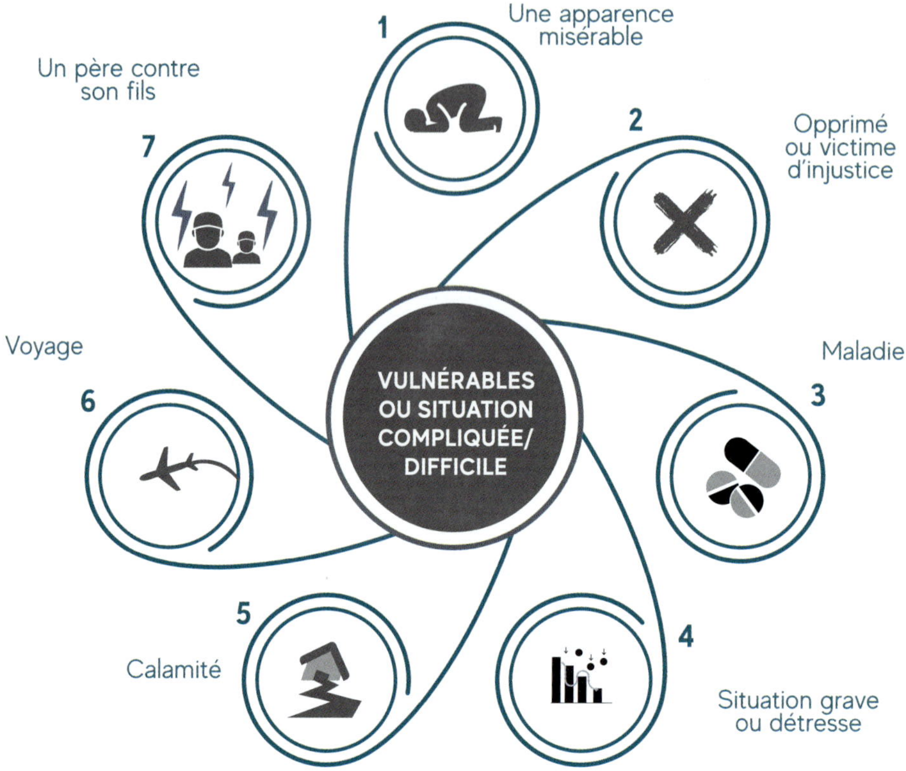

1 **Avoir une apparence misérable**

L'allure de la personne qui invoque peut hâter la réponse à sa demande. Si elle est complètement débraillée, d'apparence misérable voir humiliante - et sans que cela soit volontaire mais plutôt dû à sa condition - alors ses invocations ont plus de chance d'être exaucées.

Le Prophète ﷺ a dit : « Nombreux sont ceux qui ont les cheveux hirsutes, couverts de poussière, ne possédent que deux vêtements et auxquels personne ne prêtent attention. S'ils jurent par Allāh ﷻ, Il remplit leurs promesses. » [Jāmi` At-Tirmidhī 3854]

En effet, cet état illustre le dénuement et le besoin d'Allāh ﷻ. Cet état prouve aussi que l'invididu est bien plus préoccupé par la réponse à ses invocations que par son apparence ou son allure.

2 Lorsque vous êtes opprimé ou victime d'injustice

Le Prophète ﷺ a dit : « Prenez garde à l'invocation de l'opprimé, car il n'y a aucun voile entre cette invocation et Allāh ﷻ. » [Ṣaḥīḥ Al-Bukhārī 2448]

3 Lorsque vous êtes malade

Le Prophète ﷺ a dit : « Quand vous rencontrez un malade, demandez-lui de prier pour vous car ses invocations sont semblables à celles des anges. » [Ibn Mājah 1441]

4 Lorsque vous êtes dans une situation grave ou en détresse

Allāh ﷻ dit : « N'est-ce pas Lui qui répond à l'affligé quand il L'invoque, qui dissipe le mal ? » [An-Naml 27:62]

Rien n'est comparable au cœur de celui qui se tourne vers Allāh ﷻ lorsqu'il affronte une crise grave, le cœur sur le point d'être fracassé par la souffrance et l'angoisse. Dans cette situation et face au Seigneur, la sincérité devient si pure et le besoin de miséricorde si désespéré, que les invocations obtiennent, chaque fois, une réponse.

L'imam Al-Qurtubi رحمه الله écrit : « Allāh ﷻ a garanti une réponse aux invocations de l'invididu en détresse et nous en a Lui-même informés. En effet, cet individu se tournera vers Lui avec une pure sincérité, détachée de toutes les autres sources d'espoir. Or, la sincérité face à Allāh ﷻ est la clé pour (obtenir) Sa protection, et peu importe que la demande vienne d'un mécréant ou d'un musulman, mauvais ou pieux. » [Al-Jāmi' li Aḥkām al-Qur'ān 13/223]

5 Après une calamité

Le Prophète ﷺ a dit : « Il n'y a pas un musulman qui dise, lorsqu'il est frappé par un malheur, ce qu'Allāh ﷻ lui a ordonné de dire : « Nous sommes à Allāh et c'est vers Lui que nous retournerons. Mon Seigneur, accorde-moi la récompense de mon malheur et donne-moi quelque chose de meilleure », sans qu'Allāh ﷻ ne lui accorde quelque chose de meilleur en échange. » [Ṣaḥīḥ Muslim 918]

Il faut donc se montrer patient et satisfait face au décret d'Allāh ﷻ et ne pas gémir ou se lamenter sur son triste sort.

6 Lorsque vous voyagez

Le Prophète ﷺ a dit : « Il y a trois invocations qui sont exaucées, sans aucun doute : l'invocation de celui qui subit une injustice, l'invocation du voyageur et l'invocation du père contre son fils. » [Jāmi` At-Tirmidhī 1905]

7 Le père contre son fils

Le Prophète ﷺ a dit : « Il y a trois invocations qui sont exaucées, (l'une d'elle étant) l'invocation du père contre son fils. » [Musnad Aḥmad 7510]

Lorsqu'un homme ne traite pas son père comme il faut, ce dernier risque de formuler une invocation au détriment de son fils. Cela doit fortement encourager les Musulmans à traiter leurs parents avec bienveillance et à éviter de les tourmenter d'une quelconque manière. C'est également un avertissement pour les parents : en se précipitant vers ce type d'invocations contre leurs enfants, ils pourraient bien regretter certaines du'ā' prononcées sous le coup de la colère.

Le Prophète ﷺ a dit : « N'invoquez pas contre vous-mêmes, n'invoquez pas contre vos enfants, n'invoquez pas contre vos biens ; vos invocations pourraient être prononcées à un moment où Allāh ﷻ exauce les du'ā' ! » [Ṣaḥīḥ Muslim 3009]

Ce ḥadīth inclut l'invocation prononcée par la mère car ses droits sont encore plus étendus que ceux du père, il inclut également les invocations des parents contre leurs filles puisque, sauf indication contraire, les règles qui s'appliquent aux hommes s'appliquent aussi aux femmes.

MOMENTS OU CONDITIONS FAVORABLES

- **Honorer les droits de vos parents**
- **Après une bonne action**
- **Accomplir des actes surérogatoires en plus des actes obligatoires**
- **Se souvenir souvent d'Allāh ﷻ**
- **Être un dirigeant juste**
- **Période d'aisance**
- **Au chant du coq**
- **Lorsqu'il pleut**
- **En buvant l'eau de Zamzam**
- **Pendant le Ramadan**
- **Pendant la Umrah ou le Hajj**

- **Honorer les droits de vos parents**
  Après l'adoration d'Allāh ﷻ, un des actes d'adoration les plus importants et les plus élevés consiste à accomplir ses devoirs envers ses parents.

  Allāh ﷻ dit :
  - « Ton Seigneur a décrété : n'adorez que Lui Seul, et soyez bons envers vos parents. Si l'un d'eux ou tous deux atteignent la vieillesse auprès de toi, alors ne leur dis pas : "Fi !", ne les repousse pas, et adresse-leur des paroles généreuses. » [Al-Isrā 17:23]
  - « Nous avons commandé à l'homme [la bienfaisance envers] ses père et mère ; sa mère l'a porté [subissant pour lui] peine sur peine : son sevrage a lieu à deux ans. « Sois reconnaissant envers Moi ainsi qu'envers tes parents. Vers Moi est la destination. » [Luqman 31:14]

  En effet, les droits des parents sont très importants. Celui qui les respectent obtient un rang élevé et des bienfaits auprès d'Allāh ﷻ : ses du'ā' sont acceptées. [Ṣaḥīḥ Al-Bukhārī 3465]

- **Après une bonne action**
  Les faveurs des invocations de celui qui a accompli une bonne action sont illustrés dans un long ḥadīth. Celui-ci raconte l'histoire de trois individus prisonniers d'une grotte qui prononcent des du'ā' et mentionnent leurs bonnes actions afin de faire bouger le rocher qui bloque la sortie. [Ṣaḥīḥ Al-Bukhārī 2272]

  Cette histoire, bien connue, est rapportée par le Prophète ﷺ : Trois hommes sont pris au piège dans une grotte montagneuse à cause d'un rocher qui bloque la sortie. Ils choisissent de se tourner vers Allāh ﷻ pour obtenir de l'aide et mentionnent leurs bonnes actions afin de gagner Ses faveurs.

  Le premier homme a veillé toute une nuit au chevet de ses parents avec une outre de lait de brebis.

  Le deuxième raconte, à propos d'une belle femme dont il était tombé amoureux, qu'il lui avait offert des pièces d'or afin qu'elle se donne à lui. Sur le point de consentir, elle s'écria qu'il était interdit d'« outrager sa chasteté » en-dehors du mariage. À ces mots, la bonne action de l'homme fut de s'en aller et de laisser les pièces d'or à cette femme.

Le troisième homme parle d'un de ses employés auquel, de manière excessivement généreuse, il a donné un grand nombre de moutons, de chameaux et de bovins en échange du salaire qu'il lui devait car celui-ci s'était absenté lors de la paye. Après chaque récit, les hommes prononcent ces mots : « Ô Allāh ! Si Tu juges que je fis cela en vue de Ta Face, libère-nous de ce rocher qui nous emprisonne. »
Chaque fois, par la volonté d'Allāh ﷻ, le rocher s'écarte de quelques centimètres jusqu'à, finalement, libérer assez d'espace pour leur permettre de s'échapper.

Le Prophète ﷺ a dit : « Rapproche l'orphelin de toi, passe ta main sur sa tête et partage ton repas avec lui. Cela adoucira ton cœur et tes attentes seront satisfaites. » [Tārīkh Dimashq 47:153]

Ainsi, ces deux ḥadīths du Prophète ﷺ nous apprennent qu'il est favorable de prononcer des invocations après avoir fait acte de charité ou réalisé de bonnes actions. Il est intéressant de remarquer qu'aucun délai ne semble être prescrit : les invocations des trois hommes pris au piège de la grotte furent exaucées par Allāh ﷻ grâce à de bonnes actions réalisées de nombreuses années auparavant.

- **Accomplir des actes surérogatoires en plus des actes obligatoires**
  C'est une des meilleures manières d'augmenter ses chances de voir ses invocations exaucées.

Le Prophète ﷺ a dit : « Allāh ﷻ a dit : "Celui qui s'en prend à l'un de Mes alliés, Je lui déclare la guerre ! Mon serviteur ne s'approche pas de Moi par une chose que j'aime plus que lorsqu'il accomplît ce que Je lui ai imposé ; et Mon serviteur ne cesse de se rapprocher de Moi au moyen des œuvres surérogatoires, jusqu'à ce que Je l'aime. Et lorsque Je l'aime, Je suis l'ouïe par laquelle il entend, la vue par laquelle il voit, la main par laquelle il prend et le pied par lequel il marche. S'il

Me demande quelque chose, Je le lui donne et s'il cherche refuge auprès de Moi, Je lui accorde refuge. » [Ṣaḥīḥ Al-Bukhārī 6502]

Lorsqu'une personne multiplie les actes surérogatoires, les prières, le jeûne ou la charité, Allāh ﷻ l'aime et, quand Allāh ﷻ l'aime, toutes ses invocations sont alors exaucées.

- **Se souvenir souvent d'Allāh ﷻ**
  Le Prophète ﷺ a dit : « Trois personnes ne verront pas leurs invocations rejetées : celui qui se souvient souvent d'Allāh ﷻ, celui qui a subi l'injustice et le dirigeant juste. » [Al-Bayhaqī in Shu'ab Al-Īmān 6973]

- **Le dirigeant juste**
  Nous tirons cette idée du ḥadīth qui précède. Celui qui, placé par Allāh en position de pouvoir ou de domination sur un peuple, parvient à contrôler ses émotions, ses désirs et dirige de manière juste et honnête, Allāh ﷻ le bénit et exauce ses invocations.

- **Multiplier les invocations en période d'aisance**
  Le vrai croyant se souvient toujours d'Allāh ﷻ, dans l'aisance comme dans la difficulté.

  Le Messager d'Allāh ﷺ a dit :
  - « Celui qui aime qu'Allāh ﷻ l'exauce dans les moments de difficultés, qu'il multiplie les invocations dans les moments d'aisance. » [Jāmi' At-Tirmidhī 3382]
  - « Ô jeune enfant ! Ne vais-je pas t'apprendre des paroles par lesquelles Allāh ﷻ va t'être profitable ? Préserve Allāh ﷻ alors Il te préservera. Préserve Allāh ﷻ et alors tu Le trouveras devant toi. Fais en sorte de connaître Allāh ﷻ dans la facilité et Il te connaitra dans la difficulté. » [Musnad Aḥmad 2803]

- **Au chant du coq**
  Le Prophète ﷺ a dit : « Que celui d'entre vous qui entend chanter un coq implore Allāh ﷻ de lui accorder Sa Grâce, car il (le coq) a aperçu un ange. Et que celui d'entre vous qui entend

braire un âne cherche refuge auprès d'Allāh ﷻ contre le diable, car il (l'âne) a aperçu un démon. » [Ṣaḥīḥ Al-Bukhārī 3303]

- **Lorsqu'il pleut**
  Le Prophète ﷺ a dit : « Deux (invocations) ne seront jamais rejetées : celle prononcée lors de l'appel à la prière et celle prononcée lors du déclenchement d'une bataille. » Une autre version de ce ḥadīth propose : « ... et celle prononcée lorsqu'il pleut. » [Al-Ḥākim 2534]

- **En buvant l'eau de Zamzam**
  Le Prophète ﷺ a dit : « Quelle que soit la raison pour laquelle vous buvez l'eau de Zamzam, elle sera bénéfique. Si vous la buvez pour guérir, Allāh ﷻ vous guérira. Si vous la buvez pour obtenir la protection, Allāh ﷻ vous protégera. Si vous la buvez pour étancher votre soif, elle l'étanchera. » [Al-Ḥākim 1739]

- **Pendant le Ramadan**
  - Pendant le Ramadan
    Le Ramadan est un mois sacré. C'est le mois au cours duquel le Qur'ān fut révélé et le Prophète ﷺ commença à recevoir les révélations. Par conséquent, les invocations du Ramadan sont sacrées, elles ont plus de chance d'être exaucées car les portes du Paradis et de la miséricorde sont ouvertes.

    « À l'arrivée du Ramadan, les portes du Paradis sont ouvertes et celles de l'enfer fermées, les démons sont mis dans les fers. » [Ṣaḥīḥ Al-Bukhārī 1899]

  - **En rompant le jeûne**
    Le Prophète ﷺ a dit : « Trois personnes ne verront pas leurs invocations rejetées : le dirigeant juste, le jeûneur lorsqu'il rompt le jeûne et l'opprimé. Ces invocations sont élevées au-dessus des nuages, les portes du Paradis s'ouvrent pour elles et le Seigneur, Loué et Exalté dit : « Je viendrai à ton secours, même s'il y a un délai. » [Jāmiʿ At-Tirmidhī 3598]

- **Les invocations de « La Nuit du Destin »**
  'Ā'ishah ﵂ a raconté : « J'ai demandé : « Ô Messager d'Allāh, si je savais où se situait la Nuit du Destin, quelles paroles, selon toi, devrais-je alors y prononcer ? Il répondit : « Dis : « Ô Allāh, Tu es certes Celui qui pardonne, (le Généreux), Tu aimes pardonner, alors pardonne-moi. » [Jāmi' At-Tirmidhī 3513]

اَللّٰهُمَّ إِنَّكَ عَفُوٌّ كَرِيمٌ تُحِبُّ الْعَفْوَ فَاعْفُ عَنِّي

Allāhumma innaka 'afuwwun karīmun tuḥibbul 'afwa fa'fu 'annī

- **Les invocations pendant la 'Umrah ou le Hajj**
  - **Ceux qui accomplissent le Hajj et la Umrah**
    Le Prophète ﷺ a dit : « Celui qui lutte sur la voie d'Allāh ﷻ et les pélerins qui accomplissent le Hajj et la 'Umrah forment une délégation vers Allāh ﷻ. Allāh ﷻ les a invités et ils sont venus à Lui. Ils Lui demandent et Il leur donne. » [Ibn Mājah 2893]

  - **Entre la Pierre Noire et la porte de la Ka'bah**
    'Amr Ibn Shu'ayb ﵁ a rapporté, d'après son père : « J'ai fait le tour de la Ka'bah avec 'Abdullāh ibn 'Amr. Lorsque nous sommes arrivés derrière la Ka'bah, j'ai questionné : « Tu ne demandes pas protection ? » Il prononça : « Nous demandons protection à Allāh ﷻ contre le feu de l'Enfer. » Puis il avança plus loin jusqu'à toucher la Pierre Noire et resta debout entre la Pierre Noire et la porte de la Ka'bah. Puis il plaça sa poitrine, son visage, ses avants-bras et ses mains dans cette position (de supplication) et dit : « C'est comme cela que j'ai vu le Messager d'Allāh faire. » » [Sunan Abī Dawūd 1899]

  - **Les invocations dans la Ka'bah**
    Usamah ibn Zayd ﵁ a rapporté : « Lorsque Le Prophète ﷺ entrait dans la Maison (Ka'bah), il faisait des du'ā' dans chaque recoin. » [Ṣaḥīḥ Muslim 1330]

    À l'origine, le ḥijr (annexe semi-circulaire situé à l'opposé de l'angle Yéménite et du mur de la Pierre Noire) faisait bien partie de la Ka'bah : prier à l'intérieur du ḥijr est exactement comme prier dans l'enceinte physique de la Ka'bah. Il faut donc s'empresser de prier dans le ḥijr et d'y faire des invocations puisque cela équivaut à prier, très concrètement, dans la Ka'bah.

'Ā'ishah ﵂ a raconté : « Je voulais entrer dans la Maison (Ka'bah) et prier à l'intérieur. Le Messager d'Allāh ﷺ me prit par la main et me fit pénétrer dans le ḥijr. Puis il dit : « Lorsque tu souhaites prier dans la Maison (la Kab'bah) prie dans le ḥijr, car c'est une partie de la Maison (la Ka'bah). Ton peuple l'a amputé en construisant la Ka'bah et l'a retiré de la Maison. » [Sunan Abī Dawūd 2028]

- **Les dix premiers jours de Dhū-l-Hijjah**
  Le Prophète ﷺ a dit : « Les bonnes actions ne sont jamais aussi agréables pour Allāh ﷻ que durant ces jours-ci (c'est-à-dire les dix premiers jours de Dhū-l-Hijjah). » [Ṣaḥīḥ Al-Bukhārī 969]. Ce ḥadīth montre la supériorité absolue de cette période et, puisque les invocations sont les actes d'adoration préférés, nous sommes encouragés à en faire pendant ces dix jours.

- **À Aṣ-Ṣafā et Al-Marwah**
  Jābir ibn 'Abdullah a fait ce récit, résumé à peu près en ces termes : le Prophète ﷺ a d'abord gravi Aṣ-Ṣafā jusqu'à apercevoir la Maison. Faisant face à la qiblah, il déclara l'Unicité d'Allāh ﷻ et Le glorifia. Puis il fit des invocations. Lorsqu'il atteignit Al-Marwah, il fit comme à Aṣ-Ṣafā. [Ṣaḥīḥ Muslim 1218]

- **Après la lapidation du Jamarat**
  Ibn 'Umar rapporte que le Messager d'Allāh ﷺ, en lançant les premières jamarat dans le bassin se trouvant à proximité de la mosquée de Mina, lançait sept cailloux en accompagnant chacun par la prononciation du Takbir. Il avançait ensuite loin du bassin et face à la qiblah, il levait les mains au ciel et invoquait Allāh ﷻ longuement.

Ensuite, aux deuxièmes jamarat, il lançait sept cailloux également en prononçant le Takbir à chaque lancer. Puis, il descendait à gauche du côté de la vallée et, face à la Qiblah, il invoquait Allāh ﷻ. Il avançait ensuite vers l'endroit de réception des jamarat, al 'Aqabah, lançait sept cailloux en prononçant le Takbir à chaque lancer. Il se retirait après, sans s'y attarder. [Ṣaḥīḥ Al-Bukhārī 1753]

- **Le jour de 'Arafah**
  Le Prophète ﷺ a dit : « La meilleure des invocations est l'invocation du Jour de 'Arafah » [Jāmi' At-Tirmidhī 3585]. En ce jour propice, Allāh ﷻ ne refuse pas les requêtes de Ses fidèles.

6. QUELLE EST LA BONNE MANIÈRE DE FAIRE UNE INVOCATION ?

ÉTAPE 1 — Tournez-vous vers la qiblah et levez vos mains

ÉTAPE 2 — Concentrez-vous, préparez votre cœur et votre esprit

ÉTAPE 3 — Glorifiez Allāh سبحانه وتعالى et adressez les Ṣalawāt au Prophète ﷺ

ÉTAPE 4 — Prononcez votre invocation

ÉTAPE 1 : Tournez-vous vers la qiblah et levez vos mains

Allāh ﷻ aime que vous leviez vos mains pour L'invoquer. Cela rappelle Son pouvoir total et témoigne d'un individu démuni, aspirant aux bienfaits de Son Seigneur. Pour indiquer son dénuement, il affiche son humilité face à Celui plein d'honneur et lève ses mains vers Lui. En d'autres termes, c'est la manifestation physique de toute la noblesse incarnée par l'invocation.

Ibn 'Umar a rapporté : « Le Prophète ﷺ avait l'habitude de se tenir debout face à la qiblah avec les mains levées puis d'invoquer (Allāh ﷻ). Il se tenait ainsi pendant un long moment. » [Ṣaḥīḥ Al-Bukhārī 1753]. Ceci concerne la période du Hajj.

'Ā'ishah ﵂ a dit : « Le Prophète ﷺ demanda de l'eau, accomplit ses ablutions puis leva ses mains (et fit alors ses invocations). » [Ṣaḥīḥ Muslim 373]

Abū Mūsā al-Ash'arī a rapporté : « Le Prophète ﷺ demanda de l'eau, accomplit ses ablutions puis leva ses mains (et fit alors ses invocations). » [Ṣaḥīḥ Al-Bukhārī 4323]

'Abdullāh ibn Mas'ūd ﵁ a rapporté : « Le Prophète ﷺ se mit face à la Ka'bah et invoqua... » [Ṣaḥīḥ Al-Bukhārī 3960]

Ces attitudes ne sont pas obligatoires pour l'invocation mais elles sont méritoires.

ÉTAPE 2 : Concentrez-vous, préparez votre cœur et votre esprit

Un cœur présent

Totalement concentré sur Allāh ﷻ, sérieux, sachant exactement ce que vous allez demander et vous rappelant à qui vous vous adressez.

Le Messager d'Allāh ﷺ a dit : « Invoquez Allāh ﷻ avec la conviction d'obtenir une réponse, car Allāh ﷻ n'accepte pas la du'ā' d'un cœur insouciant et distrait. » [Jāmi' At-Tirmidhī 3479]

De la détermination

Dans ses invocations, il faut être ferme et s'adresser à Allāh ﷻ avec détermination. Des formulations comme « Si Tu veux bien » ou « Si tu pouvais avoir la gentillesse de » n'ont pas leur place lorsqu'une personne a absolument, incontestablement, besoin de quelque chose. Tout le monde souhaite le pardon d'Allāh ﷻ, Sa miséricorde, Ses bienfaits, etc. et les expressions comme « Si Tu veux bien » ou « Si tu pouvais peut-être... » ne font que souligner une évidence. C'est ce que nous enseigne la meilleure des créatures, le Prophète ﷺ Muhammad, lorsqu'il a dit : « Ne dites pas : « Seigneur, pardonne-moi si Tu veux ! Seigneur, fais-moi miséricorde si Tu veux ! » Mais montrez-vous fermes dans votre demande car nul ne peut contraindre Allāh ﷻ (à faire quoi que ce soit) » [Ṣaḥīḥ Al-Bukhārī 6339]

De bonnes intentions

Un Musulman a le droit de demander quelque chose à Allāh ﷻ seulement s'il est sincère et seulement si c'est pour en tirer un bienfait. C'est une grave transgression de demander à son Créateur des choses qu'Il lui a interdites, dans cette vie ou l'Au-Delà. Nous devrions donc faire attention à nos paroles lorsque nous sommes en colère afin de ne pas causer de peine et de chagrin, non seulement à ceux que nous aimons mais également à nous-mêmes. Et il n'est pas dans le caractère du Musulman de maudire les autres.

Allāh ﷻ dit : « C'est Lui le Vivant. Point de divinité à part Lui. Invoquez-Le donc, en Lui vouant un culte exclusif. Louange à Allāh, Seigneur de l'univers ! » [Ghāfir 40:65]

Le Prophète ﷺ a dit :

- « Le serviteur est sans cesse exaucé tant qu'il n'invoque pas pour un péché ou la rupture des liens de parenté, tant qu'il ne s'impatiente pas. » [Ṣaḥīḥ Muslim 2735]
- « N'invoquez pas contre vous-mêmes, n'invoquez pas contre vos enfants, n'invoquez pas contre vos biens ; vos invocations pourraient être prononcées à un moment où Allāh ﷻ exauce les du'ā' ! » [Ṣaḥīḥ Muslim 3009]
- « Le vrai musulman n'insulte pas, ne maudit pas, et il n'est ni vulgaire ni grossier » [Jāmi' At-Tirmidhī 1977]
- « Le serviteur ne cesse d'être exaucé tant qu'il n'invoque pas pour un péché ou pour rompre des liens de parenté et tant qu'il ne s'impatiente pas. » **On demanda** : « Ô Messager d'Allāh ! Qu'est-ce que l'impatience ? » **[Le Prophète ﷺ] répondit** : « Une personne qui dit : J'ai invoqué et invoqué, mais je ne me vois pas exaucé ! » puis se lasse et abandonne l'invocation. » [Ṣaḥīḥ Muslim 2735]

Invoquez sincèrement Allāh ﷻ, et Lui Seul

Lors de l'invocation, vous parlez directement à Allāh ﷻ. Vous n'avez besoin ni d'intermédiaires, ni de permission particulière. Vous n'avez pas non plus à patienter avant d'obtenir audience auprès d'Allāh ﷻ. Vos prières sont uniquement pour Allāh ﷻ et non pour quelque objet de la Création : les objets inanimés comme les idoles, le soleil ou les arbres, les animaux, les hommes, un pieu personnage, un prophète, un ange ou n'importe quoi d'autres.

« Ceux que vous invoquez en dehors d'Allāh ﷻ sont des serviteurs comme vous. Invoquez-les donc et qu'ils vous répondent, si vous êtes véridiques. » [Al-A'rāf 7:194]

« Préserve Allāh ﷻ et Il te préservera. Préserve Allāh ﷻ et tu Le trouveras devant toi. Si tu demandes, alors demande seulement à Allāh ﷻ, et si tu cherches secours, alors cherche secours seulement auprès d'Allāh ﷻ » [Jāmi' At-Tirmidhī 2516]

Humilité et silence

Les pleurs sont un des témoignages de sincérité lors de l'invocation. Ils provoquent un sentiment d'humilité devant Allāh ﷻ, la crainte de vos propres insuffisances au regard de vos devoirs envers Lui (en effet, vous demander quelque chose à Celui à qui vous avez désobéi), l'espoir de Sa récompense. Invoquer avec une voix légère et douce illustre le respect et la politesse face à Allāh ﷻ. Cela permet aussi de montrer la proximité établie par le vrai croyant avec son Créateur.

Allāh ﷻ dit : « Invoquez votre Seigneur en toute humilité et recueillement, et avec discrétion... Et invoquez-Le avec crainte et espoir. » [Al-A'rāf 7:55-6]

'Abdullāh ibn Ash-Shikhkhīr a dit : « J'ai vu le Messager d'Allāh ﷺ prier, et de sa poitrine sortait un son semblable à celui du moulin lorsqu'il tourne pour moudre le grain ; c'était le son de ses pleurs. » [Sunan Abī Dawūd 904]

Dis : « Qui vous délivre des ténèbres de la terre et de la mer ? » Vous L'invoquez humblement et en secret : « S'Il nous délivre de ceci, nous serons du nombre des reconnaissants. » [Al-An'ām 6:63]

Celui qui invoque doit être conscient de son humble position et assez sage pour réfléchir à ses nombreux défauts et manquements comparés aux droits qu'Allāh ﷻ a sur lui.

Persévérance

Il est recommandé de répéter la du'ā' trois fois. Cela prouve l'urgence dans laquelle se trouve celui qui demande. 'Abdullāh ibn Mas'ūd raconte que lorsqu'il (le Prophète) ﷺ invoquait, il invoquait trois fois, et lorsqu'il demandait les bénédictions d'Allāh ﷻ, il demandait trois fois. [Ṣaḥīḥ Muslim 1794]

Soyez ambitieux : demandez tout ce que vous voulez
Ne limitez pas vos invocations aux petits problèmes ou aux périodes difficiles. Aucun souhait n'est trop grand pour Celui qui vous écoute et rien n'est si insignifiant que vous ne puissiez Lui demander.

Le Messager d'Allāh ﷺ a dit :
- « Lorsque l'un d'entre-vous demande quelque chose (à Allāh ﷻ), qu'il soit abondant (dans ses demandes), car il s'adresse à son Seigneur. » [Ibn Ḥibbān 889]
- « Si vous demandez à Allāh ﷻ, demandez Lui le Firdaws (le plus haut degré de Jannah) » [Jāmi` At-Tirmidhī 2531]
- « Demandez toute chose à Allāh ﷻ, même un lacet pour vos chaussures s'il s'est rompu. » [Jāmi` At-Tirmidhī 3604]

Prenez conscience que Seul Allāh ﷻ répond aux invocations
Comprendre que Seul Allāh ﷻ peut entendre votre invocation et que Lui Seul a le pouvoir de l'exaucer fait partie de l'accomplissement du tawḥīd. Allāh ﷻ dit :
- « N'est-ce pas Lui qui répond à l'angoissé quand il L'invoque, et qui enlève le mal, et qui vous fait succéder sur la terre, génération après génération, - Y a-t-il donc une divinité avec Allāh ? C'est rare que vous vous rappeliez ! » [An-Naml 27:62]
- « Allāh est doux envers Ses serviteurs. Il attribue [Ses biens] à qui Il veut. Et c'est Lui le Fort, le Puissant. » [Ash-Shūrā 42:19]
- « Ou quel est celui qui vous donnera votre subsistance s'Il s'arrête de fournir Son attribution ? » [Al-Mulk 67:21]
- « Et tout ce que vous avez comme bienfait provient d'Allāh. » [An-Naḥl 16:53]

Espérez le meilleur d'Allāh ﷻ
Allāh ﷻ nous traite avec la plus grande bienveillance et la plus grande générosité. Sa miséricorde s'étend sans limite. Allāh ﷻ dit : « Et Ma miséricorde embrasse toute chose. » [Al-A'rāf 7:156]

Le Messager d'Allāh ﷺ a dit :
- « Certes, votre Seigneur est Pudique et Généreux, lorsque Son serviteur lève ses mains vers Lui, Il éprouve de la pudeur à les laisser vides. » [Jāmi` At-Tirmidhī 3556]
- « Je suis à l'égard de Mon serviteur selon ce qu'il pense de Moi, et Je suis avec lui lorsqu'il M'invoque. » [Ṣaḥīḥ Muslim 2675]

Donc si quelqu'un n'est pas certain d'obtenir une réponse d'Allāh ﷻ, s'il a l'impression qu'il ne sera pas exaucé, alors il recevra un traitement identique à cette impression.

Le Prophète ﷺ a dit :

- « Et certes, penser du bien d'Allāh ﷻ fait partie de l'adoration parfaite. » [Jāmi` At-Tirmidhī 3604]
- « Demandez à Allāh ﷻ en étant certains d'être exaucés. » [Jāmi` At-Tirmidhī 3479]
- « Allāh ﷻ a dit : « Je suis selon l'opinion que Mon serviteur se fait de Moi. S'il pense du bien de Moi, alors c'est en sa faveur ; et s'il pense du mal de Moi, alors c'est en sa défaveur. » » [9076 Musnad Aḥmad]

Pour le vrai croyant, la vie est une bénédiction d'Allāh ﷻ. Peu importe alors la situation dans laquelle il se trouve, il s'agira toujours d'une situation favorable.

Le Prophète ﷺ a proclamé : « Que le sort du croyant est étonnant ! En effet, ce sort est toujours bénéfique – situation dont ne jouit que le croyant – ; s'il remercie Allāh ﷻ pour un bien qu'il acquiert, il en est récompensé, et s'il endure un malheur qui le frappe, il en est encore récompensé. » [Ṣaḥīḥ Muslim 2999]

Concision des invocations

'Āishah رضي الله عنها raconte que le Prophète ﷺ « aimait les invocations concises et il délaissait toutes les autres (invocations) » [Sunan Abī Dawūd 1482]

Le Prophète ﷺ priait souvent avec des invocations concises, et il était le plus doué dans l'éloquence et la concision. Comme si, par les phrases les plus brèves et les plus éloquentes, il parvenait à demander tous les biens imaginables des deux mondes et cherchait refuge contre tous les malheurs. Des invocations si concises que quiconque l'entendait pouvait mémoriser et comprendre facilement ses paroles.

ÉTAPE 3 : Commencez par la Louange d'Allāh ﷻ et la Ṣalawāt au Prophète ﷺ

Lorsque le croyant fait une invocation, il supplie Allāh ﷻ d'obtenir le pardon, la miséricorde et la subsistance. Il convient alors de commencer son invocation par la louange et la glorification d'Allāh ﷻ.

Un jour, le Messager d'Allāh ﷺ entendit un homme faire une invocation sans glorifier Allāh ﷻ le Très-Haut et sans prier sur le Prophète ﷺ. Le Messager d'Allāh ﷺ dit alors : « Celui-là s'est empressé ! » Puis il l'appela et lui dit : « Lorsque l'un d'entre vous veut invoquer, qu'il commence par glorifier son Seigneur - exalté et glorifié - puis qu'il prie sur le Prophète ﷺ, puis qu'il invoque après cela pour ce qu'il veut. » [Sunan Abī Dawūd 1481]

Allāh ﷻ dit : « C'est à Allāh qu'appartiennent les noms les plus beaux. Invoquez-Le par ces noms. » [Al-A'rāf 7:180]

Ibn Al-Qayyim : « Il faut, dans chaque invocation, choisir le nom (d'Allāh ﷻ) le plus approprié (pour cette invocation). Le succès de celui qui invoque viendra de ce même nom. En analysant les invocations des Prophètes, particulièrement celles du dernier et du plus noble (le Prophète ﷺ Muhammad), vous verrez qu'elles suivent toutes cette règle. » [Badā'i Al-Fawā-id, v.1 p289]

En examinant les du'ā' du Prophète Muhammad ﷺ, nous pouvons remarquer qu'il utilisait le vocatif pour invoquer Allāh ﷻ par l'un de Ses plus beaux Noms, par exemple : « Ô Détenteur de la Majesté et de l'Honneur. » En arabe, le vocatif s'obtient en ajoutant le mot « yā » avant le nom d'Allāh ﷻ. Ainsi, « Ô Celui qui élève » en français devient, en arabe : « Yā Mu'izz ».

ولله الأسماء الحسنى
فادعوه بها

LES NOMS EXCELLENTS

اَلأَسْمَاءُ الْحُسْنَىٰ

AL-ASMĀ AL-ḤUSNĀ

C'est Lui Allāh ﷻ, le Créateur, Celui qui donne un commencement à toute chose, le Formateur. À Lui les plus beaux noms. Tout ce qui est dans les cieux et la terre Le glorifie. Et c'est Lui le Puissant, le Sage. [Al-Ḥashr 59:24]

Allāh ﷻ dit : « Dis : « Invoquez Allāh ﷻ, ou invoquez le Tout-Miséricordieux. Quel que soit le nom par lequel vous L'appelez, Il a les plus beaux noms. Et dans ta ṣalāh, ne récite pas à voix haute ; et ne l'y abaisse pas trop, mais cherche le juste milieu entre les deux » [Al-Isrā 17:110]

Les mérites de la mémorisation des quatre-vingt-dix-neufs noms d'Allāh ﷻ

Le Prophète ﷺ a dit : « Certes, Allāh ﷻ a quatre-vingt-dix-neufs noms, cent moins un, celui qui les retient entre dans le Paradis » [Ṣaḥīḥ Al-Bukhārī 2736]

Au long des versets du Qur'ān et des paroles du Prophète ﷺ, nous pouvons trouver plus de 99 noms pour Allāh ﷻ. Le précédent ḥadīth n'est donc pas limitatif. Cependant, 99 noms spécifiques ont été choisis pour l'expliquer. » [Jāmi' At-Tirmidhī 3507].

Ibn Qayyim Al-Jawzīyya a dit : « Quiconque atteint la ma'rifah (la connaissance profonde) d'Allāh ﷻ à travers Ses Noms, Ses Attributs et Ses Actes, ne peut que L'aimer. » [Madārij As-Sālikīn 3/18]

LES NOMS EXCELLENTS

1	الرَّحْمَانُ	Ar-Raḥmān	Celui qui fait miséricorde
2	الرَّحِيمُ	Ar-Raḥīm	Le Miséricordieux
3	الْمَلِكُ	Al-Malik	Le Roi
4	الْقُدُّوسُ	Al-Quddūs	Le Sacré
5	السَّلَامُ	As-Salām	La Paix
6	الْمُؤْمِنُ	Al-Mu'min	Celui qui inspire la foi
7	الْمُهَيْمِنُ	Al-Muhaymin	Le Surveillant
8	الْعَزِيزُ	Al-'Azīz	Le Triomphant
9	الْجَبَّارُ	Al-Jabbār	L'Impérieux
10	الْمُتَكَبِّرُ	Al-Mutakabbir	Le Suprême
11	الْخَالِقُ	Al-Khāliq	Le Créateur
12	الْبَارِئُ	Al-Bāri'	Le Producteur
13	الْمُصَوِّرُ	Al-Muṣawwir	Celui qui modèle les formes
14	الْغَفَّارُ	Al-Ghaffār	Celui qui ne cesse de pardonner
15	الْقَهَّارُ	Al-Qahhār	Le Dominateur

LES NOMS EXCELLENTS

16	الْوَهَّابُ	Al-Wahhāb	Celui qui donne
17	الرَّزَّاقُ	Ar-Razzāq	Celui qui pourvoit
18	الْفَتَّاحُ	Al-Fattāḥ	Celui qui ouvre
19	الْعَلِيمُ	Al-'Alīm	L'Omniscient
20	الْقَابِضُ	Al-Qābiḍ	Celui qui saisit
21	الْبَاسِطُ	Al-Bāsiṭ	Le Prodigue
22	الْخَافِضُ	Al-Khāfiḍ	Celui qui abaisse
23	الرَّافِعُ	Ar-Rāfi'	Celui qui élève
24	الْمُعِزُّ	Al-Mu'izz	Celui qui donne l'honneur
25	الْمُذِلُّ	Al-Mudhil	Celui qui humilie
26	السَّمِيعُ	As-Samī'	Celui qui entend tout
27	الْبَصِيرُ	Al-Baṣīr	Celui qui voit tout
28	الْحَكَمُ	Al-Ḥakam	Le Juge
29	الْعَدْلُ	Al-'Adl	Le Juste
30	اللَّطِيفُ	Al-Laṭīf	Le Bienveillant

LES NOMS EXCELLENTS

31	الْخَبِيرُ	Al-Khabīr	L'Informé
32	الْحَلِيمُ	Al-Ḥalīm	L'Indulgent
33	الْعَظِيمُ	Al-'Aẓīm	L'Incommensurable
34	الْغَفُورُ	Al-Ghafūr	Le Clément
35	الشَّكُورُ	Ash-Shakūr	Le Reconnaissant
36	الْعَلِيُّ	Al-'Aliyy	Le Très-Haut
37	الْكَبِيرُ	Al-Kabīr	Le Très-Grand
38	الْحَفِيظُ	Al-Ḥafīẓ	Le Préservateur
39	الْمُقِيتُ	Al-Muqīt	Le Nourricier
40	الْحَسِيبُ	Al-Ḥasīb	Celui qui compte
41	الْجَلِيلُ	Al-Jalīl	Le Majestueux
42	الْكَرِيمُ	Al-Karīm	Le Généreux
43	الرَّقِيبُ	Ar-Raqīb	Le Vigilant
44	الْمُجِيبُ	Al-Mujīb	Celui qui répond
45	الْوَاسِعُ	Al-Wāsi'	Celui qui embrasse et comprend tout

LES NOMS EXCELLENTS

46	الْحَكِيمُ	Al-Ḥakīm	Le Sage
47	الْوَدُودُ	Al-Wadūd	Celui dont l'amour est constant
48	الْمَجِيدُ	Al-Majīd	L'Honorable
49	الْبَاعِثُ	Al-Bā'ith	Celui qui ressuscite
50	الشَّهِيدُ	Ash-Shahīd	Le Témoin
51	الْحَقُّ	Al-Ḥaqq	La Vérité
52	الْوَكِيلُ	Al-Wakīl	Le Garant
53	الْقَوِيُّ	Al-Qawiyy	Le Fort
54	الْمَتِينُ	Al-Matīn	L'Inébranlable
55	الْوَلِيُّ	Al-Waliyy	L'Ami protecteur
56	الْحَمِيدُ	Al-Ḥamīd	Le Digne de louange
57	الْمُحْصِي	Al-Muḥṣī	Celui garde les comptes
58	الْمُبْدِئُ	Al-Mubdī	Celui qui commence
59	الْمُعِيدُ	Al-Mu'īd	Le Régénérateur
60	الْمُحْيِي	Al-Muḥyī	Celui qui donne la vie

LES NOMS EXCELLENTS

61	الْمُمِيتُ	Al-Mumīt	Celui qui donne la mort
62	الْحَيُّ	Al-Ḥayy	Le Vivant
63	الْقَيُّومُ	Al-Qayyūm	L'Immuable
64	الْوَاجِدُ	Al-Wājid	Celui qui trouve
65	الْمَاجِدُ	Al-Mājid	Le Glorieux
66	الْوَاحِدُ	Al-Wāḥid	L'Un
67	الْأَحَدُ	Al-Aḥad	L'Unique
68	الْصَّمَدُ	Aṣ-Ṣamad	L'Éternel
69	الْقَادِرُ	Al-Qādir	Le Tout-Puissant
70	الْمُقْتَدِرُ	Al-Muqtadir	L'Omnipotent
71	الْمُقَدِّمُ	Al-Muqaddim	Celui qui approche
72	الْمُؤَخِّرُ	Al-Mu'akhkhir	Celui qui retarde
73	الأَوَّلُ	Al-Awwal	Le Premier
74	الْآخِرُ	Al-Ākhir	Le Dernier
75	الظَّاهِرُ	Aẓ-Ẓāhir	Le Manifeste

LES NOMS EXCELLENTS

76	الْبَاطِنُ	Al-Bāṭin	Le Caché
77	الْوَالِيُ	Al-Wālī	Le Gouverneur
78	الْمُتَعَالِيُ	Al-Muta'ālī	Le Très-Haut
79	الْبَرُّ	Al-Barr	Celui qui fait le bien
80	التَّوَّابُ	At-Tawwāb	Celui qui ne cesse de revenir
81	الْمُنْتَقِمُ	Al-Muntaqim	Le Vengeur
82	الْعَفُوُّ	Al-'Afuww	L'Indulgent
83	الرَّؤُوفُ	Ar-Ra-ūf	Le Compatissant
84	مَالِكُ الْمُلْكِ	Mālik-Ul-Mulk	Le Maître de la Royauté
85	ذُو الْجَلاَلِ وَالإِكْرَام	Dhul-Jalāli Wal-Ikrām	Le Possesseur de la Majesté et de la Générosité
86	الْمُقْسِطُ	Al-Muqsiṭ	L'Équitable
87	الْجَامِعُ	Al-Jāmi'	Celui qui rassemble
88	الْغَنِيُّ	Al-Ghaniyy	Le Riche
89	الْمُغْنِيُّ	Al-Mughniyy	Celui qui enrichit

LES NOMS EXCELLENTS

90	الْمَانِعُ	Al-Māni‘	Celui qui empêche
91	الضَّارُّ	Aḍ-Ḍārr	Celui qui afflige
92	النَّافِعُ	An-Nāfi‘	Le Bienfaiteur
93	النُّورُ	An-Nūr	La Lumière
94	الْهَادِي	Al-Hādī	Le guide
95	الْبَدِيعُ	Al-Badī‘	L'Origine
96	الْبَاقِي	Al-Bāqī	Le Permanent
97	الْوَارِثُ	Al-Wārith	L'Héritier
98	الرَّشِيدُ	Ar-Rashīd	Celui qui guide
99	الصَّبُورُ	Aṣ-Ṣabūr	Le Patient

L'INVOCATION D'ABRAHAM POUR LA PAIX

الصَّلَاةُ الإِبْرَاهِيمِيَّة

AṢ-ṢALĀH AL-IBRĀHĪMIYYAH

Les mérites d'adresser la ṣalawāt ou d'invoquer les bénédictions sur le Prophète ﷺ

Allāh ﷻ dit : « Certes, Allāh ﷻ et Ses Anges prient sur le Prophète ﷺ ; ô vous qui croyez, priez sur lui et adressez [lui] vos salutations. » [Al-Aḥzāb 33:56]

Le Prophète ﷺ a dit :

- « Celui qui prie sur moi une seule fois, Allāh ﷻ décuple sa récompense. » [Ṣaḥīḥ Muslim 384]
- « Celui qui sera le plus proche de moi le Jour de la Résurrection est celui qui aura le plus prié sur moi. » [Jāmi' At-Tirmidhī 484]

اللَّهُمَّ صَلِّ عَلَى مُحَمَّدٍ وَعَلَى آلِ مُحَمَّدٍ كَمَا صَلَّيْتَ عَلَى إِبْرَاهِيمَ وَآلِ إِبْرَاهِيمَ إِنَّكَ حَمِيدٌ مَجِيدٌ وَبَارِكْ عَلَى مُحَمَّدٍ وَعَلَى آلِ مُحَمَّدٍ كَمَا بَارَكْتَ عَلَى إِبْرَاهِيمَ وَآلِ إِبْرَاهِيمَ إِنَّكَ حَمِيدٌ مَجِيدٌ

Allāhumma ṣalli 'alā Muḥammadin wa 'alā āli Muḥammadin kamā ṣallayta 'alā Ibrāhīm wa āli Ibrāhīm innaka ḥamīdum majīd, wa bārik 'alā Muḥammadin wa 'alā āli Muḥammadin kamā bārakta 'alā Ibrāhīm wa āli Ibrāhīm innaka ḥamīdum majīd

Ô Seigneur ! Prie pour Muḥammad et pour la famille de Muḥammad comme Tu as prié pour Ibrāhīm et pour la famille d'Ibrāhīm. Et bénis Muḥammad et la famille de Muḥammad comme Tu as béni Ibrāhīm et la famille d'Ibrāhīm, Tu es certes Digne de louange et de glorification.

[Sunan An-Nasaī 1290]

ÉTAPE 4 : Prononcez l'invocation

1. Invoquez en vous inspirant du Qur'ān et de la Sunnah

Bien qu'il soit permis de choisir vos propres mots en fonction de vos attentes, les invocations tirées du Qur'ān et de la Sunnah offrent un style, une prose et une perfection inégalés. En effet, il s'agit d'invocations sacrées que le Prophète ﷺ enseignait à ses Compagnons qui, à leur tour, les enseignèrent à leurs successeurs et qui sont, finalement, préservées par les écrits de la Sunnah.

Imām Al-Qurṭubī ؒ écrit : « Il incombe aux hommes d'utiliser les invocations tirées du livre d'Allāh ﷻ et de la Sunnah authentique et d'abandonner toutes les autres. Ils ne doivent pas dire : « Je choisis ceci », car Allāh ﷻ a (déjà) choisi pour son Prophète et ses proches et leur a montré comment invoquer. » [At-Tafsīr Al-Qurṭubī v.4 p.231 sous les versets 3:147]

Imām Ibn Taymiyyah ؒ écrit : « Les gens doivent invoquer avec ce qu'ils trouvent dans le Qur'ān et la Sunnah car il n'y a aucun doute sur leur perfection et leur bienfait. Elles (ces invocations) sont le Droit Chemin, le Chemin de ceux qu'Allāh ﷻ a comblés de faveurs comme les prophètes, les véridiques, les martyrs, les justes. Et quelle excellente compagnie ! » [Majmū' Al-Fatāwā v.1 p.346]

2. Priez sincèrement et demandez pardon

Il convient - et cela fait partie des bonnes manières de celui qui invoque - de méditer sur sa propre relation avec Allāh ﷻ, de reconnaître devant Lui ses propres défauts et ses péchés. Ce n'est possible qu'en étant sincère avec Allāh ﷻ, en ressentant de la culpabilité pour les péchés commis, en demandant le pardon d'Allāh ﷻ et en prenant, sincèrement, l'engagement de ne plus recommencer. De plus, si le péché implique d'avoir commis une injustice envers quelqu'un, il est exigé de rétablir la justice ou de rendre un bien équivalent à la personne lésée.

اَللّٰهُمَّ أَنْتَ رَبِّي، لاَ إِلَهَ إِلاَّ أَنْتَ، خَلَقْتَنِي وَأَنَا عَبْدُكَ، وَأَنَا عَلَى عَهْدِكَ وَوَعْدِكَ مَا اسْتَطَعْتُ، أَعُوذُ بِكَ مِنْ شَرِّ مَا صَنَعْتُ، أَبُوءُ لَكَ بِنِعْمَتِكَ عَلَيَّ وَأَبُوءُ لَكَ بِذَنْبِي، فَاغْفِرْ لِي، فَإِنَّهُ لاَ يَغْفِرُ الذُّنُوبَ إِلاَّ أَنْتَ

Allāhumma anta rabbī lā ilāha illā anta, khalaqtanī wa ana ʿabduk, wa ana ʿalā ʿahdika wa waʿdika mastaṭaʿtu, aʿūdhu bika min sharri mā ṣanaʿtu, abū-u laka bi niʿmatika ʿalayya wa abū-u bi dhanbī, faghfirlī fa innahu lā yaghfirudh dhunūba illā anta

Le Prophète ﷺ a dit : « La meilleure formule de demande de pardon consiste à dire : « Seigneur, Tu es mon Maître. Il n'y a pas de divinité en dehors de Toi. Tu m'as créé et je suis Ton serviteur et je Te resterai fidèle et tiendrai mon engagement envers Toi jusqu'au bout de mes forces. Je demande Ta protection contre le mal dans mes œuvres. Je reconnais Tes bienfaits en ma faveur et avoue mes péchés. Pardonne-moi car Tu es le Seul à pouvoir pardonner. » Celui qui invoque en ces termes avec conviction dans la journée et meurt (avant le soir) sera admis au Paradis. Celui qui prononce cette invocation avec une ferme conviction dans la nuit et meurt avant le matin sera admis au Paradis. » [Ṣaḥīḥ Al-Bukhārī 6306]

Allāh ﷻ dit :

رَبَّنَا ظَلَمْنَآ أَنفُسَنَا وَإِن لَّمْ تَغْفِرْ لَنَا وَتَرْحَمْنَا لَنَكُونَنَّ مِنَ ٱلْخَٰسِرِينَ

Rabbanā ẓalamnā anfusanā wa in lam taghfirlanā wa tarḥamnā la nakūnanna minal khāsirīn

« Ô notre Seigneur, nous avons fait du tort à nous-mêmes. Et si Tu ne nous pardonnes pas et ne nous fais pas miséricorde, nous serons très certainement du nombre des perdants. » [Al-ʿArāf 7:23]

Allāh ﷻ dit également : « Demandez pardon à votre Seigneur ; ensuite, revenez à Lui. Il vous accordera une belle jouissance jusqu'à un terme fixé, et Il accordera à chaque méritant l'honneur qu'il mérite. » [Hūd 11:3]
Le Prophète ﷺ a dit : « Celui qui est assidu dans sa demande de

pardon, Allāh ﷻ lui accordera une solution pour chaque souci, une issue pour toute difficulté, et lui accordera des choses auxquelles il ne s'attend pas. » [Sunan Abī Dawūd 1518]

3. Priez pour les affaires de ce monde et du suivant

Le vrai Musulman demande à Allāh ﷻ de le bénir dans ce monde et dans l'Au-Delà. Invoquer Allāh ﷻ uniquement pour les affaires de ce monde témoigne d'une faiblesse de l'īmān, car les bienfaits de l'Au-Delà sont les véritables bienfaits.

Allāh ﷻ dit :

رَبَّنَآ ءَاتِنَا فِى ٱلدُّنْيَا حَسَنَةً وَفِى ٱلْـَٔاخِرَةِ حَسَنَةً وَقِنَا عَذَابَ ٱلنَّارِ

Rabbanā Ātinā fid dunyā ḥasanataw wa fil Ākhirati ḥasanataw wa qinā 'adhāban nār

« Et il est des gens qui disent : « Seigneur ! Accorde-nous belle part ici-bas, et belle part aussi dans l'au-delà ; et protège-nous du châtiment du Feu ! » Ceux-là auront une part de ce qu'ils auront acquis. Et Allāh ﷻ est prompt à demander des comptes. »

[Al-Baqarah 2:201-202]

4. Priez pour tous les Musulmans

Un des signes de la perfection de l'īmān est d'aimer pour son frère ce que nous aimons pour nous-mêmes. Ainsi, comme nous désirons être guidés vers la vérité et pardonnés pour nos péchés, nous devons également le désirer pour nos compagnons Musulmans. Il est donc conseillé au Musulman de se souvenir de tous ses frères et sœurs, et de prier pour eux lorsqu'il invoque, y compris ses propres parents.

Allāh ﷻ dit : « Sache donc qu'en vérité il n'y a point de divinité à part Allāh ﷻ et implore le pardon pour ton péché, ainsi que pour les croyants et les croyantes. » [Muḥammad 47:19]

Allāh ﷻ dit également :

رَّبِّ ٱغْفِرْ لِى وَلِوَٰلِدَىَّ وَلِمَن دَخَلَ بَيْتِىَ مُؤْمِنًا وَلِلْمُؤْمِنِينَ وَٱلْمُؤْمِنَٰتِ وَلَا تَزِدِ ٱلظَّٰلِمِينَ إِلَّا تَبَارًۢا

Rabbighfirlī wa li wālidayya wa li man dakhala baytiya mu-minan wa lil mu-minīna wal mu-mināt, wa lā tazidiẓ ẓālimīna illā tabārā

« Seigneur ! Pardonne-moi, et à mes père et mère et à celui qui entre dans ma demeure en qualité de croyant, ainsi qu'à tous les croyants et croyantes ; et ne fais croître les injustes qu'en perdition. » [Nūḥ 71:28]

Le Prophète ﷺ a dit :

- « S'il n'est pas assez riche pour faire la charité, qu'il demande le pardon pour les croyants, hommes et femmes, car c'est un acte de charité. » [Al-Mu'jam Al-Awsaṭ Aṭ-Ṭabarānī 2693]
- « Il n'y a aucun serviteur musulman qui invoque pour son frère dans son dos (en son absence) sans que l'ange (près de sa tête) ne dise : « et à toi la même chose ». » [Ṣaḥīḥ Muslim 2732]

5. Terminez votre invocation en adressant les ṣalawāt au Messager d'Allāh ﷺ

Umar (رضي الله عنه) a dit : « L'invocation est suspendue entre le ciel et la terre, aucune de ses paroles ne monte, jusqu'à ce que tu pries sur ton Prophète. » [Jāmi' At-Tirmidhī 486]

Abū Sulaymān ad-Dārānī a dit : « Quiconque veut adresser une demande à Allāh ﷻ, qu'il commence par adresser la ṣalawāt au Prophète. Puis, qu'il termine son invocation par une (autre) ṣalawāt au Prophète. Car la ṣalawāt au Prophète sera exaucée, et Allāh ﷻ est trop généreux pour refuser (l'invocation faite) entre deux ṣalawāt. » [Al-Qawl Al-Badī' fi Aṣ-Ṣalāti 'alā Al-Ḥabīb As-Shafī' p.435]

Ces deux ṣalawāt sont les ailes de l'invocation grâce auxquelles elle s'envole vers le ciel et ses nuages.

6. Dites Āmīn

Āmīn signifie « Ô Allāh ! Exauce (ou répond à) cette invocation. Le but de cette parole est d'augmenter les chances de voir son invocation exaucée.

Le Prophète ﷺ a dit : « Jamais un groupe de gens ne se réunit, certains invoquant Allāh ﷻ et tout le monde prononçant « Âmîn » sans qu'Allāh ﷻ ne les exauce. » [Al-Mu'jam Al-Kabīr Aṭ-Ṭabarānī 3536]

7. COMMENT S'ASSURER D'ÊTRE EXAUCÉ ?

Après l'invocation, quelques rappels importants

Avoir la ferme conviction qu'Allāh ﷻ répondra à votre invocation

Le Messager d'Allāh ﷺ a dit : « Tout Musulman qui fait une invocation, si elle n'implique ni un péché ni la rupture des liens de parenté, recevra de la part d'Allāh ﷻ une de ces trois choses :

1 - Allāh ﷻ exauce immédiatement l'invocation
2 - Allāh ﷻ la conserve et la réserve pour son auteur dans l'Au-Delà
3 - Allāh ﷻ préserve l'auteur d'un mal équivalent »

Les Compagnons dirent : « Si c'est le cas, nous ferons encore plus d'invocations. » Il répondit : « Allāh ﷻ vous répondra encore plus. » [Musnad Aḥmad 11133]

Le Prophète ﷺ a dit :

- « Aucun Musulman sur cette terre ne demande quelque chose à Allāh ﷻ sans être exaucé ou sans qu'Allāh ﷻ ne le préserve d'un mal équivalent, tant qu'il ne demande pas un péché ou la rupture des liens de parenté. » [Jāmi` At-Tirmidhī 3381]
- « Invoquez Allāh ﷻ avec la conviction d'obtenir une réponse, car Allāh ﷻ n'accepte pas la du'ā' d'un cœur insouciant et distrait. » [Jāmi` At-Tirmidhī 3479]

Ne pas être impatient ou se précipiter

Le Prophète ﷺ a dit : « Le serviteur ne cesse d'être exaucé tant qu'il n'invoque pas pour un péché ou pour rompre des liens de parenté et tant qu'il ne s'impatiente pas. » On demanda : « Ô Messager d'Allāh ﷺ ! Qu'est-ce que l'impatience ? » [Le Prophète ﷺ] répondit : « Une personne qui dit : « J'ai invoqué et invoqué, mais je ne me vois pas exaucé ! » puis se lasse et abandonne l'invocation. » [Ṣaḥīḥ Muslim 2735]

Ne pas se décourager

Même après de multiples prières et avoir fait preuve de patience, vous ne devez pas penser que votre invocation a été rejetée. Il faut rester optimiste et ignorer les murmures démoralisant de Shaytān. Espérer le meilleur de la part d'Allāh ﷻ fait partie de l'īmān, tout comme le fait d'être certain qu'Allāh ﷻ répondra à nos invocations car il est l'Infini-Pardonneur, l'Omniscient.

Allāh ﷻ dit : « Je suis pour Mon serviteur ce qu'il croit que Je suis, et Je suis avec lui chaque fois qu'il se souvient de Moi. » [Ṣaḥīḥ Al-Bukhārī 7405]

Il ne faut pas désespérer et penser qu'il n'y a plus rien à faire. Bien au contraire, c'est une raison de plus pour se tourner vers Allāh ﷻ, plein d'espoir et de sincérité, car Seul Celui qui a d'abord décrété cette situation peut modifier le décret. Il est donc indispensable de se tourner vers Lui.

En effet, Allāh ﷻ a répondu à l'invocation de la pire des créatures, Iblis, qu'Allāh ﷻ le maudisse, lorsqu'il demanda : « Ô mon Seigneur, donne-moi donc un délai jusqu'au jour où ils (les gens) seront ressuscités ». [Allāh ﷻ] dit : « tu es de ceux à qui ce délai est accordé. » [Al-Ḥijr 15:36-37]

Même les invocations d'Iblis peuvent être exaucées ! Ne pensez-vous pas que celles des Musulmans ont plus de droits que les siennes ?

S'éloigner du ḥarām

N'oubliez pas votre crainte révérencielle envers Allāh ﷻ (taqwā) car elle est l'essentiel. Cette taqwā nous permet de réaliser qu'Allāh ﷻ nous observe en permanence.

Le Messager d'Allāh ﷺ a cité l'exemple d'un homme qui implorait Allāh ﷻ et levait les mains au ciel en criant : « Seigneur ! Seigneur ! », mais sa nourriture était illicite, sa boisson était illicite, ses habits étaient illicites : il s'était rassasié de ce qui est illicite. Comment son invocation pourrait-elle être exaucée ! [Ṣaḥīḥ Muslim 1015]

Le Prophète ﷺ a dit également : « Allāh ﷻ est Bon et Il n'accepte que ce qui est bon. Sachez qu'Allāh ﷻ a ordonné aux croyants ce qu'Il a ordonné aux Messagers dans cette parole : « Ô Messagers ! Mangez des choses bonnes et licites, œuvrez salutairement. Je sais parfaitement ce que vous faites. » » [Ṣaḥīḥ Muslim 1015]

Ces deux Ḥadiths nous apprennent les causes principales qui empêchent l'invocation d'être exaucée. Dans le premier, le Prophète ﷺ montre également à quel point il est ridicule, pour un homme coutumier du ḥarām, d'espérer une réponse à son invocation.

Si quelqu'un souhaite voir ses invocations exaucées, il doit donc être particulièrement attentif à ne consommer que de l'argent propre, obtenu par des moyens licites, et de la nourriture saine, qu'il est autorisé à manger.

Éviter les péchés

Il ne fait aucun doute que nos péchés s'interposent entre nous et la réponse à nos invocations. Par conséquent, si quelqu'un multiplie les du'ā' pendant une longue période sans recevoir de réponse, il doit se tourner vers lui-même et examiner ses actes. Peut-être que, dans sa manière d'agir, il trouvera la cause de cette absence de réponse : le non-accomplissement de ses obligations, l'oubli des droits des autres ou quelques inadvertances de ce genre.

Le Prophète ﷺ a dit : « Par Celui qui détient mon âme dans Sa main ! Ordonnez le bien et interdisez le blâmable ! Sans quoi, peu s'en faut qu'Allāh ﷻ ne vous envoie l'un de Ses châtiments ; vous L'invoquerez alors, mais Il ne vous exaucera pas. » [Jāmi' At-Tirmidhī 2169]

Être de bon conseil

L'īmān comprend le fait d'aimer pour son frère ce que nous aimons pour nous-mêmes et cela implique de vouloir son bien et que le mal lui soit épargné. Par conséquent, vous devez encourager au bien et interdire ce qui est mauvais (de la façon la plus appropriée), ainsi que croire en Allāh ﷻ.

Le Prophète ﷺ a dit : « Je jure Par Celui qui détient mon âme dans Sa main ! Ordonnez le bien et interdisez le blâmable ! Sans quoi, peu s'en faut qu'Allāh ﷻ ne vous envoie l'un de Ses châtiments ; vous L'invoquerez alors, mais Il ne vous exaucera pas. » [Jāmi' At-Tirmidhī 2169]

Délaisser cette obligation provoque la colère et la punition d'Allāh ﷻ, notamment Son silence face aux invocations.

Se rappeler, en tout état de cause, qu'Allāh ﷻ est le Malik

Allāh ﷻ est le véritable Roi, le Possesseur de tous les Royaumes. Personne ne peut interférer dans Ses décisions ni questionner Ses décrets. Le Musulman ne doit donc pas remettre en question la volonté d'Allāh ﷻ : il doit l'accepter et en être pleinement satisfait.

Comme Allāh ﷻ dit dans le Qur'ān : « Il n'est pas interrogé sur ce qu'Il fait, mais ce sont eux qui devront rendre compte [de leurs actes]. » [Surah al-Anbiya 23]

L'invocation est une manifestation de la sagesse ultime d'Allāh ﷻ

Parmi les plus beaux Noms d'Allāh ﷻ se trouve « Al-ḥakīm », souvent traduit par « Le Très-Sage ». La plus grande des sagesses appartient donc à Allāh ﷻ et tous Ses décrets sont sages. Lorsqu'Il donne, Il donne avec sagesse, et lorsqu'Il prive, Il prive avec sagesse.

Dans Son Qur'ān, Allāh ﷻ décrit Sa propre sagesse comme « une sagesse parfaite. » [Al-Qamar 54:5]

Le fait qu'une du'ā' soit exaucée, ou non, est le signe et la manifestation de nombreux noms et attributs d'Allāh ﷻ. Il faut donc garder à l'esprit ces noms et ces attributs lorsque nos invocations n'obtiennent pas de réponse : ce silence (de la part d'Allāh ﷻ) est en lui-même une éminente manifestation de Ses noms et attributs.

Parmi ces noms se trouvent : **Al-Mu'ṭī** (Le Donateur), **Al-Māni'** (Celui qui prive), **Al-Ḥakam** (Le Juge), **Al-'Adl** (Le Juste), **Al-Karīm** (Le Très Généreux), **Al-Ḥakīm** (Le Très-Sage), et de nombreux autres encore.

Aucun de ces noms ne doit être considéré comme « mineur » ou comme un ornement. Que nos invocations soient exaucées ou non, l'ensemble de ces noms, et d'autres encore, se manifestent par le décret d'Allāh ﷻ. Le Musulman qui médite sur sa situation en considérant Allāh ﷻ, concentrant son attention sur les choses qu'il a demandées, réalisera que lorsqu'Allāh ﷻ Tout-Puissant donne, Il donne avec générosité, sagesse et justice, et lorsqu'Il prive, Il prive avec autorité, sagesse et justice.

L'invocation reçoit trois sortes de réponse

Le Messager d'Allāh ﷺ a dit : « Aucun homme ne s'adresse à Allāh سبحانه وتعالى par l'invocation sans obtenir de réponse. Il la verra exaucée soit dans ce monde, soit dans l'Au-Delà. Son invocation peut aussi servir à effacer une partie de ses péchés en juste balance avec le poids de sa demande. Et cela, tant qu'il n'invoque pas pour un péché ou la rupture des liens de parenté et tant qu'il ne se montre pas impatient. » [Jāmi` At-Tirmidhī 3604]

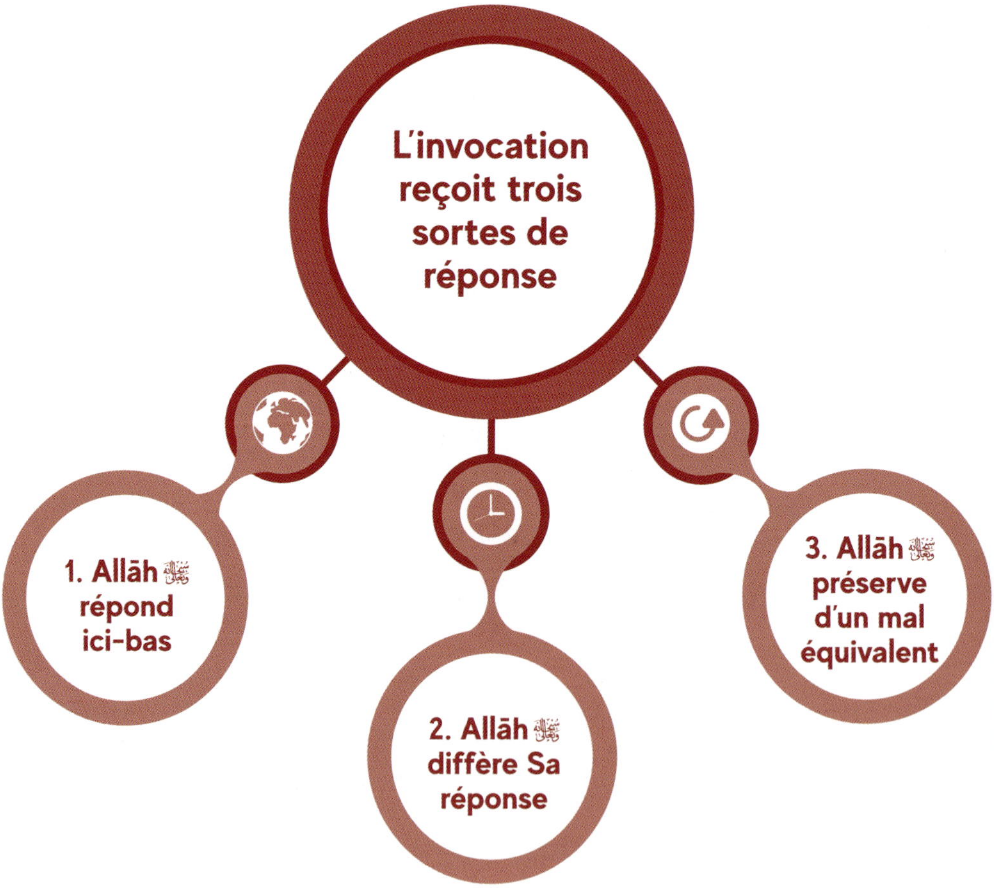

1. L'invocation a peut-être déjà été exaucée

Dans un ḥadīth déjà mentionné, Le Prophète ﷺ garantit que l'invocation sera exaucée de trois manières possibles. Cependant, la « satisfaction » de cette invocation peut prendre une forme mystérieuse.

2. Allāh ﷻ diffère Sa réponse

Comme le dit Allāh ﷻ : « Toute âme doit goûter la mort. Nous vous éprouverons par le mal et par le bien [à titre] de tentation. Et c'est à Nous que vous serez ramenés. » [Al-Anbiyā 21:35]

Le Prophète ﷺ a dit : « La grandeur de la récompense est proportionnelle à la grandeur de l'épreuve. Et lorsqu'Allāh ﷻ aime un groupe de personnes, Il les éprouve. Quiconque, par conséquent, est satisfait [du décret d'Allāh ﷻ] aura la satisfaction d'Allāh ﷻ en retour et quiconque en est mécontent subira la colère d'Allāh ﷻ. » [Jāmi` At-Tirmidhī 2396]

Peut-être qu'Allāh ﷻ accordera la récompense d'une invocation seulement le Jour du Jugement, et cette récompense sera bien plus précieuse, en ce Jour, qu'une réponse ici-bas.

Lorsque la réponse est différée, c'est une sorte de test et d'épreuve imposée au serviteur. Il devra se montrer patient. C'est notre vision de l'existence : la vie entière n'est qu'une épreuve et un test. Cette réponse qui tarde à venir n'est qu'une des nombreuses épreuves que nous devons affronter si nous souhaitons réellement entrer au Paradis, s'il plait au Créateur.

Le croyant accepte la sagesse divine d'Allāh ﷻ et ne laisse pas l'absence de réponse immédiate l'écarter du véritable īmān.

Au contraire, cette épreuve envoyée par Allāh ﷻ doit nous remplir d'espoir : car nous faisons partis de ceux qu'Il aime. Elle doit donc accroître notre patience et nous rapprocher d'Allāh ﷻ.

Ce « retard » des réponses aux invocations doit amener le croyant à méditer sur sa vie, le bien et le mal qui s'y trouvent, à examiner ses du'ā' et pourquoi il les fait, à passer en revue son quotiden : que cherche-t-il à accomplir, au bout du compte ? De sa vie ici-bas, il examinera les biens matériels (comment il les a obtenus et comment il les dépense) et il réfléchira à ses actes, bons ou mauvais. Et finalement, s'apercevant que les bonnes actions manquent et que les mauvaises abondent, il préfèrera se tourner vers Allāh ﷻ pour se repentir et se réformer. Voilà les préoccupations du croyant sincère.

En réalité, ces « retards » offrent au Musulman une expérience régénératrice et une purification. Ils l'obligent à réexaminer sa relation avec Allāh ﷻ et à essayer de la renforcer. Si sa du'ā' avait reçue une réponse immédiate, il n'aurait pas fait cet examen, ni bénéficié de ses bienfaits. Bref, ces « retards » sont une grande bénédiction d'Allāh ﷻ.

3. Allāh ﷻ vous préserve d'un mal équivalent

Allāh ﷻ choisit ce qui est mieux pour Son serviteur. Le Prophète ﷺ a dit : « Aucun Musulman sur cette terre ne demande quelque chose à Allāh ﷻ sans être exaucé ou sans qu'Allāh ﷻ ne le préserve d'un mal équivalent, tant qu'il ne demande pas un péché ou la rupture des liens de parenté. » [Jāmi' At-Tirmidhī 3381]

Peut-être qu'Allāh ﷻ sait qu'une certaine chose mènera, en fin de compte, à de malheureuses conséquences. L'homme, le Musulman, peut désirer avoir de l'argent et penser qu'il s'agit d'un bien puisqu'il espère le dépenser dans le sentier d'Allāh ﷻ. Cependant, Allāh ﷻ sait bien que si ce Musulman reçoit cet argent, il le dépensera de mauvaise manière et son âme en souffrira.

Alors prends-garde, ô toi le Musulman, à ne pas te mettre en colère ou à te plaindre face au Décret d'Allāh ﷻ, car la chose que tu désires pourrait être la cause de ta perdition !

Le bref exemple que nous venons d'utiliser suffit à montrer comment Allāh ﷻ, dans Son ultime sagesse, peut connaître la nature nuisible d'une situation ou d'une chose que Son serviteur réclame. Par nature, le Décret d'Allāh ﷻ représente toujours ce qu'il y a de meilleur pour son Serviteur dans ce monde et dans l'Au-Delà. Et chaque serviteur doit réaliser que ses du'ā' s ne sont pas toutes bénéfiques. En revanche, tout ce qu'Allāh ﷻ décrète pour lui est bon, même s'il n'aperçoit pas la sagesse derrière ce décret. Alors, si un malheur le touche, il prendra conscience que se cache, dans ce même malheur, un grand bien et un grand bénéfice pour lui-même.

L'ascète et le grand sage Sufyān Ath-Thawrī a dit : « En vérité, lorsqu'Allāh ﷻ prive, Il accorde. Car Allāh ﷻ ne prive pas par avarice ou radinerie, mais plutôt pour la grâce de Son serviteur. Si donc Il prive, c'est Son choix (pour le serviteur) et Son excellente décision. » [Madārij As-Sālikīn 2/207]

La connaissance que nous avons du bien et du mal est relative. Le savoir d'Allāh ﷻ, à l'inverse, est infini. Nous devons donc admettre que les décisions de Notre Seigneur sont meilleures que les nôtres.

Comme le dit Allāh ﷻ : « Il se peut que vous ayez de l'aversion pour une chose où Allāh ﷻ a déposé un grand bien. » [An-Nisā 4:19]

حُبُّ الدُّنيَا

Amour de ce monde

ÉMOTIONS RELIÉES

Distrait | Inquiet | Vaniteux | Dépendant | Illusionné | Paresseux
Envieux | Excessif | Ignorant | Immature | Immodéré
Inconscient | Submergé | Égocentré | Vidé | Lubrique
Fourbe | Déficient | Étourdi

NOMS D'ALLĀH ﷾ POUR L'INVOCATION

- **Al-Bāqī - Le Permanent**
- **Al-Bā'ith - Celui qui ressuscite**
- **Al-Khāfiḍ - Celui qui abaisse**
- **Al-Qābiḍ - Celui qui saisit**
- **Al-Khabīr - L'Informé**
- **Al-Wārith - L'Héritier**
- **Ash-Shakūr - Le Reconnaissant**

AṢ-ṢALĀH AL-IBRĀHĪMIYYAH

INVOCATIONS EXAUCÉES

- **Pour se protéger de la richesse qui mène au châtiment**
- **Pour ne pas faire de ce monde notre plus grand soucis**
- **Pour se protéger des épreuves de ce monde**
- **Pour obtenir sa part de tous les biens de ce monde**
- **Pour se contenter de ses biens et obtenir le bien dans toute chose**
- **Pour que l'amour d'Allāh ﷾ soit le plus précieux et pour se détacher des désirs d'ici-bas**

CHAPITRE 1

Amour de ce monde

[Ḥubb ad-Dunyā] حُبُّ الدُّنْيَا

Toute idée, « chose » ou personne qui apporte un bénéfice dans l'Au-Delà mérite notre attachement ici-bas. En effet, l'amour de ce monde est louable lorsqu'il mène à l'élévation spirituel, soigne nos cœurs, ou si l'acquisition de richesses ou d'un certain statut a pour objectif d'aider les plus démunis. Tout ce qui est obtenu dans le cadre des nécessités de la vie sur terre - nourriture, logement, abri, etc. - est considéré comme un bénéfice et non comme l'expression, en soi, d'un amour pour ce monde.

Cependant, concernant cette acquisition de richesses, les savants nous mettent généralement en garde contre le danger de la transgression : plus nous accumulons de richesses, plus nous prenons le risque de détourner notre attention d'Allāh ﷻ.

On rapporte cette parole de 'Isā : « L'amour de ce monde est la racine de tout mal. » [Al-Bayhaqī in Shu'ab Al-Īmān 9974]

Ce qui peut lier un individu à l'amour répréhensible de ce monde (ḥubb ad-dunyā), c'est le fait de se cramponner aux « attractions scintillantes » du monde, de prêter trop d'attention aux « choses » qui nourrissent les bas instincts. Cet amour coupable se manifeste par l'avidité et l'arrogance, mais également par le fait de faire peser lourdement vos besoins sur les autres (et donc de dépendre d'eux). La compulsion est un désir irrésistible s'exprimant seulement envers les choses de ce monde, ce n'est pas un concept qui peut s'appliquer, à proprement parler, au désir de salut dans l'Au-Delà. La personne qui souffre (de compulsion) trouvera normal d'acquérir des biens illicites et du pouvoir juste pour se sentir puissant. Il faut noter que « l'amour de la richesse » (ḥubb al-māl) fait sans aucun doute partie de ḥubb ad-dunyā.

Allāh ﷻ dit : « Ceux qui n'espèrent pas Notre rencontre, qui sont satisfaits de la vie présente et s'y sentent en sécurité, et ceux qui sont inattentifs à Nos signes, leur refuge sera le Feu, pour ce qu'ils acquéraient. » [Yūnus 10: 7-8]

Le Prophète ﷺ a dit :

- « Deux loups affamés lâchés sur un troupeau de moutons ne peuvent lui infliger autant de mal que le désir de richesse et de prestige n'en inflige à la religion d'un homme. » [At-Tirmidhī 2376]
- « Quiconque fait de la vie future sa principale préoccupation, Allāh ﷻ veillera sur ses affaires, répandra la richesse dans son cœur et la vie ici-bas sera forcée de venir, humiliée, vers lui. Quiconque fait de la vie d'ici-bas sa principale préoccupation, Allāh ﷻ fera s'écrouler ses affaires, placera la pauvreté devant ses yeux et seul ce qui a été décrété pour lui de cette vie l'atteindra. » [At-Tirmidhī 2465]
- « Si le fils d'Ādam possédait deux vallées couvertes d'argent, il en désirerait une troisième. Car rien ne peut remplir sa bouche, si ce n'est la poussière. » [Ṣaḥīḥ Al-Bukhārī 6436, Ṣaḥīḥ Muslim 1048:116]

Selon la forme qu'il prend, l'amour de ce monde peut relever de 5 catégories juridiques classiques : ce qui est obligatoire (wājib), recommandé (mandūb), permis (mubāḥ), répréhensible (makrūh) ou interdit (ḥarām).

Amour de ce monde

Invocation des Noms d'Allāh ﷻ

الْبَاقِي
Al-Bāqī
Le Permanent

الْبَاعِثُ
Al-Bā'ith
Celui qui ressuscite

الْخَافِضُ
Al-Khāfiḍ
Celui qui abaisse

الْقَابِضُ
Al-Qābiḍ
Celui qui saisit

الْخَبِيرُ
Al-Khabīr
L'Informé

الْوَارِثُ
Al-Wārith
L'Héritier

الشَّكُورُ
Ash-Shakūr
Le Reconnaissant

Amour de ce monde

Méditations et Réflexions sur les Noms Excellents d'Allāh ﷻ

- Vous réalisez qu'à la source de tout chagrin se trouve l'attachement à ce qui n'est qu'éphémère. Vous réalisez que ces réalités éphémères sont l'exact opposé de Son éternité : si tout peut disparaître ou mourir, Allāh ﷻ demeure toujours avec vous. Vous attachez donc tout votre amour à Lui.
- Vous vous rappelez que la vie d'ici-bas n'est qu'un divertissement et que celui-ci engendre la plupart des mauvais penchants spirituels (orgueil, haine, jalousie, vanité, avidité, etc.). Vous vous rappelez également que votre véritable objectif, ici-bas, est de prendre toutes vos dispositions afin de réussir votre voyage vers l'Au-Delà.
- Vous voyez la richesse et le prestige comme deux « loups » prêts à dévorer votre foi.
- En constatant l'énergie dépensée par tant d'hommes et de femmes pour obtenir les « plaisirs et les délices » de ce monde, vous vous dites à vous-mêmes : « Je ne peux me permettre de me perdre dans cette indignité. »
- Vous apercevez clairement les difficultés incessantes qui frappent les amoureux de ce monde, ceux qui y sont accrocs. Ils finissent par vivre dans l'inquiétude, étranger au bonheur et à la tranquilité.
- Vous vous rappelez de cet échange entre la Mère des Croyants, 'Ā'ishah et son père, Abu Bakr ﵁. Après avoir enfilé une nouvelle robe, elle fut envoûtée par sa propre apparence. Abu Bakr lui demanda ce qu'elle était en train de regarder et dit : « Allāh ﷻ, Lui, n'est certainement pas en train de Te regarder ! Ne sais-tu pas que celui qui se fait envoûter par la beauté de ce monde, Allāh ﷻ se met à le détester jusqu'à ce qu'il se détache de cette beauté ? » 'Ā'ishah ﵂ ôta alors sa robe et la donna pour s'en débarasser. [Abū Nu'aym Al-Aṣbahānī dans Ḥilyah Al-Awliyā' v.1 pg.37] De cet échange, vous tirez la conclusion qu'il n'y a pas de mal à porter de jolis et de nouveaux vêtements, mais que la beauté de ce monde, ici-bas, se révèle être une épreuve et une distraction.
- Vous apprenez à admettre qu'Allāh ﷻ est l'Héritier de tout ce qui existe, vous n'en avez que la jouissance temporaire. Vous commencez à vous considérer uniquement comme le gestionnaire de vos biens et à préférer offrir de votre richesse ce qui revient aux pauvres et aux nécessiteux. Car vous vous souvenez qu'il vous faudra, un jour, rendre des comptes.
- Vous n'autorisez pas la moindre graine d'orgueil à s'enraciner en vous, car vous gardez à l'esprit qu'Allāh ﷻ vous a formé et façonné dans la matrice. Il est la source de votre existence et celle de tout votre bien-être, de tous vos biens. Il peut donc tout à fait vous en priver, en un instant, afin de vous éprouver.
- Vous avez conscience qu'Allāh ﷻ connaît parfaitement l'étendue de vos richesses et de votre situation, mais aussi que le moyen de vous rapprocher d'Allāh ﷻ est d'utiliser tout ce dont vous bénéficiez dans le but de Lui plaire. Vous purifiez vos biens en pratiquant la charité et vous avez bien conscience des largesses et du luxe qui « dépassent les bornes ».
- Vous comprenez que, quels que soient les bienfaits que vous recevez (nuit et jour), ils viennent d'Allāh ﷻ et ils sont innombrables. Vous vous servez donc, avec beaucoup de reconnaissance et comme il se doit, des bienfaits que constituent vos yeux, vos oreilles, votre langue et vos membres, afin d'obtenir Sa pleine satisfaction.

Amour de ce monde

Aṣ-Ṣalāh Al-Ibrāhīmiyyah

اَللّٰهُمَّ صَلِّ عَلَى مُحَمَّدٍ وَعَلَى آلِ مُحَمَّدٍ كَمَا صَلَّيْتَ عَلَى
إِبْرَاهِيمَ وَآلِ إِبْرَاهِيمَ إِنَّكَ حَمِيدٌ مَجِيدٌ وَبَارِكْ عَلَى
مُحَمَّدٍ وَعَلَى آلِ مُحَمَّدٍ كَمَا بَارَكْتَ عَلَى إِبْرَاهِيمَ
وَآلِ إِبْرَاهِيمَ إِنَّكَ حَمِيدٌ مَجِيدٌ

Allāhumma ṣalli 'alā Muḥammadin wa 'alā āli Muḥammadin kamā ṣallayta 'alā Ibrāhīm wa āli Ibrāhīm innaka ḥamīdum majīd, wa bārik 'alā Muḥammadin wa 'alā āli Muḥammadin kamā bārakta 'alā Ibrāhīm wa āli Ibrāhīm innaka ḥamīdum majīd

Ô Seigneur ! Prie pour Muḥammad et pour la famille de Muḥammad comme Tu as prié pour Ibrāhīm et pour la famille d'Ibrāhīm. Et bénis Muḥammad et la famille de Muḥammad comme Tu as béni Ibrāhīm et la famille d'Ibrāhīm, Tu es certes Digne de louange et de glorification.
[Sunan An-Nasaī 1290]

Amour de ce monde

Se protéger contre la richesse qui mène au châtiment

اَللّٰهُمَّ إِنِّي أَعُوذُ بِكَ مِنْ مَالٍ يَكُونُ عَلَيَّ عَذَابًا

Allāhumma innī a'ūdhu bika min mālin yakūnu 'alayya 'adhābā

Ô Allāh, je cherche Ta protection contre la richesse qui se transformera en châtiment pour moi. [Aṭ-Ṭabarānī dans Ad-Du'ā 1339]

Ne pas faire de ce monde notre plus grand soucis

اَللّٰهُمَّ لاَ تَجْعَلِ الدُّنْيَا أَكْبَرَ هَمِّنَا وَلاَ مَبْلَغَ عِلْمِنَا

Allāhumma lā taj'ali d-dunyā akbara hamminā wa mablagha 'ilminā

Ô Allāh, fais en sorte que ce bas monde ne soit pas notre plus grand souci, ni le seul que nos connaissances embrassent. [Jāmi' At-Tirmidhī 3502]

Se protéger contre les épreuves de ce monde

اَللّٰهُمَّ إِنِّي أَعُوذُ بِكَ مِنَ الْبُخْلِ، وَأَعُوذُ بِكَ مِنَ الْجُبْنِ، وَأَعُوذُ بِكَ أَنْ أُرَدَّ
إِلَى أَرْذَلِ الْعُمُرِ، وَأَعُوذُ بِكَ مِنْ فِتْنَةِ الدُّنْيَا وَأَعُوذُ بِكَ مِنْ عَذَابِ الْقَبْرِ

Allāhumma 'innī a'ūdhu bika mina l-bukhli, wa a'ūdhu bika mina l-jubni, wa a'ūdhu bika min an uradda ilā ardhali l-'umur, wa a'ūdhu bika min fitnati d-dunyā wa a'ūdhu bika min 'adhābi l-qabri

Seigneur ! Protège-moi contre l'avarice, protège-moi contre la lâcheté, protège-moi contre la décrépitude, protège-moi contre les épreuves de la vie terrestre et contre le supplice de la tombe. [Ṣaḥīḥ Al-Bukhārī 6365]

Amour de ce monde

Obtenir sa part de tous les biens de ce monde

اَللّٰهُمَّ اجْعَلْ سَرِيرَتِي خَيْرًا مِنْ عَلَانِيَتِي وَاجْعَلْ عَلَانِيَتِي صَالِحَةً اَللّٰهُمَّ إِنِّي أَسْأَلُكَ مِنْ صَالِحِ مَا تُؤْتِي النَّاسَ مِنَ الْمَالِ وَالأَهْلِ وَالْوَلَدِ غَيْرِ الضَّالِّ وَلَا الْمُضِلِّ

Allāhumma ij'al sarīratī khayran min 'alāniyatī wa j'al 'alāniyatī ṣāliḥatan, Allāhumma innī as'aluka min ṣāliḥi mā tu'tin nāsa mina l-māli wa l-ahli wa l-waladi ghayri ḍ-ḍālli wa lā l -muḍill

Ô Allāh, fais que ma vie privée soit meilleure que ma vie publique, et que ma vie publique soit vertueuse. Ô Allāh, je Te demande une part des biens que Tu accordes aux hommes en termes de richesse, de famille et d'enfants. Je Te demande de n'être ni égaré, ni source d'égarement. [Jāmi` At-Tirmidhī 3586]

Se contenter de ses biens et obtenir le bien dans toute chose

اَللّٰهُمَّ قَنِّعْنِي بِمَا رَزَقْتَنِي، وَبَارِكْ لِي فِيهِ، وَاخْلُفْ عَلَى كُلِّ غَائِبَةٍ لِي بِخَيْرٍ

Allāhumma qanni'nī bimā razaqtanī wa bārik lī fīhi, wa-khluf 'alā kulli ghā'ibatin lī bi khayrin

Ô Allāh, rends-moi satisfait de la subsistance que Tu m'as accordée, bénis-moi à travers elle et place un bien pour moi dans chaque chose que je ne possède pas. [Al-Ḥākim 1878]

Amour de ce monde

Faire que l'amour d'Allāh ﷻ soit le plus précieux et se détacher des désirs d'ici-bas

اَللّٰهُمَّ اجْعَلْ حُبَّكَ أَحَبَّ الْأَشْيَاءِ إِلَيَّ وَاجْعَلْ خَوْفَكَ أَخْوَفَ الْأَشْيَاءِ إِلَيَّ وَاقْطَعْ عَنِّي حَاجَاتِ الدُّنْيَا بِالشَّوْقِ إِلَى لِقَائِكَ وَإِذَا أَقْرَرْتَ أَعْيُنَ أَهْلِ الدُّنْيَا مِنْ دُنْيَاهُمْ فَأَقِرَّ عَيْنِي مِنْ عِبَادَتِكَ

Allāhumma ij'al ḥubbaka aḥabba l-ashyā'a ilayya wa j'al khawfaka akhwafa l ashyā'a ilayya waqṭa' 'annī ḥājāti d-dunyā bi sh-shawqi ilā liqā'ika wa idhā aqrarta a'yuna ahli d-dunyā min dunyāhum fa 'aqirra 'aynī min 'ibādatika

Ô Allāh, fais de Ton amour l'amour le plus précieux pour moi, et fais de Ta crainte la chose que je redoute le plus. Détache-moi des désirs d'ici-bas en faisant naître en moi le désir puissant de Ta rencontre. Et, de même que Tu réconfortes les yeux des hommes de ce monde avec les richesses matérielles, réconforte mes yeux avec Ton obéissance et Ton adoration [Abū Nu'aym Al-Aṣbahānī in Ḥilyah Al-Awliyā' v.8 pg.282]

البُخل

Avarice

ÉMOTIONS RELIÉES

Indifférent | Inquiet | Anxieux | Craintif | Cynique | Obstiné
Égocentré | Apathique | Impitoyable | Cruel | Incertain | Excessif
Rétif | Négligent | Réticent | Réfractaire | Méchant | Désagréable
Appréhensif | Lâche

NOMS D'ALLĀH سبحانه وتعالى POUR L'INVOCATION

- **Al-Karīm - Le Généreux**
- **Ar-Razzāq - Celui qui pourvoit**
- **Al-Wahhāb - Celui qui donne**
- **Al-Waliyy - L'Ami protecteur**
- **Al-Qayyūm - L'Immuable**
- **Dhul Jalāli wal Ikrām - Le Possesseur de la Majesté et de la Générosité**
- **Ar-Ra'ūf - Le Compatissant**
- **Ar-Raḥmān - Celui qui fait miséricorde**
- **Ar-Raḥīm - Le Miséricordieux**
- **Al-Khabīr - L'Informé**

AṢ-ṢALĀH AL-IBRĀHĪMIYYAH

INVOCATIONS EXAUCÉES

- **Pour s'en remettre à Allāh ﷻ**
- **Pour faire preuve de gratitude envers Allāh ﷻ et L'adorer avec la plus grande dévotion**
- **Pour aimer les pauvres**
- **Pour se protéger contre l'angoisse, l'avarice et la lâcheté**
- **Pour se protéger contre l'avarice, les épreuves de ce monde et de la tombe**
- **Pour être encouragé à faire de bonnes actions en signe de gratitude**
- **Pour se satisfaire de notre subsistance**

CHAPITRE 2

Avarice [Bukhl] البُخْل

L'avarice se manifeste chez un individu qui refuse de donner ce qui est exigé par la Loi Sacrée (les droits inaltérables d'Allāh ﷻ et de Sa création) ou renie, en général, les bienfaits de la générosité. Elle est souvent le résultat d'un amour malsain pour les richesses de ce monde (ḥubb al-māl) et pour la dunyā, deux affections qui fragilisent le lien d'amour avec Allāh ﷻ.

Le Messager d'Allāh ﷺ nous a exhortés :

- « Sauvez-vous de l'avarice, car elle a détruit des nations entières avant vous. » [Ṣaḥīḥ Muslim 2578:56]
- « Il y a deux habitudes que vous ne trouverez jamais chez un croyant : l'avarice et les mauvaises manières. » [At-Tirmidhī 1962]

Avarice

Invocation des Noms d'Allāh ﷻ

الْكَرِيمُ
Al-Karīm
Le Généreux

الرَّزَّاقُ
Ar-Razzāq
Celui qui pourvoit

الْوَهَّابُ
Al-Wahhāb
Celui qui donne

الْوَالِيُ
Al-Waliyy
L'Ami protecteur

الْقَيُّومُ
Al-Qayyūm
L'Immuable

ذُو الْجَلَالِ وَالْإِكْرَامِ
Dhul Jalāli wal Ikrām
Le Possesseur de la Majesté et de la Générosité

الرَّؤُوفُ
Ar-Ra'ūf
Le Compatissant

الرَّحْمَانُ
Ar-Raḥmān
Celui qui fait miséricorde

الرَّحِيمُ
Ar-Raḥīm
Le Miséricordieux

الْخَبِيرُ
Al-Khabīr
L'Informé

Avarice

Méditations et Réflexions sur les Noms Excellents d'Allāh ﷻ

- Vous vous rappelez qu'Allāh ﷻ est Celui qui donne et Celui qui pourvoit, sans associé. Nous oublions parfois, à cet égard, l'étendue de Sa bienveillance.

- Vous faites « muḥāsabah » (le compte) de toutes vos bonnes intentions et de vos bonnes actions. Cela vous incite à ressentir une véritable gratitude pour ce qu'Allāh ﷻ vous a offert (sans compter).

- Vous combattez l'angoisse ou la peur de perdre vos biens en aidant ceux qui en ont besoin, partageant avec eux les bienfaits qu'Allāh ﷻ vous a accordés.

- Vous comprenez qu'une âme généreuse donne à chacun ce dont il a besoin, sans en attendre ni récompense, ni intérêt dans l'immédiat ou plus tard.

- Vous ne restez ni apathique, ni indifférent face aux difficultés des autres. Au contraire, vous essayez de subvenir généreusement à leurs besoins, dans la mesure de vos capacités.

- Vous témoignez de la compassion et de l'amour envers les plus démunis autour de vous, leur offrant votre compagnie et relevant leur estime grâce à des paroles positives et des actes de gentillesse.

- Sachant qu'Allāh ﷻ fera preuve de clémence envers Ses créatures clémentes, vous ne vous laissez jamais aller au dénigrement ou à la moquerie. Vous faites aussi tout votre possible pour éviter les disputes inutiles.

- Vous êtes conscient, en fin de compte, qu'Allāh ﷻ est au courant de toutes vos actions.

Avarice

Aṣ-Ṣalāh Al-Ibrāhīmiyyah

اَللّٰهُمَّ صَلِّ عَلَى مُحَمَّدٍ وَعَلَى آلِ مُحَمَّدٍ كَمَا صَلَّيْتَ عَلَى إِبْرَاهِيمَ وَآلِ إِبْرَاهِيمَ إِنَّكَ حَمِيدٌ مَجِيدٌ وَبَارِكْ عَلَى مُحَمَّدٍ وَعَلَى آلِ مُحَمَّدٍ كَمَا بَارَكْتَ عَلَى إِبْرَاهِيمَ وَآلِ إِبْرَاهِيمَ إِنَّكَ حَمِيدٌ مَجِيدٌ

Allāhumma ṣalli 'alā Muḥammadin wa 'alā āli Muḥammadin kamā ṣallayta 'alā Ibrāhīm wa āli Ibrāhīm innaka ḥamīdum majīd, wa bārik 'alā Muḥammadin wa 'alā āli Muḥammadin kamā bārakta 'alā Ibrāhīm wa āli Ibrāhīm innaka ḥamīdum majīd

Ô Seigneur ! Prie pour Muḥammad et pour la famille de Muḥammad comme Tu as prié pour Ibrāhīm et pour la famille d'Ibrāhīm. Et bénis Muḥammad et la famille de Muḥammad comme Tu as béni Ibrāhīm et la famille d'Ibrāhīm, Tu es certes Digne de louange et de glorification.
[Sunan An-Nasaī 1290]

Avarice

S'en remettre à Allāh ﷻ

اَللّٰهُمَّ أَنْتَ رَبِّي لَا إِلَهَ إِلَّا أَنْتَ، عَلَيْكَ تَوَكَّلْتُ، وَأَنْتَ رَبُّ الْعَرْشِ الْعَظِيمِ

Allāhumma anta rabbī lā ilāha illā anta, 'alayka tawakkaltu wa anta rabbu l-'arshi l-'aẓīm

Ô Allāh, Tu es mon Seigneur, pas de divinité en-dehors de Toi, c'est à Toi que je m'en remets et Tu es le Seigneur du Trône immense. [Ibn As-Sunnī in 'Amal Al-Yawm wa Al-Laylah 57]

Faire preuve de gratitude envers Allāh ﷻ et L'adorer avec la plus grande dévotion

اَللّٰهُمَّ إِنِّي أَسْأَلُكَ الثَّبَاتَ فِي الأَمْرِ وَأَسْأَلُكَ عَزِيمَةَ الرُّشْدِ وَأَسْأَلُكَ شُكْرَ نِعْمَتِكَ وَحُسْنَ عِبَادَتِكَ

Allāhumma innī as'aluka th-thabāta fi l-amri wa as'aluka 'azīmata r-rushdi wa as'aluka shukra ni'matika wa ḥusna 'ibādatika

Ô Seigneur, je Te demande d'affermir mes décisions et de m'inspirer la fermeté dans la droiture. Je Te demande de me permettre d'être reconnaissant pour Ton bienfait et de parfaire Ton adoration. [Jāmi' At-Tirmidhī 3407]

Avarice

Aimer les pauvres

اَللّٰهُمَّ إِنِّي أَسأَلُكَ فِعلَ الْخَيْرَاتِ وَتَرْكَ الْمُنْكَرَاتِ وَحُبَّ الْمَسَاكِينِ وَإِذَا أَرَدْتَ فِي النَّاسِ فِتْنَةً فَاقْبِضْنِي إِلَيْكَ غَيْرَ مَفْتُونٍ

Allāhumma innī as'aluka fi'la l-khayrāti wa tarka l-munkarāti wa ḥubba l-masākīni wa idhā aradta fi n-nāsi fitnatan faqbiḍnī ilayka ghayra maftūn

Ô Allāh ! Je Te demande de me permettre de faire le bien, de délaisser les actes répréhensibles et d'aimer les pauvres. Je Te demande de me pardonner et de me faire miséricorde et, si Tu veux soumettre un peuple à la tentation, fais-moi mourir en m'épargnant cette épreuve !

[Al-Muwaṭṭa 836]

Se protéger contre l'angoisse, l'avarice et la lâcheté

اَللّٰهُمَّ إِنِّي أَعُوذُ بِكَ مِنَ الْهَمِّ وَالْحَزَنِ وَالْعَجْزِ وَالْكَسَلِ وَالْجُبْنِ وَالْبُخْلِ وَضَلَعِ الدَّيْنِ وَغَلَبَةِ الرِّجَالِ

Allāhumma innī a'ūdhu bika mina l-hammi wa l-ḥazani wa l-'ajzi wa l-kasali wa l-jubni wa -bukhli wa ḍala'i d-dayni wa ghalabati r-rijāl

Seigneur ! Préserve-moi des soucis et de la tristesse, de la faiblesse et de la paresse, de l'avarice et de la lâcheté, de l'endettement et de la dépendance aux hommes ! [Ṣaḥīḥ Al-Bukhārī 6369]

Avarice

Se protéger contre l'avarice, les épreuves de ce monde et de la tombe

اَللّٰهُمَّ إِنِّي أَعُوذُ بِكَ مِنَ الْبُخْلِ، وَأَعُوذُ بِكَ مِنَ الْجُبْنِ، وَأَعُوذُ بِكَ أَنْ أُرَدَّ إِلَى أَرْذَلِ الْعُمُرِ، وَأَعُوذُ بِكَ مِنْ فِتْنَةِ الدُّنْيَا وَأَعُوذُ بِكَ مِنْ عَذَابِ الْقَبْرِ

Allāhumma innī a'ūdhu bika mina l-bukhli, wa a'ūdhu bika mina l-jubni, wa a'ūdhu bika min an uradda ilā ardhali l 'umuri, wa a'ūdhu bika min fitnati d-dunyā wa a'ūdhu bika min 'adhābi l-qabri

Seigneur ! Protège-moi contre l'avarice, protège-moi contre la lâcheté, protège-moi contre la décrépitude, protège-moi contre les épreuves de la vie terrestre et contre le supplice de la tombe. [Ṣaḥīḥ Al-Bukhārī 6365]

Être encouragé à faire de bonnes actions en signe de gratitude

رَبِّ أَوْزِعْنِيٓ أَنْ أَشْكُرَ نِعْمَتَكَ ٱلَّتِيٓ أَنْعَمْتَ عَلَيَّ وَعَلَىٰ وَٰلِدَيَّ وَأَنْ أَعْمَلَ صَٰلِحًا تَرْضَىٰهُ وَأَدْخِلْنِي بِرَحْمَتِكَ فِي عِبَادِكَ ٱلصَّٰلِحِينَ

Rabbi awzi'nī an ashkura ni'matika llatī an'amta 'alayya wa 'alā wālidayya wa an a'mala ṣāliḥan tarḍāhu wa adkhilnī bi raḥmatika fī 'ibādika ṣ-ṣāliḥīn

Permets-moi Seigneur, de rendre grâce pour les bienfaits dont Tu m'as comblé, ainsi que mes père et mère, et que je fasse une bonne œuvre que tu agrées et fais-moi entrer, par Ta miséricorde, parmi Tes serviteurs vertueux. [An-Naml 27:19]

Avarice

Se satisfaire de notre subsistance

اَللّٰهُمَّ قَنِّعْنِي بِمَا رَزَقْتَنِي، وَبَارِكْ لِي فِيهِ، وَاخْلُفْ عَلَيَّ كُلَّ غَائِبَةٍ بِخَيْرٍ

Allāhumma qanna'nī bimā razaqtanī wa bārik lī fīhi wa khluf 'alayya kulla ghā'ibatin bi khayrin

Ô Allāh, rends-moi satisfait de la subsistance que Tu m'as accordée, bénis-moi à travers elle et place un bien pour moi dans chaque chose que je ne possède pas. [Al-Adab Al-Mufrad 681]

كَرَاهِيَةُ المَوْت

Aversion pour la mort

ÉMOTIONS RELIÉES

Agité | Appréhensif | Égaré | Cynique | Déprimé | Abattu
Anxieux | Inquiet | Craintif | Contrarié | Menacé
Incertain | Frustré | Rétif | Hostile | Ignorant | Paresseux
Négligent | Inconscient | Lâche | Réticent

NOMS D'ALLĀH ﷻ POUR L'INVOCATION

- **Al-Bā'ith - Celui qui ressuscite**
- **Al-Ḥasīb - Celui qui compte**
- **Al-Mu'īd - Le Régénérateur**
- **Al-Jāmi' - Celui qui rassemble**
- **Al-Muḥyī - Celui qui donne la vie**
- **Al-Mumīt - Celui qui donne la mort**
- **Al-Ḥakīm - Le Sage**

AṢ-ṢALĀH AL-IBRĀHĪMIYYAH

INVOCATIONS EXAUCÉES

- **Pour se souvenir du but de la création**
- **Pour se souvenir de la réalité de l'invisible et de la vie après la mort**
- **Pour témoigner que tout appartient à Allāh ﷻ**
- **Pour reconnaître la vie véritable de l'Au-Delà**
- **Pour rechercher les bonnes actions et reconnaître l'importance de l'Au-Delà**
- **Pour se protéger contre les épreuves et les difficultés avant et après la mort**
- **Pour témoigner que nous venons d'Allāh ﷻ et retournerons vers Lui, inéluctablement**

CHAPITRE 3

Aversion pour la mort

[Karāhiyat al-Mawt] كَرَاهِيَةُ المَوْت

L'aversion pour la mort consiste à fuir la fin qui attend chaque créature et à être irrité ne serait-ce que par son évocation. C'est choisir d'ignorer totalement les nombreuses déclarations d'Allāh ﷻ concernant la nature éphémère de cette vie. Ce trouble peut être causé par l'amour excessif pour la dunyā (le monde d'ici-bas) et la poursuite des biens éphémères.

Allāh ﷻ dit :

- « Toute âme goûtera la mort » [Āl 'Imrān 3:185]
- « Dis : « La mort que vous fuyez va certes vous rencontrer. Ensuite vous serez ramenés à Celui qui connaît parfaitement le monde Invisible et le monde visible et qui vous informera alors de ce que vous faisiez. » [Al-Jumu'ah 62:8]

Il est naturel d'avoir peur de la mort, comme il est naturel de s'en protéger. Lorsque les anges, sous forme humaine, rendirent visite au Prophète Ibrāhīm, il leur offrit à manger. Alors, s'apercevant qu'ils ne touchaient pas à la nourriture, il prit peur. Les savants expliquent qu'Ibrāhīm pensait que ces anges étaient venus lui ôter la vie.

Aversion pour la mort

Invocation des Noms d'Allāh ﷻ

الْبَاعِث

Al-Bā'ith
Celui qui ressuscite

الْحَسِيب

Al-Ḥasīb
Celui qui compte

الْمُعِيد

Al-Mu'īd
Le Régénérateur

الْجَامِع

Al-Jāmi'
Celui qui rassemble

الْمُحْيِي

Al-Muḥyī
Celui qui donne la vie

الْمُمِيت

Al-Mumīt
Celui qui donne la mort

الْحَكِيم

Al-Ḥakīm
Le Sage

Aversion pour la mort

Méditations et Réflexions sur les Noms Excellents d'Allāh ﷻ

- Vous vous rappelez que ressentir quelque aversion ou réticence à affronter la mort est contradictoire avec la réalité de cette vie : la mort est proche et, surtout, personne n'y échappe. Sachant cela, votre appréhension ne durera pas. Vous comprenez aussi clairement que vos angoisses et vos inquiétudes disparaissent si vous acceptez votre propre mortalité et celle de ceux que vous aimez.

- Vous réalisez qu'Allāh ﷻ est celui qui redonne la vie aux créatures le Jour de la Résurrection : Il réveille les morts dans les tombes et expose le contenu des cœurs.

- Vous vous rappelez que la tombe peut être un des abîmes du feu de l'enfer, ou un des jardins du paradis. Vous vous préoccupez donc de tout ce qui pourra vous être bénéfique dans le prochain monde.

- Vous comprenez que, pour le croyant, la mort apporte un réconfort. Elle vous arrache à un monde de difficultés et d'épreuves pour vous faire accéder à une demeure de paix et de liberté infinie.

- Vous avez conscience qu'un esprit sage et judicieux accepte tout ce qui ne peut être éviter (sans crainte, ni colère). Il ne cesse jamais non plus de juger sa propre âme et œuvre pour ce qui l'attend après la mort. Au contraire, l'esprit borné laisse gouverner ses passions et ses illusions.

Aversion pour la mort

Aṣ-Ṣalāh Al-Ibrāhīmiyyah

اَللّٰهُمَّ صَلِّ عَلَى مُحَمَّدٍ وَعَلَى آلِ مُحَمَّدٍ كَمَا صَلَّيْتَ عَلَى
إِبْرَاهِيمَ وَآلِ إِبْرَاهِيمَ إِنَّكَ حَمِيدٌ مَجِيدٌ وَبَارِكْ عَلَى
مُحَمَّدٍ وَعَلَى آلِ مُحَمَّدٍ كَمَا بَارَكْتَ عَلَى إِبْرَاهِيمَ
وَآلِ إِبْرَاهِيمَ إِنَّكَ حَمِيدٌ مَجِيدٌ

Allāhumma ṣalli 'alā Muḥammadin wa 'alā āli Muḥammadin kamā ṣ allayta 'alā Ibrāhīm wa āli Ibrāhīm innaka ḥamīdum majīd, wa bārik 'alā Muḥammadin wa 'alā āli Muḥammadin kamā bārakta 'alā Ibrāhīm wa āli Ibrāhīm innaka ḥamīdum majīd

Ô Seigneur ! Prie pour Muḥammad et pour la famille de Muḥammad comme Tu as prié pour Ibrāhīm et pour la famille d'Ibrāhīm. Et bénis Muḥammad et la famille de Muḥammad comme Tu as béni Ibrāhīm et la famille d'Ibrāhīm, Tu es certes Digne de louange et de glorification. [Sunan An-Nasaī 1290]

Aversion pour la mort

Se souvenir du but de la création

رَبَّنَا مَا خَلَقْتَ هَٰذَا بَٰطِلًا سُبْحَٰنَكَ فَقِنَا عَذَابَ النَّارِ

Rabbanā mā khalaqta hādhā bāṭilā, subḥānaka faqinā adhāban nār

Notre Seigneur ! Tu n'as pas créé cela en vain. Gloire à Toi ! Garde-nous du châtiment du Feu. [Āl 'Imrān 3:191]

Se souvenir de la réalité de l'invisible et de la vie après la mort

اَللّٰهُمَّ بِعِلْمِكَ الْغَيْبَ وَقُدْرَتِكَ عَلَى الْخَلْقِ أَحْيِنِي مَا عَلِمْتَ الْحَيَاةَ خَيْرًا لِي وَتَوَفَّنِي إِذَا عَلِمْتَ الْوَفَاةَ خَيْرًا لِي وَأَسْأَلُكَ الرِّضَاءَ بَعْدَ الْقَضَاءِ وَأَسْأَلُكَ بَرْدَ الْعَيْشِ بَعْدَ الْمَوْتِ وَأَسْأَلُكَ لَذَّةَ النَّظَرِ إِلَى وَجْهِكَ وَالشَّوْقَ إِلَى لِقَائِكَ فِي غَيْرِ ضَرَّاءَ مُضِرَّةٍ وَلَا فِتْنَةٍ مُضِلَّةٍ

Allāhumma bi 'ilmikal ghayba wa qudratika 'alal khalqi aḥyinī mā 'alimtal ḥayāta khayran lī wa tawaffanī idhā 'alimtal wafāta khayran lī, wa as-alukar riḍā ba'dal qaḍ'ā, wa as'aluka bardal 'ayshi ba'dal mawti wa as-aluka ladhdhatan naẓari ilā wajhik wash shawqa ila liqā-ika fi ghayri ḍarrā-a muḍirratin wa la fitnatin muḍillatin

Ô Allāh, par Ta connaissance de l'invisible et Ton pouvoir sur la création, garde-moi en vie tant que Tu sais que vivre est un bien pour moi et donne-moi la mort quand Tu sais que mourir est mieux pour moi. Rends-moi satisfait de ce que Tu as décrété et donne-moi une vie confortable après la mort. Accorde-moi la douceur d'apercevoir Ton visage et fais-moi désirer Ta rencontre sans m'imposer un malheur qui pourrait m'éprouver ou causer mon égarement. [Sunan An-Nasaī 1305]

Aversion pour la mort

Témoignner que tout appartient à Allāh ﷻ

اَللّٰهُمَّ لَكَ صَلاَتِي وَنُسُكِي وَمَحْيَايَ وَمَمَاتِي وَإِلَيْكَ مَآبِي وَلَكَ رَبِّ تُرَاثِ

Allāhumma laka ṣalātī wa nusukī wa maḥyāya wa mamātī wa ilayka ma-ābī wa laka rabbī turāth

Ô Allāh, ma ṣalāh, mes adorations, ma vie et ma mort : tout est pour Toi. Vers Toi je retourne et à Toi, Seigneur, appartient ce que je laisse derrière moi. [Jāmi` At-Tirmidhī 3520]

Reconnaître la vie véritable de l'Au-Delà

اَللّٰهُمَّ لاَ عَيْشَ إِلاَّ عَيْشُ الآخِرَة

Allāhumma lā 'aysha illā 'ayshal ākhirah

Ô Allāh, il n'y a pas de vie véritable si ce n'est celle de l'Au-Delà. [Ṣaḥīḥ Al-Bukhārī 6413]

Rechercher les bonnes actions et reconnaître l'importance de l'Au-Delà

رَبَّنَا آتِنَا فِي الدُّنْيَا حَسَنَةً وَفِي الْآخِرَةِ حَسَنَةً وَقِنَا عَذَابَ النَّارِ

Rabbanā ātinā fid dunyā ḥasanatan wa fil ākhirati ḥasanatan wa qinā adhāban nār

« Seigneur ! Accorde-nous belle part ici-bas, et belle part aussi dans l'Au-Delà ; et protège-nous du châtiment du Feu ! » [Al-Baqarah 2:201]

Aversion pour la mort

Protection contre les épreuves et les difficultés avant et après la mort

اَللّٰهُمَّ إِنِّي أَعُوذُ بِكَ مِنْ عَذَابِ الْقَبْرِ، وَمِنْ عَذَابِ النَّارِ
وَمِنْ فِتْنَةِ الْمَحْيَا وَالْمَمَاتِ، وَمِنْ فِتْنَةِ الْمَسِيحِ الدَّجَّالِ

Allāhumma innī a'ūdhu bika min 'adhābil qabr, wa-min 'adhābin nār, wa min fitnatil maḥyā wal mamāt, wa min fitnatil masīḥ ad-dajjāl

Ô Allāh, je demande Ta protection contre le supplice de la tombe, contre le supplice de l'Enfer, face aux épreuves de la vie et de la mort, et face à l'épreuve de l'antéchrist. [Ṣaḥīḥ Al-Bukhārī 1377]

Témoigner que nous venons d'Allāh ﷻ et retournerons vers Lui, inéluctablement

إِنَّا لِلّٰهِ وَإِنَّا إِلَيْهِ رَاجِعُونَ اللّٰهُمَّ أْجُرْنِي فِي مُصِيبَتِي وَأَخْلِفْ لِي خَيْرًا مِنْهَا

Innā lillāhi wa innā ilayhi rāji'ūn. Allāhumma ajurnī fī muṣībatī wakhluf lī khayran minhā

Certes nous appartenons à Allāh ﷻ et c'est certes vers Lui que nous retournerons. Ô Allāh ! Récompense-moi pour ce malheur et accorde-moi une chose meilleure en échange. [Ṣaḥīḥ Muslim 918]

الغَضَب

Colère

ÉMOTIONS RELIÉES

Discuteur | Aggressif | Enragé | Furieux | Méprisant
Frustré | Énervé | Agité | Contrarié | Aigri
Dur | Hostile | Blessé

NOMS D'ALLĀH ﷻ POUR L'INVOCATION

- **Al-'Adl - Le Juste**
- **Aṣ-Ṣabūr - Le Patient**
- **Al-Ḥalīm - L'Indulgent**
- **Ar-Raḥmān - Celui qui fait miséricorde**
- **Ar-Raḥīm - Le Miséricordieux**
- **Al-Ghaffār - Celui qui ne cesse de pardonner**
- **At-Tawwāb - Celui qui ne cesse de revenir**
- **Al-Wadūd - Celui dont l'amour est constant**
- **Al-Ḥaqq - La Vérité**
- **As-Salām - La Paix**

AṢ-ṢALĀH AL-IBRĀHĪMIYYAH

INVOCATIONS EXAUCÉES

- **Pour se protéger contre Satan dans les moments de colère**
- **Pour la vérité dans les moments de colère**
- **Pour la parole véridique dans les moments de colère**
- **Pour se protéger contre la colère d'Allāh ﷻ**
- **Pour retirer la colère du cœur et se protéger contre Satan**
- **Pour retirer la colère du cœur, se protéger contre Satan et les épreuves qui égarent**
- **Contre la rancœur**
- **Pour hâter la paix**
- **Pour la paix**

CHAPITRE 4

Colère [Ghadab] الغَضَب

La colère peut être comparée à une bête agitée, enchaînée et tenue prisonnière dans la chaleur du soleil de midi : impossible, ou presque, de la retenir une fois qu'elle a brisé ses chaînes. Il ne fait également aucun doute que la relâcher ne bénéficiera en rien à son propriétaire. Le terme « ghadab » désigne la colère intense, ou fureur.

Un homme demanda au Prophète ﷺ : « Qu'est-ce qui me préservera de la colère d'Allāh ﷻ ? » Le Prophète ﷺ a dit : « Ne te mets pas en colère. » [Musnad Aḥmad 6635]

Il arrivait parfois au Messager d'Allāh ﷺ de se mettre en colère. Il a dit un jour : « Je suis un des fils d'Ādam ; je me mets en colère tout comme vous. » [Sunan Abī Dawūd 4659]. Cette colère du Prophète ﷺ pouvait se lire sur son visage. Cependant, il s'agissait toujours d'une réaction face à un comportement « déviant » ou à une attitude offensante pour Allāh ﷻ.

Les savants s'accordent à dire que la colère, en elle-même, n'est pas interdite. En effet, elle fait partie des émotions liées à la sagesse de l'ordre coranique : prescrire le bien et interdire le mal. Toutefois, bien que la colère demeure une qualité essentielle de l'humaine création, lorsqu'elle n'est pas orientée vers un but utile, indomptée et irrationnelle, elle peut vous posséder, vous consumer et, finalement, vous détruire.

Colère

Invocation des Noms d'Allāh ﷻ

الْعَدْلُ
Al-'Adl
Le Juste

الصَّبُورُ
Aṣ-Ṣabūr
Le Patient

الْحَلِيمُ
Al-Ḥalīm
L'Indulgent

الرَّحْمَانُ
Ar-Raḥmān
Celui qui fait miséricorde

الرَّحِيمُ
Ar-Raḥīm
Le Miséricordieux

الْغَفَّارُ
Al-Ghaffār
Celui qui ne cesse de pardonner

التَّوَّابُ
At-Tawwāb
Celui qui ne cesse de revenir

الْوَدُودُ
Al-Wadūd
Celui dont l'amour est constant

الْحَقُّ
Al-Ḥaqq
La Vérité

السَّلَامُ
As-Salām
La Paix

Colère

Méditations et Réflexions sur les Noms Excellents d'Allāh ﷻ

- Frustré, aigri et/ou agacé, vous vous laissez guider par la patience, le flegme, la raison et la religion.
- Vous ne faites aucune objection au plan et aux décrets d'Allāh ﷻ, que le résultat vous plaise ou non.
- Vous faites preuve de clémence envers les autres en les encourageant et en les conseillant.
- Vous identifiez rapidement les situations dans lesquelles on cherche à vous faire enrager, à vous taquiner ou à vous embêter. Vous faites l'effort d'adopter une attitude résolue, inébranlable (en souriant et en fixant le sol du regard, par exemple).
- Vous optez pour la gentillesse et la douceur plutôt que le conflit.
- Vous regardez les autres avec les yeux de la clémence et parlez avec la voix du pardon. Vous faites tous les efforts nécessaires pour plaire à Allāh ﷻ et ne pas vous exposer à Sa colère.
- Vous vous rappelez que la douceur (plutôt que l'agressivité) est une des plus belles qualités de l'homme. Vous êtes capable de « redescendre » dans chaque situation où les disputes font rage. Vous savez que boire de l'eau, s'asseoir ou s'allonger permet de rester passif et d'éviter la confrontation.
- Vous ne vous détournez pas d'un être dans le besoin, simplement par frustration ou irritation, sans avoir répondu, comme vous le pouvez, à son besoin. Vous lui venez au moins en aide par vos prières (en privé) et en témoignant de l'empathie pour son malheur et sa misère.
- Vous désirez pour les créatures d'Allāh ﷻ tout ce que vous désirez pour vous-mêmes. Par exemple, vous acceptez de faire un trait sur leurs erreurs. Et si les autres comptent plus que vous-mêmes, vous êtes encore plus noble.
- Vous supportez les offenses et les blessures qu'on vous inflige, car vous savez qu'Allāh ﷻ s'occupera des responsables.
- Vous comprenez que chaque serviteur libéré de ses passions (l'orgueil, la critique, l'amertume, les mauvaises intentions, etc.) et dont les membres ne sont pas ternis par le péché et la transgression, celui-là retournera à Allāh ﷻ avec un cœur purifié.

Colère

Aṣ-Ṣalāh Al-Ibrāhīmiyyah

اَللّٰهُمَّ صَلِّ عَلَى مُحَمَّدٍ وَعَلَى آلِ مُحَمَّدٍ كَمَا صَلَّيْتَ عَلَى
إِبْرَاهِيمَ وَآلِ إِبْرَاهِيمَ إِنَّكَ حَمِيدٌ مَجِيدٌ وَبَارِكْ عَلَى
مُحَمَّدٍ وَعَلَى آلِ مُحَمَّدٍ كَمَا بَارَكْتَ عَلَى إِبْرَاهِيمَ
وَآلِ إِبْرَاهِيمَ إِنَّكَ حَمِيدٌ مَجِيدٌ

Allāhumma ṣalli 'alā Muḥammadin wa 'alā āli Muḥammadin kamā ṣallayta 'alā Ibrāhīm wa āli Ibrāhīm innaka ḥamīdum majīd, wa bārik 'alā Muḥammadin wa 'alā āli Muḥammadin kamā bārakta 'alā Ibrāhīm wa āli Ibrāhīm innaka ḥamīdum majīd

Ô Seigneur ! Prie pour Muḥammad et pour la famille de Muḥammad comme Tu as prié pour Ibrāhīm et pour la famille d'Ibrāhīm. Et bénis Muḥammad et la famille de Muḥammad comme Tu as béni Ibrāhīm et la famille d'Ibrāhīm, Tu es certes Digne de louange et de glorification.
[Sunan An-Nasaī 1290]

Colère

Protection contre Satan dans les moments de colère

أَعُوذُ بِاللهِ مِنَ الشَّيْطَانِ الرَّجِيمِ

A'ūdhu bi -llāhi mina sh-shaytāni r-rajīm

Je demande la protection d'Allāh contre Satan le maudit. [Saḥīḥ al-Bukhārī 5764, Sahīh Muslim 2610]

Vérité dans les moments de colère

اَللّٰهُمَّ أَسأَلُكَ خَشْيَتَكَ فِي الْغَيْبِ وَالشَّهَادَةِ وَكَلِمَةَ الْحَقِّ فِي الْغَضَبِ وَالرِّضَا

Allāhumma innī as'aluka khashyataka fi l-ghaybi wa sh-shahādati wa kalimata l-ḥaqqi fi l-ghaḍabi wa r-riḍā

Ô Allāh, je demande à Te craindre en privé et en public, ainsi que des paroles de vérité dans les moments de joie et de colère. [Musnad Aḥmad 18325]

Parole véridique dans les moments de colère

اَللّٰهُمَّ وَأَسأَلُكَ خَشْيَتَكَ فِي الْغَيْبِ وَالشَّهَادَةِ وَأَسأَلُكَ كَلِمَةَ الْحَقِّ فِي الرِّضَا وَالْغَضَبِ وَأَسأَلُكَ الْقَصْدَ فِي الْفَقْرِ وَالْغِنَى

Allāhumma wa as-aluka khashyataka fil ghaybi wash shahādati wa as-aluka kalimatal haqqi fir riḍā wal ghaḍabi wa as-alukal qaṣda fil faqri wal ghinā

Ô Allāh, je demande à Te craindre en privé et en public, ainsi que des paroles de vérité dans les moments de joie et de colère. Je Te demande de faire de moi un homme modéré dans la richesse et la pauvreté. [Sunan An-Nasaī 1305]

Colère

Protection contre la colère d'Allāh سبحانه وتعالى

اَللّٰهُمَّ إِنِّي أَعُوذُ بِرِضَاكَ مِنْ سَخَطِكَ وَأَعُوذُ بِمُعَافَاتِكَ مِنْ عُقُوبَتِكَ وَأَعُوذُ بِكَ
مِنْكَ لَا أُحْصِي ثَنَاءً عَلَيْكَ أَنْتَ كَمَا أَثْنَيْتَ عَلَى نَفْسِكَ

Allahumma innī a'ūdhu bi riḍāka min sakhatik, wa a'ūdhu bi mu'āfātika min uqūbatik, wa a'ūdhu bika minka la uhṣī thanā-an 'alayka anta kamā athnayta 'alā nafsik

Ô Allāh, je me réfugie auprès de Ta satisfaction contre Ta colère et auprès de Ton pardon contre Ton châtiment. Je me réfugie auprès de Toi contre Toi. Je ne peux Te louer comme il faut. Tu es Tel que Tu as Toi-même fait Ton éloge. [Jāmi` At-Tirmidhī 3566]

Retirer la colère du cœur et se protéger contre Satan

اَللّٰهُمَّ اغْفِرْ لِي ذَنْبِي، وَأَذْهِبْ غَيْظَ قَلْبِي، وَأَجِرْنِي مِنَ الشَّيْطَانِ

Allahumma ghfirlī dhanbī wa adh-hib ghayẓa qalbī wa ajirnī minash shayṭān

Ô Allāh, pardonne-moi mes péchés. Fais disparaître la colère de mon cœur. Protège-moi contre Satan. [Ibn As-Sunnī in 'Amal Al-Yawm wa Al-Laylah 622]

Retirer la colère du cœur, protection contre Satan et les épreuves qui égarent

اَللّٰهُمَّ رَبَّ مُحَمَّدٍ، اغْفِرْ لِي ذَنْبِي، وَأَذْهِبْ غَيْظَ قَلْبِي،
وَأَجِرْنِي مِنْ مُضِلَّاتِ الْفِتَنِ

Allahumma rabba Muḥammadin ighfirlī dhanbī wa adh-hib ghayẓa qalbī wa ajirnī min muḍillātil fitan

Ô Allāh, Seigneur de Muḥammad, pardonne mes péchés, fais disparaître la colère de mon cœur et protège-moi des épreuves qui égarent. [Ibn As-Sunnī in 'Amal Al-Yawm wa Al-Laylah 455]

Colère

Contre la rancoeur

رَبَّنَا اغْفِرْ لَنَا وَلِإِخْوَٰنِنَا الَّذِينَ سَبَقُونَا بِالْإِيمَٰنِ وَلَا تَجْعَلْ فِي قُلُوبِنَا غِلًّا
لِّلَّذِينَ ءَامَنُوا رَبَّنَآ إِنَّكَ رَءُوفٌ رَّحِيمٌ

Rabbana ghfir lanā wa li ikhwānina lladhīna sabaqūnā bil īmāni wa lā taj'al fī qulūbinā ghillal lilladhīna āmanu rabbāna innaka ra-ūfur raḥīm

Seigneur, pardonne-nous, ainsi qu'à nos frères qui nous ont précédés dans la foi; et ne mets dans nos cœurs aucune rancœur pour ceux qui ont cru. Seigneur, Tu es Compatissant et Très Miséricordieux. [Al-Ḥashr 59:10]

Hâter la paix

اَللّٰهُمَّ إِنِّي أَسْأَلُكَ تَعْجِيلَ عَافِيَتِكَ، أَوْ صَبْرًا عَلَى بَلِيَّتِكَ
أَوْ خُرُوجًا مِنَ الدُّنْيَا إِلَى رَحْمَتِكَ

Allahumma innī as-aluka ta'jīl 'āfiyatik aw ṣabran 'alā baliyyatik aw khurūjan mina-d dunyā ilā raḥmatik

Ô Allāh, je demande Ta hâte pour m'accorder la paix et m'extraire des épreuves de ce monde vers Ta miséricorde. [Ibn ḥibbān 922]

Pour la paix

اَللّٰهُمَّ أَنْتَ السَّلامُ وَمِنْكَ السَّلام تَبارَكْتَ يا ذا الجَلالِ وَالإِكْرام

Allāhumma antas salām wa minkas salām tabārakta yā dhal jalāli wal ikrām

Ô Allāh, Tu es la Paix et c'est de Toi que provient la Paix. Béni sois-Tu, ô Toi qui possède la Majesté et la Noblesse. [Sahīh Muslim 592]

التَّوَكُّلُ على غَيْرِ الله

Confiance en autre qu'Allāh سبحانه وتعالى

ÉMOTIONS RELIÉES

Incertain | Vulnérable | Appréhensif | Égaré | Limité | Las
Seul | Discuteur | Arrogant | Honteux | Sombre | Cynique
Illusionné | Fourbe | Déçu | Embarrassé | Craintif | Ignorant
Déficient | Hypocrite | Négligent | Pessimiste | Prétentieux
Superstitieux | Lâche

NOMS D'ALLĀH سبحانه وتعالى POUR L'INVOCATION

- **Al-Muta'ālī - Le Très-Haut**
- **Al-Khāliq - Le Créateur**
- **Al-Bāri' - Le Producteur**
- **Al-Wāḥid - L'Un**
- **Al-Aḥad - L'Unique**
- **Al-Awwal - Le Premier**
- **Al-Ākhir - Le Dernier**
- **Al-Aziz - Le Triomphant**
- **Al-Mu'min - Celui qui inspire la foi**
- **Al-Wakīl - Le Garant**
- **Al-'Adl - Le Juste**
- **Al-Ḥayy - Le Vivant**
- **Al-Razzāq - Celui qui pourvoit**
- **Al-Muqīt - Le Nourricier**
- **Aḍ-Ḍārr - Celui qui afflige**
- **An-Nāfi' - Le Bienfaiteur**
- **Al-Mujīb - Celui qui répond**

AṢ-ṢALĀH AL-IBRĀHĪMIYYAH

INVOCATIONS EXAUCÉES

- **Pour renouveler son Īmān**
- **Pour ne placer sa confiance qu'en Allāh سبحانه وتعالى**
- **Pour placer sa confiance en Allāh سبحانه وتعالى et s'en contenter**
- **Pour commencer la journée avec conviction**
- **Pour ne rien associer à Allāh سبحانه وتعالى**
- **Pour mettre de l'ordre dans ses affaires grâce à Allāh سبحانه وتعالى**
- **Pour se protéger contre les doutes qui entourent la vérité**
- **Pour se protéger contre le fait d'associer un partenaire à Allāh سبحانه وتعالى, consciemment ou inconsciemment**
- **Pour reconnaître que tout repose entre les mains d'Allāh سبحانه وتعالى**
- **Pour être guidé en traversant les épreuves**
- **Pour être guidé, ferme, déterminé, dévoué et sincère dans ses actes**

CHAPITRE 5

Confiance en autre qu'Allāh ﷻ

[At-Tawakkul 'ala Ghayrillāh] التَّوَكُّل علي غَيْرِ الله

Allāh ﷻ possède la puissance et la grâce infinies. Sachant cela, l'idéal du croyant est d'être totalement illuminé par le « tawakkul », cette confiance et cette dépendance vis-à-vis d'Allāh ﷻ en ce qui concerne la conduite des affaires humaines. À l'inverse, si le croyant laisse germer un manque d'assurance au fond de son cœur, il affaiblit sa foi et sera bientôt pousser à placer sa confiance dans les créatures et le monde matériel.

Allāh ﷻ dit : « Dis : « C'est Lui, le Tout Miséricordieux. Nous croyons en Lui et c'est en Lui que nous plaçons notre confiance. Vous saurez bientôt qui est dans un égarement évident. » » [Al-Mulk 67:29]

Le Prophète ﷺ a dit : « Si tu demandes, alors demande seulement à Allāh ﷻ, et si tu cherches secours, alors cherche secours seulement auprès d'Allāh ﷻ » [At-Tirmidhī 2516]

Confiance en autre qu'Allāh ﷻ

Invocation des Noms d'Allāh ﷻ

الْمُتَعَالِي Al-Muta'ālī Le Très-Haut	الْخَالِقُ Al-Khāliq Le Créateur	الْبَارِئُ Al-Bārī' Le Producteur	الْوَاحِدُ Al-Wāḥid L'Un
الْأَحَدُ Al-Aḥad L'Unique	الْأَوَّلُ Al-Awwal Le Premier	الْآخِرُ Al-Ākhir Le Dernier	الْعَزِيزُ Al-Aziz Le Triomphant
الْمُؤْمِنُ Al-Mu'min Celui qui inspire la foi	الْوَكِيلُ Al-Wakīl Le Garant	الْعَدْلُ Al-'Adl Le Juste	الْحَيُّ Al-Ḥayy Le Vivant
الرَّزَّاقُ Al-Razzāq Celui qui pourvoit	الْمُقِيتُ Al-Muqīt Le Nourricier	الضَّارُّ Aḍ-Ḍārr Celui qui afflige	النَّافِعُ An-Nāfi' Le Bienfaiteur

الْمُجِيبُ
Al-Mujīb
Celui qui répond

Confiance en autre qu'Allāh ﷻ

Méditations et Réflexions sur les Noms Excellents d'Allāh ﷻ

- Vous comprenez qu'Allāh ﷻ, le Très-Haut, est très au-dessus de toute chose qu'on voudrait Lui associer.
- Vous réalisez qu'Il est le Seul à pouvoir vous sauver et satisfaire tous vos besoins. Car Il est doté d'une puissance absolue et peut éxecuter la moindre de Ses volontés.
- Vous cultivez une attitude par laquelle vous êtes toujours prêt à demander le soutien d'Allāh ﷻ, Le suppliant de vous protéger de la peur, du mal, de la frustration et de vous aider dans tout ce qui est, clairement, hors de votre contrôle.
- En parfaite harmonie avec cette attitude, vous développez une confiance intrinsèque en votre Créateur et en Lui Seul (appelée « tawakkul »). Cela implique que vous agissiez « en accord » avec le plan d'Allāh ﷻ, c'est-à-dire que vous adoptiez les principes et les commandements de la sharī'ah et placiez votre confiance en Lui.
- Vous demandez Sa protection contre la moindre trace de shirk, consciente ou inconsciente.
- Allāh ﷻ vous a guidé vers la foi. En retour, malgré tous vos défauts, vous Lui offrez la confiance de votre cœur.
- Vous comprenez que l'idéal de la foi consiste à savoir que tout ce qui se passe dans l'univers obéit manifestement à Allāh ﷻ, qu'Il guide tout ce qui existe dans le meilleur des ordres et la meilleure des directions, du point de vue de la plus haute justice et de la plus grande compassion.
- Vous comprenez qu'Allāh ﷻ est l'Unique source de vos bienfaits ou de vos malheurs. Par cette pensée, vous éloignez toute envie de demander de l'aide ou un service à quelqu'un d'autre que Lui.
- Vous vous tournez vers Lui avec une pure sincérité, niant toute forme d'espoir en d'autres que Lui.

Confiance en autre qu'Allāh سُبْحَانَهُ وَتَعَالَى

Aṣ-Ṣalāh Al-Ibrāhīmiyyah

اَللّٰهُمَّ صَلِّ عَلَى مُحَمَّدٍ وَعَلَى آلِ مُحَمَّدٍ كَمَا صَلَّيْتَ عَلَى
إِبْرَاهِيمَ وَآلِ إِبْرَاهِيمَ إِنَّكَ حَمِيدٌ مَجِيدٌ وَبَارِكْ عَلَى
مُحَمَّدٍ وَعَلَى آلِ مُحَمَّدٍ كَمَا بَارَكْتَ عَلَى إِبْرَاهِيمَ
وَآلِ إِبْرَاهِيمَ إِنَّكَ حَمِيدٌ مَجِيدٌ

Allāhumma ṣalli 'alā Muḥammadin wa 'alā āli Muḥammadin kamā ṣallayta 'alā Ibrāhīm wa āli Ibrāhīm innaka ḥamīdum majīd, wa bārik 'alā Muḥammadin wa 'alā āli Muḥammadin kamā bārakta 'alā Ibrāhīm wa āli Ibrāhīm innaka ḥamīdum majīd

Ô Seigneur ! Prie pour Muḥammad et pour la famille de Muḥammad comme Tu as prié pour Ibrāhīm et pour la famille d'Ibrāhīm. Et bénis Muḥammad et la famille de Muḥammad comme Tu as béni Ibrāhīm et la famille d'Ibrāhīm, Tu es certes Digne de louange et de glorification.
[Sunan An-Nasaī 1290]

Confiance en autre qu'Allāh ﷻ

Renouveler son Īmān

اَللَّهُمَّ جَدِّدِ الإِيْمَانَ فِي قَلْبِي

Allāhumma jaddidi l-īmāna fī qalbī

Ô Allāh, renouvelle sans cesse la foi dans mon cœur. [Al-Ḥākim 5]

Ne placer sa confiance qu'en Allāh ﷻ

حَسْبِيَ اللهُ لَآ إِلَهَ إِلَّا هُوَ، عَلَيْهِ تَوَكَّلْتُ، وَهُوَ رَبُّ الْعَرْشِ الْعَظِيمِ

Ḥhasbiya Allāhu lā ilāha illā hū, 'alayhi tawakkaltu wa huwa rabbu l-'arshı l-'aẓīm

Allāh ﷻ me suffit, nulle divinité ne mérite d'être adorée en dehors de Lui, c'est en Lui que je place ma confiance et Il est le Seigneur du Trône immense. [Sunan Abī Dawūd 5081]

Placer sa confiance en Allāh ﷻ et s'en contente

اَللَّهُمَّ اجْعَلْنِي مِمَّنْ تَوَكَّلَ عَلَيْكَ فَكَفَيْتَهُ، وَاسْتَهْدَاكَ فَهَدَيْتَهُ، وَاسْتَنْصَرَكَ فَنَصَرْتَهُ

Allāhumma j'alnī mimman tawakkala 'alayka fa kafaytahu, wa stahdāka fa hadaytahu, wa stanṣaraka fa naṣartahu

Ô Allāh, ajoute-moi à ceux qui placent leur confiance en Toi et pour lesquels Tu es suffisant, qui aspirent à être guidés par Toi et que Tu guides, qui cherchent Ton aide et que Tu aides. [At-Tawakkul 'alā Allāh Ibn Abī Dunyā 4]

Confiance en autre qu'Allāh ﷻ

Commencer la journée avec conviction

اَللّٰهُمَّ إِنِّي أَصْبَحْتُ أُشْهِدُكَ وَأُشْهِدُ حَمَلَةَ عَرْشِكَ وَمَلاَئِكَتَكَ وَجَمِيعَ خَلْقِكَ أَنَّكَ أَنْتَ اللّٰهُ لاَ إِلَهَ إِلاَّ أَنْتَ وَحْدَكَ لاَ شَرِيكَ لَكَ وَأَنَّ مُحَمَّدًا عَبْدُكَ وَرَسُولُكَ

Allāhumma innī aṣbaḥtu ush-hiduk, wa ush-hidu ḥamalata 'arshika wa malā'ikataka wa jamī'a khalqika, annaka anta Allāhu lā ilāha illā anta waḥdaka sharīka laka, wa anna Muḥammadan 'abduka wa rasūluka

Ô Allāh, je commence la journée en témoignant devant Toi, devant ceux qui portent Ton Trône, Tes anges et toute Ta création : Tu es Allāh ﷻ, aucun dieu en-dehors de Toi, Seul et sans associé, et Muḥammad est Ton serviteur et Ton messager. [Sunan Abī Dawūd 5078]

Ne rien associer à Allāh ﷻ

اللّٰهُ اللّٰهُ رَبِّي لاَ أُشْرِكُ بِهِ شَيْئًا

Allāhu Allāhu rabbī lā ushriku bihī shay'ān

Allāh, Allāh est mon Seigneur et je n'associe rien à Lui. [Sunan Abī Dawūd 1525]

Confiance en autre qu'Allāh ﷻ

Mettre de l'ordre dans ses affaires grâce à Allāh ﷻ

يَا حَيُّ يَا قَيُّومُ بِرَحْمَتِكَ أَسْتَغِيثُ، أَصْلِحْ لِي شَأْنِي كُلَّهُ، وَلَا تَكِلْنِي إِلَى نَفْسِي طَرْفَةَ عَيْنٍ

Yā ḥayyu yā Qayyūm, bi raḥmatika astaghīthu, aṣliḥ lī sha'nī kullahu, wa lā takilnī ilā nafsī ṭarafata 'aynin

Ô Toi l'Immuable, l'Éternel, par Ta miséricorde je Te demande d'arranger mes affaires. Ne fais pas de moi le seul responsable de mon âme, ne serait-ce que le temps d'un clin d'œil. [Al-Ḥākim 2000]

Se protéger contre les doutes qui entourent la vérité

اَللّٰهُمَّ إِنِّي أَعُوذُ بِكَ مِنَ الشَّكِّ فِي الْحَقِّ بَعْدَ الْيَقِينِ، وَأَعُوذُ بِكَ مِنَ الشَّيْطَانِ الرَّجِيمِ، وَأَعُوذُ بِكَ مِنْ شَرِّ يَوْمِ الدِّينِ

Allāhumma innī a'ūdhu bika mina sh-shakki fī l-haqqi ba'da l-yaqīn, wa a'ūdhu bika mina sh-Shayṭāni r-rajīm, wa a'ūdhu bika min sharri yawmi d-dīn

Ô Allāh, je demande Ta protection contre le fait de nourrir quelques doutes à propos de la Vérité après avoir atteint la certitude. Je demande Ta protection contre Shayṭān le maudit. Je demande Ta protection contre le mal du Jour du Jugement. [Abū Nu'aym Al-Aṣbahānī in Tārīkh Aṣbahān v.2 pg.170/219/276]

Confiance en autre qu'Allāh سُبْحَانَهُ وَتَعَالَىٰ

Se protéger contre le fait d'associer un partenaire à Allāh سُبْحَانَهُ وَتَعَالَىٰ, consciemment ou inconsciemment

اَللَّهُمَّ إِنِّي أَعُوذُ بِكَ أَنْ أُشْرِكَ بِكَ وَأَنَا أَعْلَمُ، وَأَسْتَغْفِرُكَ لِمَا لَا أَعْلَمُ

Allāhumma innī a'ūdhu bika an ushrika bika wa ana a'lam, wa astaghfiruka limā lā a'lam

Ô Allāh ! Je cherche refuge en Toi de peur de T'associer quoi que ce soit consciemment, et je demande Ton pardon si je l'ai déjà fait insconsciemment. [Al-Adab Al-Mufrad 716]

Reconnaître que tout repose entre les mains d'Allāh سُبْحَانَهُ وَتَعَالَىٰ

اَللَّهُمَّ لَكَ الْحَمْدُ كُلُّهُ، وَلَكَ الْمُلْكُ كُلُّهُ، وَلَكَ الْخَلْقُ كُلُّهُ، وَإِلَيْكَ يَرْجِعُ الْأَمْرُ كُلُّهُ، أَسْأَلُكَ مِنَ الْخَيْرِ كُلِّهِ وَأَعُوذُ بِكَ مِنَ الشَّرِّ كُلِّهِ

Allāhumma laka l-ḥamdu kulluhu, wa laka l-mulku kulluhu, wa laka l-khalqu kuluhu, wa ilayka yarji'u l-amru kuluhu, as'aluka mina l-khayri kullihi, wa a'ūdhu bika mina sh-sharri kullihi

Ô Allāh, à Toi seul appartient la louange. À Toi seul appartient l'entière domination. À Toi seul appartient toute la création. Et toute chose, en fin de compte, Tu en disposes Seul. Je Te supplie de m'accorder tous les biens et de me protéger contre toute forme de mal. [Al-Bayhaqī in Shu'ab Al-Īmān 4088]

Être guidé en traversant les épreuves

رَبَّنَآ ءَاتِنَا مِن لَّدُنكَ رَحْمَةً وَهَيِّئْ لَنَا مِنْ أَمْرِنَا رَشَدًا

Rabbanā ātinā min ladunka raḥmatan wa hayyi' lanā min amrinā rashadā

Ô notre Seigneur, donne-nous de Ta part une miséricorde ; et assure-nous la droiture dans tout ce qui nous concerne. [Al-Kahf 18:10]

Confiance en autre qu'Allāh ﷻ

Être guidé, ferme, déterminé, dévoué et sincère dans ses actes

اَللّٰهُمَّ إِنِّي أَسْأَلُكَ تَوْفِيقَ أَهْلِ الْهُدَى، وَأَعْمَالَ أَهْلِ الْيَقِينِ، وَمُنَاصَحَةَ أَهْلِ التَّوْبَةِ، وَعَزْمَ أَهْلِ الصَّبْرِ، وَحَذَرَ أَهْلِ الْخَشْيَةِ، وَتَعَبُّدَ أَهْلِ الْوَرَعِ، وَعُرْفَانَ أَهْلِ الْعِلْمِ، حَتَّى أَخَافَكَ. اَللّٰهُمَّ إِنِّي أَسْأَلُكَ مَخَافَةً تُحْجِزُنِي عَنْ مَعَاصِيكَ، وَحَتَّى أَعْمَلَ بِطَاعَتِكَ عَمَلًا أَسْتَحِقُّ بِهِ الرِّضَا، وَحَتَّى أُنَاصِحَكَ فِي التَّوْبَةِ خَوْفًا مِنْكَ، وَحَتَّى أُخْلِصَ لَكَ النَّصِيحَةَ حُبًّا لَكَ، وَحَتَّى أَتَوَكَّلَ عَلَيْكَ فِي الْأُمُورِ كُلِّهَا حُسْنَ الظَّنِّ بِكَ، سُبْحَانَ خَالِقِ النُّورِ

Allāhumma innī as'aluka tawfīqa ahli l-hudā, wa a'māla ahli l-yaqīni, wa munāṣahata ahli t-tawbati, wa 'azmati ahli ṣ-ṣabri, wa ḥadhra ahli l-khashyati wa ta'abbuda ahli l-war'i, wa 'urfāna ahli l-'ilm ḥattā akhāfaka. Allāhumma innī as'aluka makhāfatan tuḥjizunī 'an ma'āsīka, wa ḥatta a'malu biṭā'atika 'amalan astaḥiqqu bihi r-riḍā, wa ḥatta ḥunāṣiḥaka fī t-tawbati khawfan minka, wa ḥatta akhluṣu laka n-nas īḥata ḥubban laka, wa ḥattā atawakkalu 'alayka fī l-umūri kullihā ḥusna ẓ-ẓanni bika, subḥāna khāliqi n-nūr

Ô Allāh, je T'implore afin de recevoir l'inspiration de ceux qui sont guidés, les actes des purs croyants, la sincérité de ceux qui se repentent, la détermination des patients, les efforts de ceux qui Te craignent, les aspirations des enthousiastes, la dévotion des pieux, la connaissance des savants – et tout cela pour Te craindre. Ô Allāh, je Te supplie de m'inspirer une crainte telle qu'elle m'empêche de Te désobéir, que je puisse agir en T'obéissant et obtenir Ta satisfaction, que je puisse me repentir sincèrement et atteindre la sincérité face à Toi et éviter d'être embarrassé face à Toi. (Et je Te supplie de me donner) les meilleurs espoirs Te concernant, Ô Toi le Glorifié, le Créateur de la lumière. [Al-Khaṭīb Al-Baghdādī in Ṣalāh At-Tasbīḥ 10]

خَوْفُ الفَقْر

Crainte de la pauvreté

ÉMOTIONS RELIÉES

Incertain | Hésitant | Inquiet | Impuissant | Anxieux | Submergé
Abattu | Déprimé | Appréhensif | Honteux | Troublé
Vulnérable | Vidé | Pessimiste

NOMS D'ALLĀH سبحانه وتعالى POUR L'INVOCATION

- **Al-Qādir - Le Tout-Puissant**
- **Al-Muqtadir - L'Omnipotent**
- **Al-Qābiḍ - Celui qui saisit**
- **Al-Bāsiṭ - Le Prodigue**
- **Al-Ghaniyy - Le Riche**
- **Ar-Razzāq - Celui qui pourvoit**
- **Al-Mughniyy - Celui qui enrichit**
- **Al-Qayyūm - L'Immuable**
- **Al-Wakīl - Le Garant**
- **Al-Muqīt - Le Nourricier**
- **Al-Mujīb - Celui qui répond**
- **Al-Wājid - Celui qui trouve**
- **Al-Wālī - Le Gouverneur**

AṢ-ṢALĀH AL-IBRĀHĪMIYYAH

INVOCATIONS EXAUCÉES

- **Pour trouver un refuge contre la mécréance et la pauvreté**
- **Pour obtenir une large subsistance et se protéger contre toutes les épreuves**
- **Pour l'accroissement, l'honneur, la faveur et la satisfaction d'Allāh سبحانه وتعالى**
- **Pour obtenir des provisions**
- **Pour obtenir la subsistance**
- **Pour se protéger contre les dettes, les tourments de la richesse et de la pauvreté**
- **Pour se protéger contre le fardeau de l'endettement et la dépendance**
- **Pour l'indépendance vis-à-vis des créatures**
- **Pour obtenir la pleine subsistance dans les derniers moments**
- **Pour une subsistance bénie**
- **Pour trouver facilement les provisions**
- **Pour s'en remettre à Allāh سبحانه وتعالى**
- **Pour mettre de l'ordre dans ses affaires**
- **Pour se protéger contre la richesse**

CHAPITRE 6

Crainte de la pauvreté

[Khawf al-Faqr] خَوْفُ الفَقْر

Si notre âme n'est pas alignée sereinement sur le décret du Tout-Puissant, l'insatisfaction surgit toujours. Bien entendu, les gens pauvres peuvent éprouver de l'aversion pour la situation qu'ils subissent. Cependant, la crainte de la pauvreté est un trouble largement plus répandu au cœur de la richesse.

De manière générale, cette crainte concerne l'argent, le capital, les propriétés, les ressources, toutes ces choses dont la destruction ou la diminution impacteraient notre mode de vie et notre statut. Si cette crainte prend racine dans le cœur, elle éveille alors une intense avidité et nous pousse à redoubler d'effort afin d'accumuler encore plus de richesses.

Sans aucun doute, le fait d'être insatisfait par notre part de richesse ici-bas va de pair avec le fait de consacrer peu, ou pas, de temps à l'adoration d'Allāh ﷻ et aux actes authentiques de charité. Ainsi, celui qui souffre de ce trouble n'a plus qu'un but dans la vie : la quête des biens et du confort de ce monde.

Le Prophète ﷺ a dit : « Quiconque fait de la vie future sa principale préoccupation, Allāh ﷻ veillera sur ses affaires, répandra la richesse dans son cœur et la vie ici-bas sera forcée de venir, humiliée, vers lui. Quiconque fait de la vie d'ici-bas sa principale préoccupation, Allāh ﷻ fera s'écrouler ses affaires, placera la pauvreté devant ses yeux et seul ce qui a été décrété pour lui de cette vie l'atteindra. » [At-Tirmidhī 2465]

Crainte de la pauvreté

Invocation des Noms d'Allāh ﷻ

الْقَادِرُ **Al-Qādir** **Le Tout-Puissant**	الْمُقْتَدِرُ **Al-Muqtadir** **L'Omnipotent**	الْقَابِضُ **Al-Qābiḍ** **Celui qui saisit**	الْبَاسِطُ **Al-Bāsiṭ** **Le Prodigue**
الْغَنِيُّ **Al-Ghaniyy** **Le Riche**	الرَّزَّاقُ **Ar-Razzāq** **Celui qui pourvoit**	الْمُغْنِيُّ **Al-Mughniyy** **Celui qui enrichit**	الْقَيُّومُ **Al-Qayyūm** **L'Immuable**
الْوَكِيلُ **Al-Wakīl** **Le Garant**	الْمُقِيتُ **Al-Muqīt** **Le Nourricier**	الْمُجِيبُ **Al-Mujīb** **Celui qui répond**	الْوَاجِدُ **Al-Wājid** **Celui qui trouve**

الْوَالِي

Al-Wālī
Le Gouverneur

Crainte de la pauvreté

Méditations et Réflexions sur les Noms Excellents d'Allāh ﷻ

- Vous vous rendez compte qu'Allāh ﷻ est Celui qui a créé, à la fois, les moyens de subsistance et ceux qui subsistent, qu'Il est le Nourricier de toute chose ainsi que l'Omniscient et le Tout-Puissant.

- Vous réalisez qu'Allāh ﷻ approvisionne Ses créatures suivant une certaine mesure. Il retient et Il étend la subsistance selon Sa volonté et Son infinie sagesse.

- Vous comprenez qu'Il est Celui qui protège, garde et soutient le croyant dans ce monde et le suivant.

- En raison de cette assurance donnée par Allāh ﷻ, vous remplacez l'insécurité, l'angoisse et la détresse par la patience, la sagesse et la religion.

- Vous savez qu'Allāh ﷻ guide celui qu'Il trouve égaré, qu'Il aide celui qui a besoin d'assistance, qu'Il procure le soulagement à celui qu'Il trouve en détresse.

- Vous réalisez ce qu'est la subsistance extérieure : des aliments et de la nourriture qui servent, à leur tour, à produire une énergie physique très éphémère.

- Cependant, vous prenez également conscience de l'importance d'accroître la subsistance intérieure, celle qui nourrit le cœur et ce qu'il y a de plus profond en nous. C'est là que vous placez votre foi, auprès du plus noble des deux modes de subsistance : celui qui sert à produire la vie éternelle.

- Vous vous rappelez qu'il ne faut attendre la subsistance que de Lui, ne se reposer sur personne d'autre que Lui.

- Vous développez une confiance intrinsèque en votre Créateur et en Lui seul (appelée « tawakkul »). Cela implique que vous agissiez « en accord avec » le plan d'Allāh ﷻ, c'est-à-dire que vous adoptiez les principes et les commandements de la sharī'ah et placiez votre confiance en Lui, n'autorisant pas les murmures de Satan à vous submerger.

Crainte de la pauvreté

Aṣ-Ṣalāh Al-Ibrāhīmiyyah

اَللّٰهُمَّ صَلِّ عَلَى مُحَمَّدٍ وَعَلَى آلِ مُحَمَّدٍ كَمَا صَلَّيْتَ عَلَى
إِبْرَاهِيمَ وَآلِ إِبْرَاهِيمَ إِنَّكَ حَمِيدٌ مَجِيدٌ وَبَارِكْ عَلَى
مُحَمَّدٍ وَعَلَى آلِ مُحَمَّدٍ كَمَا بَارَكْتَ عَلَى إِبْرَاهِيمَ
وَآلِ إِبْرَاهِيمَ إِنَّكَ حَمِيدٌ مَجِيدٌ

Allāhumma ṣalli 'alā Muḥammadin wa 'alā āli Muḥammadin kamā ṣallayta 'alā Ibrāhīm wa āli Ibrāhīm innaka ḥamīdum majīd, wa bārik 'alā Muḥammadin wa 'alā āli Muḥammadin kamā bārakta 'alā Ibrāhīm wa āli Ibrāhīm innaka ḥamīdum majīd

Ô Seigneur ! Prie pour Muḥammad et pour la famille de Muḥammad comme Tu as prié pour Ibrāhīm et pour la famille d'Ibrāhīm. Et bénis Muḥammad et la famille de Muḥammad comme Tu as béni Ibrāhīm et la famille d'Ibrāhīm, Tu es certes Digne de louange et de glorification.
[Sunan An-Nasaī 1290]

Crainte de la pauvreté

Trouver un refuge contre la mécréance et la pauvreté

اَللّٰهُمَّ إِنِّي أَعُوذُبِكَ مِنَ الْكُفْرِ، وَالْفَقْرِ، وَأَعُوذُ بِكَ مِنْ عَذَابِ الْقَبْرِ، لَا إِلٰهَ إِلَّا أَنْتَ

Allāhumma innī a'ūdhu bika mina l-kufri, wa l-faqri, wa a'ūdhu bika min 'adhābi l-qabri, lā ilāha illā anta

Ô Allāh, je demande Ta protection contre la mécréance et la pauvreté. Ô Allāh, je demande Ta protection contre les tourments de la tombe. Il n'y a aucun dieu en-dehors de Toi. [Sunan Abī Dawūd 5090]

Rechercher une large subsistance et se protéger de toutes les épreuves

اَللّٰهُمَّ أَسْأَلُكَ فَرَجًا قَرِيبًا، وَصَبْرًا جَمِيلًا، وَرِزْقًا وَاسِعًا، وَالْعَافِيَةَ مِنْ جَمِيعِ الْبَلَاءِ

Allāhumma as'aluka farajan qarīban wa ṣabaran jamīlan wa rizqan wāsi'ān wal 'āfiyata min jamī'i l-balā

Ô Allāh, je Te demande de m'accorder un soulagement rapide, une noble patience, une large subsistance et la protection contre toutes les épreuves. [Al-Farj ba'd As-Shiddah Ibn Abī Dunyā 70]

Crainte de la pauvreté

Accroissement, honneur, faveur et satisfaction d'Allāh ﷻ

اَللّٰهُمَّ زِدْنَا وَلاَ تَنْقُصْنَا وَأَكْرِمْنَا وَلاَ تُهِنَّا وَأَعْطِنَا وَلاَ تَحْرِمْنَا وَآثِرْنَا وَلاَ تُؤْثِرْ عَلَيْنَا وَأَرْضِنَا وَارْضَ عَنَّا

Allāhumma zidnā wa lā tanquṣnā wa akrimnā wa lā tuhinnā wa a'tinā wa lā taḥrimnā wa āthirnā wa lā tu'thir 'alaynā wa arḍinā wa 'arḍa 'annā

Ô Allāh, accrois (Tes grâces) pour nous et ne les restreins pas. Donne-nous l'honneur et ne nous humilie pas. Donne-nous et ne nous prive pas. Favorise-nous et n'en favorise pas d'autres à nos dépens. Rends-nous satisfaits de Toi et sois satisfait de nous. [Jāmi` At-Tirmidhī 3173]

Recherche de provisions

رَبِّ إِنِّي لِمَآ أَنزَلْتَ إِلَيَّ مِنْ خَيْرٍ فَقِيرٌ

Rabbi innī limā anzalta ilayya min khayrin faqīr

Seigneur, j'ai grand besoin du bien que Tu feras descendre vers moi. [Al-Qaṣaṣ 28:24]

Recherche de subsistance

اَللّٰهُمَّ اغْفِرْ لِي وَارْحَمْنِي وَاهْدِنِي وَعَافِنِي وَارْزُقْنِي

Allāhumma ghfirlī wa-rḥamnī wa-hdinī wa 'āfinī wa-rzuqnī

Ô Seigneur ! Pardonne-moi mes péchés, accorde-moi Ta miséricorde, donne-moi la santé et la sécurité et procure-moi la subsistance. [Ṣaḥīḥ Muslim 2697]

Crainte de la pauvreté

Protection contre les dettes, les tourments de la richesse et de la pauvreté

اَللَّهُمَّ إِنِّي أَعُوذُ بِكَ مِنَ الْكَسَلِ وَالْهَرَمِ، وَالْمَأْثَمِ وَالْمَغْرَمِ، وَمِنْ شَرِّ فِتْنَةِ
الْغِنَى، وَأَعُوذُ بِكَ مِنْ فِتْنَةِ الْفَقْرِ، وَأَعُوذُ بِكَ مِنْ فِتْنَةِ الْمَسِيحِ الدَّجَّالِ

Allāhumma innī a'ūdhu bika mina l-kasli wa l-haram, wa l-ma'thami wa l-maghrami, wa min sharri fitnati l-ghinā, wa a'ūdhu bika min fitnati l-faqri, wa a'ūdhu bika min fitnati l-masīḥi d-dajjāl

Seigneur ! Protège-moi contre la paresse et contre la décrépitude, contre ce qui pousse au péché et à l'endettement, contre le mal de l'épreuve de la richesse et contre l'épreuve de la pauvreté. Protège-moi contre l'épreuve de l'Antéchrist. [Ṣaḥīḥ Al-Bukhārī 6368]

Protection contre le fardeau de l'endettement et la dépendance

اَللَّهُمَّ إِنِّي أَعُوذُ بِكَ مِنَ الْهَمِّ وَالْحَزَنِ وَالْعَجْزِ وَالْكَسَلِ وَالْجُبْنِ وَالْبُخْلِ
وَضَلَعِ الدَّيْنِ وَغَلَبَةِ الرِّجَالِ

Allāhumma innī a'ūdhu bika mina l-hammi wa l-ḥazani wa l-'ajzi wa l-kasali wa l-jubni wa l-bukhli wa ḍala'i d-dayni wa ghalabati r-rijāl

Seigneur ! Préserve-moi des soucis et de la tristesse, de la faiblesse et de la paresse, de l'avarice et de la lâcheté, de l'endettement et de la dépendance aux hommes. [Ṣaḥīḥ Al-Bukhārī 6369]

Crainte de la pauvreté

Indépendance vis-à-vis des créatures

اَللّٰهُمَّ اكْفِنِي بِحَلَالِكَ عَنْ حَرَامِكَ وَأَغْنِنِي بِفَضْلِكَ عَمَّنْ سِوَاكَ

Allāhumma kfinī bi ḥalālika 'an ḥarāmika, wa aghninī bi faḍlika 'amman siwāka

Ô Allāh, que me suffise ce que Tu as permis contre ce que Tu as interdit, et donne-moi l'indépendance vis-à-vis de tout ce qui n'est pas Toi. [Jāmi' At-Tirmidhī 3563]

La pleine subsistance dans les derniers moments

اَللّٰهُمَّ اجْعَلْ أَوْسَعَ رِزْقِكَ عَلَيَّ عِنْدَ كِبَرِ سِنِّي، وَانْقِطَاعِ عُمُرِي

Allāhumma j'al awsa'a rizqika 'alayya 'inda kibari sinnī wa inqiṭā'i 'umurī

Ô Allāh, fais que ma subsistance ne soit jamais aussi abondante que pendant ma vieillesse et les derniers jours de ma vie. [Al-Ḥākim 1987]

Une subsistance bénie

اَللّٰهُمَّ اغْفِرْ لِي ذَنْبِي، وَوَسِّعْ لِي فِي دَارِي، وَبَارِكْ لِي فِيمَا رَزَقْتَنِي

Allāhumma ghfirlī dhanbī wa wassi' lī fī dārī wa bārik lī fīmā razaqtanī

Ô Allāh, pardonne-moi mes péchés, fais de ma demeure un endroit assez vaste pour moi, que Ta subsistance soit ma bénédiction. [Musnad Aḥmad 16599]

Crainte de la pauvreté

Trouver facilement les provisions

اَللّٰهُمَّ افْتَحْ لَنَا أَبْوَابَ رَحْمَتِكَ وَسَهِّلْ لَنَا أَبْوَابَ رِزْقِكَ

Allāhumma iftaḥ lanā abwāba raḥmatika wa sahhil lanā abwāba rizqika

Ô Allāh, ouvre pour nous les portes de Ta miséricorde et facilite nous l'accès aux portes de Ta subsistance. [Abū 'Awānah dans Mustakhraj 1236]

S'en remettre à Allāh ﷻ

اَللّٰهُمَّ أَنْتَ رَبِّي لَا إِلَهَ إِلَّا أَنْتَ، عَلَيْكَ تَوَكَّلْتُ، وَأَنْتَ رَبُّ الْعَرْشِ الْعَظِيمِ

Allāhumma anta rabbī lā ilāha illā anta, 'alayka tawakkaltu wa anta rabbu l-'arshi l-'aẓīm

Ô Allāh, Tu es mon Seigneur, pas de divinité en-dehors de Toi, c'est à Toi que je m'en remets et Tu es le Seigneur du Trône immense. [Ibn As-Sunnī in 'Amal Al-Yawm wa Al-Laylah 57]

Mettre de l'ordre dans ses affaires

يَا حَيُّ يَا قَيُّومُ بِرَحْمَتِكَ أَسْتَغِيثُ، أَصْلِحْ لِي شَأْنِي كُلَّهُ، وَلَا تَكِلْنِي إِلَى نَفْسِي طَرَفَةَ عَيْنٍ

Yā ḥayyu yā Qayyūm, bi raḥmatika astaghīth, aṣliḥ lī sha'nī kullahu, wa lā takilnī ilā nafsī ṭarafata 'ayn

Ô Toi l'Immuable, l'Éternel, par Ta miséricorde je Te demande d'arranger mes affaires. Ne fais pas de moi le seul responsable de mon âme, ne serait-ce que le temps d'un clin d'œil. [Al-Ḥākim 2000]

Crainte de la pauvreté

Se protéger contre la richesse

اَللّٰهُمَّ إِنِّي أَسْأَلُكَ العَفْوَ وَالعَافِيَةَ فِيْ دِيْنِيْ وَدُنْيَايَ وَأَهْلِي وَمَالِيْ

Allāhumma innī as'alukal 'afwa wa l-'āfiyah fī dīnī wa dunyāya, wa ahlī, wa mālī

Ô Allāh, je demande Ton pardon et Ta protection pour ma religion, pour mes affaires d'ici-bas, pour ma famille et ma santé. [Sunan Abī Dawūd 5074]

البَطَر/ الحِرْص

Débauche ou Avidité

ÉMOTIONS RELIÉES

Ingrat | Imprudent | Déprimé | Impitoyable | Envieux | Cruel
Fourbe | Déçu | Excessif | Rétif | Lubrique | Malveillant
Manipulateur | Submergé

NOMS D'ALLĀH ﷻ POUR L'INVOCATION

- **Al-Bā'ith - Celui qui ressuscite**
- **Al-Muḥyī, Al-Mumīt Celui qui donne la vie, Celui qui donne la mort**
- **Al-Mudhil - Celui qui humilie**
- **Al-Qābiḍ - Celui qui saisit**
- **Al-Bāsiṭ - Le Prodigue**
- **Ash-Shakūr Le Reconnaissant**

AṢ-ṢALĀH AL-IBRĀHĪMIYYAH

INVOCATIONS EXAUCÉES

- **Pour se protéger contre l'avidité**
- **Pour trouver la satisfaction auprès d'Allāh ﷻ**
- **Pour se protéger contre la richesse qui mène au châtiment**
- **Pour que l'amour d'Allāh ﷻ soit le plus précieux et pour se détacher des désirs d'ici-bas**
- **Pour se contenter de notre subsistance et pour le bien dans chaque chose**

CHAPITRE 7

Débauche [Baṭar] البَطَر ou Avidité [Ḥirṣ] الحِرْص

La débauche, ou baṭar, consiste à se livrer aux extravagances au-delà de toute prudence. Il y a, dans la débauche, un monstrueux désir qui a toujours besoin de plus, qui veut toujours plus. Ce désir est souvent lié au fait d'accorder une valeur démesurée aux choses passagères offertes par ce monde, que ce soit la richesse, le prestige, la gloire, etc. La débauche se définit aussi comme un divertissement excessif ou exubérant.

L'avidité (ḥirṣ) ressemble à la débauche. Elle prend sa source dans un cœur obsédé par les biens matériels et entraîne son hôte à dépouiller les autres et à usurper leurs droits. Elle ressemble aussi à la convoitise (ṭama') qui consiste à préférer les choses contraires à la sharī'ah.

Allāh ﷻ dit :

- « Et combien avons-Nous fait périr de cités qui étaient ingrates (alors que leurs habitants vivaient dans l'abondance), et voilà qu'après eux leurs demeures ne sont que très peu habitées, et c'est Nous qui en fûmes les héritiers. » [Al-Qaṣaṣ 28:58]
- « Son peuple lui dit : « Ne te réjouis point. Car Allāh ﷻ n'aime pas les arrogants. » » [Al-Qaṣaṣ 28:76]
- « Quiconque se prémunit contre sa propre avarice, ceux-là sont ceux qui réussissent. » [Al-Ḥashr 59:9]

Le Prophète ﷺ a dit : « Le fils d'Adam vieillit et deux (désirs) vieillissent également avec lui : l'amour de la richesse et (le souhait d'avoir) une longue vie. » [Ṣaḥīḥ Al-Bukhārī 6421]

Débauche ou Avidité

Invocation des Noms d'Allāh ﷻ

الْبَاعِثُ

Al-Bā'ith
Celui qui ressuscite

الْمُحْيِي الْمُمِيت

Al-Muḥyī, Al-Mumīt
Celui qui donne la vie,
Celui qui donne la mort

الْمُذِلُّ

Al-Mudhil
Celui qui humilie

الْقَابِضُ

Al-Qābiḍ
Celui qui saisit

الْبَاسِطُ

Al-Bāsiṭ
Le Prodigue

الشَّكُورُ

Ash-Shakūr
Le Reconnaissant

Débauche ou Avidité

Méditations et Réflexions sur les Noms Excellents d'Allāh ﷻ

- Plus vous méditez sur la mort, plus vous souhaitez témoigner de la gratitude envers Allāh ﷻ pour toutes les choses qu'Il vous a offertes. Parallèlement, cette gratitude inhibe toute pulsion de vous « emparer » de quelque chose : vous limitez volontiers l'envie d'accumuler des « choses » juste pour avoir des « choses ». Vous préférez essayer de comprendre les besoins des autres et coopérer avec eux d'une manière qui favorise la cohésion sociale. Pour vous, comme pour les autres, cette attitude améliore la qualité de votre existence. La richesse, le prestige, la gloire : votre gratitude envers Allāh ﷻ vous permet de mépriser tranquillement toutes ces choses.

- Vous améliorez votre image mentale de l'Au-Delà : votre demeure éternelle. Vous atteignez un état de conscience dans lequel vous cherchez la « richesse » du Paradis et dans lequel vous transformez la quête d'une « gloire » humaine en quête d'un rang et d'un statut élevé auprès de votre Seigneur.

- Ce regain de sagesse vous apprend à vous montrer satisfait, car cette attitude fera de vous l'homme le plus rempli de gratitude.

- Vous méditez sur l'époque où, par avidité, vous vous autorisiez à profiter des autres. Vous implorez la miséricorde d'Allāh ﷻ face à ce péché.

- Vous vous rappelez qu'Allāh ﷻ n'arrache aucun bienfait sauf si vous faites preuve d'ingratitude, que la gratitude envers Allāh ﷻ vous protège contre la perte d'un bienfait.

- Vous comprenez que l'avidité et la malhonnêteté sont méprisables aux yeux d'Allāh ﷻ comme aux yeux des hommes. Les gens aussi, en général, ont conscience du malheur provoqué par l'interminable poursuite des richesses et de la rénommée.

Débauche ou Avidité

Aṣ-Ṣalāh Al-Ibrāhīmiyyah

اَللّٰهُمَّ صَلِّ عَلَى مُحَمَّدٍ وَعَلَى آلِ مُحَمَّدٍ كَمَا صَلَّيْتَ عَلَى
إِبْرَاهِيمَ وَآلِ إِبْرَاهِيمَ إِنَّكَ حَمِيدٌ مَجِيدٌ وَبَارِكْ عَلَى
مُحَمَّدٍ وَعَلَى آلِ مُحَمَّدٍ كَمَا بَارَكْتَ عَلَى إِبْرَاهِيمَ
وَآلِ إِبْرَاهِيمَ إِنَّكَ حَمِيدٌ مَجِيدٌ

Allāhumma ṣalli 'alā Muḥammadin wa 'alā āli Muḥammadin kamā ṣallayta 'alā Ibrāhīm wa āli Ibrāhīm innaka ḥamīdum majīd, wa bārik 'alā Muḥammadin wa 'alā āli Muḥammadin kamā bārakta 'alā Ibrāhīm wa āli Ibrāhīm innaka ḥamīdum majīd

Ô Seigneur ! Prie pour Muḥammad et pour la famille de Muḥammad comme Tu as prié pour Ibrāhīm et pour la famille d'Ibrāhīm. Et bénis Muḥammad et la famille de Muḥammad comme Tu as béni Ibrāhīm et la famille d'Ibrāhīm, Tu es certes Digne de louange et de glorification.
[Sunan An-Nasaī 1290]

Débauche ou Avidité

Se protéger contre l'avidité

اَللّٰهُمَّ قِنِي شُحَّ نَفْسِي

Allāhumma qinī shuḥḥa nafsī

Ô Allāh, protège-moi contre l'avidité de mon âme ! [Tafsīr Aṭ-Ṭabarī 22:530 sous le verset 59:9]

La satisfaction auprès d'Allāh ﷻ

اَللّٰهُمَّ إِنِّي أَسْأَلُكَ غِنَايَ وَغِنَى مَوْلَايَ

Allāhumma innī as'aluka ghināya wa ghinā mawlāy

Je cherche auprès de Toi ma satisfaction et celle de ma famille. [Aṭ-Ṭabarānī in Al-Mu'jam Al-Kabīr 828]

Se protéger contre la richesse qui mène au châtiment

اَللّٰهُمَّ إِنِّي أَعُوذُ بِكَ مِنْ مَالٍ يَكُونُ عَلَيَّ عَذَابًا

Allāhumma innī a'ūdhu bika min mālin yakūnu 'alayya 'adhāban

Ô Allāh, je cherche Ta protection contre la richesse qui se transformera en châtiment pour moi. [Aṭ-Ṭabarānī dans Ad-Du'ā 1339]

Débauche ou Avidité

Faire que l'amour d'Allāh ﷻ soit le plus précieux et se détacher des désirs d'ici-bas

اَللَّهُمَّ اجْعَلْ حُبَّكَ أَحَبَّ الْأَشْيَاءِ إِلَيَّ وَاجْعَلْ خَوْفَكَ أَخْوَفَ الْأَشْيَاءِ إِلَيَّ وَاقْطَعْ عَنِّي حَاجَاتِ الدُّنْيَا بِالشَّوْقِ إِلَى لِقَائِكَ وَإِذَا أَقْرَرْتَ أَعْيُنَ أَهْلِ الدُّنْيَا مِنْ دُنْيَاهُمْ فَأَقِرَّ عَيْنِي مِنْ عِبَادَتِكَ

Allāhumma ij'al ḥubbaka aḥabba l-ashyā'a ilayya wa ij'al khawfaka akhwafa l-ashyā'a ilayya wa qṭa' 'annī ḥājāti d-dunyā bi sh-shawqi ilā liqā'ika wa idhā aqrartu a'yuna ahli d-dunya min dunyāhum fa aqirra 'aynī min 'ibādatika

Ô Allāh, fais de Ton amour l'amour le plus précieux pour moi, et fais de Ta crainte la chose que je redoute le plus. Détache-moi des désirs d'ici-bas en faisant naître en moi le désir puissant de Ta rencontre. Et, de même que Tu réconfortes les yeux des hommes de ce monde avec les richesses matérielles, réconforte mes yeux avec Ton obéissance et Ton adoration. [Abū Nu'aym Al-Aṣbahānī in Ḥilyah Al-Awliyā' v.8 pg.282]

Pour se contenter de notre subsistance et pour le bien dans chaque chose

اَللَّهُمَّ قَنِّعْنِي بِمَا رَزَقْتَنِي، وَبَارِكْ لِي فِيهِ، وَاخْلُفْ عَلَيَّ كُلَّ غَائِبَةٍ بِخَيْرٍ

Allāhumma qanna'nī bimā razaqtanī wa bārik lī fīhi wa khluf 'alayya kulla ghā'ibatin bi khayrin

Ô Allāh, rends-moi satisfait de la subsistance que Tu m'as accordée, bénis-moi à travers elle et place un bien pour moi dans chaque chose que je ne possède pas [Al-Adab Al-Mufrad 681]

قَسْوَةُ الْقَلْبِ

Dureté de cœur

ÉMOTIONS RELIÉES

Indifférent | Apathique | Insensible | Méchant | Désagréable | Dur
Aggressif | Discuteur | Arrogant | Cruel | Cynique
Manipulateur | Négligent | Blessé | Imprudent | Vindicatif

NOMS D'ALLĀH ﷻ POUR L'INVOCATION

- **Al-Laṭīf - Le Bienveillant**
- **Al-Ḥalīm - L'Indulgent**
- **Al-Wadūd - Celui dont l'amour est constant**
- **Al-Bā'ith - Celui qui ressuscite**
- **Ar-Raḥīm - Le Miséricordieux**
- **Al-Muqaddim - Celui qui approche**
- **Al-Mughniyy - Celui qui enrichit**

AṢ-ṢALĀH AL-IBRĀHĪMIYYAH

INVOCATIONS EXAUCÉES

- **Se protéger contre la mauvaise conduite et les mauvaises actions**
- **Pour pleurer dans sa prière**
- **Pour changer son cœur**
- **Pour un cœur guidé**
- **Pour se rappeler de l'Au-Delà**
- **Pour atteindre la piété**
- **Pour avoir un compagnon pieux**
- **Pour se rapprocher du Qur'ān**

CHAPITRE 8

Dureté de cœur

[Qaswat al-Qalb] قَسْوَةُ القَلْب

La dureté de cœur est un mélange de sévérité et de sécheresse. C'est un cœur vide de soumission et du sentiment de devoir se tourner, repentant, vers Allāh ﷻ. Avoir un cœur dur constitue, en réalité, le plus sévère des châtiments puisqu'il nous ôte la conscience des conséquences de nos péchés. Nous n'éprouvons plus ni repentir, ni même une once de culpabilité, et notre « système immunitaire » spirituel laisse pénétrer tous les autres troubles dans notre cœur. C'est pourquoi la punition des mécréants est, précisément, de posséder un cœur de cette sorte, dur et sévère.

Le Prophète ﷺ a dit : « Quand le serviteur d'Allāh ﷻ commet un péché, son cœur est marqué par une tache noire. S'il y renonce, implore le pardon et se repent, son cœur se purifie. S'il continue, la tache s'étend, au point de recouvrir son cœur. Il s'agit de cette rouille (ar-rān) évoquée par Allāh ﷻ dans ce verset : « Pas du tout ! Mais ce qu'ils ont accompli a fait rouiller leurs cœurs. » [Al-Muṭaffifīn 83:14] » [At-Tirmidhī 3334]

Dureté de cœur

Invocation des Noms d'Allāh ﷻ

اللَّطِيفُ
Al-Laṭīf
Le Bienveillant

الْحَلِيمُ
Al-Ḥalīm
L'Indulgent

الْوَدُودُ
Al-Wadūd
Celui dont l'amour est constant

الْبَاعِثُ
Al-Bā'ith
Celui qui ressuscite

الرَّحِيمُ
Ar-Raḥīm
Le Miséricordieux

الْمُقَدِّمُ
Al-Muqaddim
Celui qui approche

الْمُغْنِيُّ
Al-Mughniyy
Celui qui enrichit

Dureté de cœur

Méditations et Réflexions sur les Noms Excellents d'Allāh ﷻ

- Vous vous rappelez qu'il est important d'afficher et d'offrir sa compassion aux serviteurs d'Allāh ﷻ.
- Lorsque vous avez la possibilité d'offrir votre expérience et vos conseils, vous choisissez la meilleure attitude et vous mettez de côté les réprimandes, la sévérité, le fanatisme et la critique stérile. Si les gens reviennent chercher votre aide et votre soutien, c'est la preuve que vous adoptez la bonne attitude.
- Pour vous, un comportement digne et une noble conduite participent de la meilleure stratégie pour attirer les autres, avec sincérité, vers la lumière de l'Islām. Vous comprenez que la bienveillance permet de maintenir la bonté intérieure. Grâce à cette bonté, vous bénéficiez dans vos interactions sociales de qualités remarquables, de manières agréables et de gestes louables qui illustrent la Sunnah prophétique. Tout cela est plus éloquent qu'un long discours.
- Vous avez conscience que la « douceur » fait partie des qualités les plus précieuses chez l'être humain.
- Vous vous rappelez qu'un cœur dur se révèle par des paroles ou des actes montrant votre amour de ce monde ici-bas et par tout ce qui témoigne de votre aversion ou de votre indifférence pour la mort.
- Lorsque vous assistez à un enterrement, vous vous concentrez sur les épaisses mottes de terre qui ont été sorties de ce trou, creusé dans le sol, afin de placer le cercueil. Vous observez à quel point ces mottes de terre sont dures et – peu importe la douceur avec laquelle elles sont jetées dans la cavité – à quel point elles atterrissent lourdement sur le haut du cercueil. Vous priez Allāh ﷻ de placer la douceur dans votre cœur, de pardonner les péchés du défunt et de tous ceux qui témoignent de Son unicité, et de vous préparer une tombe tel un jardin du paradis, loin des afflictions qui écrasent et pulvérisent les âmes des cœurs durs.
- Vous vous engagez fermement, dans le cas où vous commettriez un péché, à vous tourner immédiatement vers Allāh ﷻ pour obtenir Son pardon. Car Il est l'Aimant le plus rempli d'amour, le Tout-Miséricordieux.
- Vous ne restez pas apathique face à la personne dans le besoin (vous ne lui tournez pas le dos). Au contraire, vous essayez de répondre à son besoin dans la mesure de vos capacités. Vous dépensez du temps et de l'argent (ou les deux) en faveur des pauvres autour de vous et afin de trouver les moyens de les sortir de cette pauvreté.
- Si vous n'avez pas les moyens de soulager leur pauvreté, vous vous rappelez qu'il faut leur porter secours par la prière, avoir de la peine pour leur situation et faire preuve d'empathie et d'amour envers eux, comme si vous pouviez ainsi prendre, à leur place, une part de leur infortune.
- Vous vous souvenez du véritable but de cette vie, des comptes que vous allez devoir rendre au Créateur, de la Résurrection, de la Dernière Heure et du Jugement dans l'Au-Delà.
- Vous apprenez qu'il n'y a pas que la richesse matérielle mais qu'il existe également une richesse faite de renforcement spirituel et émotionnel. Vous priez donc Allāh ﷻ de vous l'offrir.

Dureté de cœur

Aṣ-Ṣalāh Al-Ibrāhīmiyyah

اَللّٰهُمَّ صَلِّ عَلَى مُحَمَّدٍ وَعَلَى آلِ مُحَمَّدٍ كَمَا صَلَّيْتَ عَلَى
إِبْرَاهِيمَ وَآلِ إِبْرَاهِيمَ إِنَّكَ حَمِيدٌ مَجِيدٌ وَبَارِكْ عَلَى
مُحَمَّدٍ وَعَلَى آلِ مُحَمَّدٍ كَمَا بَارَكْتَ عَلَى إِبْرَاهِيمَ
وَآلِ إِبْرَاهِيمَ إِنَّكَ حَمِيدٌ مَجِيدٌ

Allāhumma ṣalli ʿalā Muḥammadin wa ʿalā āli Muḥammadin kamā ṣallayta ʿalā Ibrāhīm wa āli Ibrāhīm innaka ḥamīdum majīd, wa bārik ʿalā Muḥammadin wa ʿalā āli Muḥammadin kamā bārakta ʿalā Ibrāhīm wa āli Ibrāhīm innaka ḥamīdum majīd

Ô Seigneur ! Prie pour Muḥammad et pour la famille de Muḥammad comme Tu as prié pour Ibrāhīm et pour la famille d'Ibrāhīm. Et bénis Muḥammad et la famille de Muḥammad comme Tu as béni Ibrāhīm et la famille d'Ibrāhīm, Tu es certes Digne de louange et de glorification. [Sunan An-Nasaī 1290]

Dureté de cœur

Se protéger de la mauvaise conduite et des mauvaises actions

اَللّٰهُمَّ إِنِّي أَعُوذُ بِكَ مِن منكَرَاتِ الأَخلاقِ، والأَعمَالِ، والأَهواءِ

Allāhumma innī a'ūdhu bika min munkarāti l-akhlāqi wa l-a'māli wa l-ahwā'i

Ô Allāh, je demande Ta protecion contre la conduite, les actes et les désirs répréhensibles. [Jāmi` At-Tirmidhī 3591]

Rechercher les larmes dans la prière

اَللّٰهُمَّ ارْزُقْنِي عَيْنَيْنِ هَطَّالَتَيْنِ، تَشْفِيَانِ الْقَلْبَ بِذُرُوفِ الدَّمْعِ مِنْ خَشْيَتِكَ ، قَبْلَ أَنْ يَكُونَ الدَّمْعُ دَمًا، وَالأَضْرَاسُ جَمْرًا

Allāhumma rzuqnī 'aynayni haṭṭālatayni, tashfiyāni l-qalba bi dhurūfi d-dam'i min khashiyatika qabla an yakūna ad-dam'u daman wal aḍrāsu jamrān

Ô Allāh, accorde-moi des yeux pleins de larmes qui réconfortent le cœur et qui coulent par crainte de Toi, avant que ne vienne l'heure où les yeux verseront du sang et où les dents deviendront des braises. [Aṭ-Ṭabarānī dans Ad-Du'ā 1457]

Protéger son coeur

يَا مُقَلِّبَ الْقُلُوبِ ثَبِّتْ قَلْبِي عَلَى دِينِكَ

Yā muqalliba l-qulūbi thabbit qalbī 'alā dīnik

Ô Toi qui retourne les coeurs, maintiens mon cœur ferme dans Ta religion. [Jāmi` At-Tirmidhī 3522]

Dureté de cœur

Un cœur guidé

رَبَّنَا لَا تُزِغْ قُلُوبَنَا بَعْدَ إِذْ هَدَيْتَنَا وَهَبْ لَنَا
مِن لَّدُنكَ رَحْمَةً ۚ إِنَّكَ أَنتَ ٱلْوَهَّابُ

Rabbanā lā tuzigh qulūbanā ba'da idh hadaytanā wa hab lanā min ladunka raḥmah, innaka anta l-wahhāb

Seigneur ! Ne laisse pas dévier nos cœurs après que Tu nous as guidés ; et accorde-nous de Ta part une miséricorde. C'est Toi, certes, le Grand Donateur ! [Āl 'Imrān 3:8]

Se rappeler de l'Au-Delà

رَبَّنَا آتِنَا فِي الدُّنْيَا حَسَنَةً وَفِي الْآخِرَةِ حَسَنَةً وَقِنَا عَذَابَ النَّارِ

Rabbanā ātinā fi d-dunyā ḥasanatan wa fi l-'ākhirati ḥasanatan wa qinā adhāba n-nār

« Seigneur ! Accorde-nous belle part ici-bas, et belle part aussi dans l'Au-Delà ; et protège-nous du châtiment du Feu ! » [Al-Baqarah 2:201]

Dureté de cœur

Atteindre la piété

رَبِّ أَوْزِعْنِىٓ أَنْ أَشْكُرَ نِعْمَتَكَ ٱلَّتِىٓ أَنْعَمْتَ عَلَىَّ وَعَلَىٰ وَٰلِدَىَّ وَأَنْ أَعْمَلَ صَٰلِحًا تَرْضَىٰهُ وَأَدْخِلْنِى بِرَحْمَتِكَ فِى عِبَادِكَ ٱلصَّٰلِحِينَ

Rabbi awzi'nī an ashkura ni'matika llatī an'amta 'alayya wa 'alā wālidayya wa an a'mala ṣāliḥan tarḍāhu wa adkhilnī bi raḥmatika fī 'ibādika ṣ-ṣāliḥīn

« Permets-moi, Seigneur, de rendre grâce pour les bienfaits dont Tu m'as comblé ainsi que mes père et mère, et que je fasse une bonne œuvre que tu agrées et fais-moi entrer, par Ta miséricorde, parmi Tes serviteurs vertueux. » [An-Naml 27:19]

Avoir un compagnon pieux

اَللّٰهُمَّ يَسِّرْ لِي جَلِيسًا صَالِحًا

Allāhumma yassir lī jalīsan ṣāliḥan

Ô Allāh, accorde-moi la bénédiction d'avoir un pieux compagnon. [Ṣaḥīḥ Al-Bukhārī 3743]

Dureté de cœur

Se rapprocher du Qur'ān

اَللّٰهُمَّ إِنِّي عَبْدُكَ، ابْنُ عَبْدِكَ، ابْنُ أَمَتِكَ نَاصِيَتِي بِيَدِكَ، مَاضٍ فِيَّ حُكْمُكَ، عَدْلٌ فِيَّ قَضَاؤُكَ، أَسْأَلُكَ بِكُلِّ اسْمٍ هُوَ لَكَ سَمَّيْتَ بِهِ نَفْسَكَ، أَوْ عَلَّمْتَهُ أَحَدًا مِنْ خَلْقِكَ، أَوْ أَنْزَلْتَهُ فِي كِتَابِكَ، أَوِ اسْتَأْثَرْتَ بِهِ فِي عِلْمِ الْغَيْبِ عِنْدَكَ، أَنْ تَجْعَلَ الْقُرْآنَ رَبِيعَ قَلْبِي، وَنُورَ صَدْرِي، وَجِلَاءَ حُزْنِي، وَذَهَابَ هَمِّي

Allāhumma innī 'abduk, ibnu 'abdika, ibnu amatika, nāṣiyatī bi yadika, māḍin fiyya ḥukmuka, 'adlun fiyya qaḍā'uka, as'aluka bi kulli ismin huwa laka, sammayta bihī nafsaka, aw anzaltahū fī kitābika, aw 'allamtahū aḥadan min khalqika, aw ista'tharta bihī fī 'ilmi l-ghaybi 'indaka, an taj'ala l-qur'āna rabī'a qalbī, wa nūra ṣadrī, wa jalā'a ḥuznī, wa dhahāba hammī

Ô Allāh ! Je suis Ton serviteur, fils de Ton serviteur, fils de Ta servante. Je suis sous Ton pouvoir. Ton jugement s'accomplit sur moi, Ton décret sur moi est juste. Je Te demande par tout nom qui T'appartient, par lequel Tu T'es nommé, ou que Tu as révélé dans Ton Livre ou que Tu as enseigné à l'une de Tes créatures, ou bien que Tu as gardé secret dans la science de l'inconnu, de faire en sorte que le Qur'ān soit le printemps de mon cœur, la lumière de ma poitrine, qu'il dissipe ma tristesse et mette fin à mes soucis. [Musnad Aḥmad 3712]

الحَسَد

Envie

ÉMOTIONS RELIÉES

Frustré | Aigri | Contrarié | Malveillant | Envieux
Déprimé | Agité | Abattu | Inquiet | Hypercritique
Obstiné | Amer | Vindicatif | Rétif | Hostile

NOMS D'ALLĀH سبحانه وتعالى POUR L'INVOCATION

- **Al-Barr - Celui qui fait le bien**
- **As-Salām - La Paix**
- **Ar-Raqīb - Le Vigilant**
- **Al-Wāsi' - Celui qui embrasse et comprend tout**
- **Al-Ḥafīẓ - Le Préservateur**
- **Al-Wadūd - Celui dont l'amour est constant**

AṢ-ṢALĀH AL-IBRĀHĪMIYYAH

INVOCATIONS EXAUCÉES

- **Pour se protéger contre tous les démons et le mauvais oeil**
- **Pour se protéger contre les incitations des démons**
- **Pour se protéger contre la sournoiserie d'un proche**
- **Pour se protéger contre les ennemis**
- **Pour se protéger contre l'envie**
- **Pour se protéger contre les murmures du diable**
- **Pour éviter l'affliction des calamités**
- **Pour se protéger lorsque le jour se lève**
- **Pour s'en remettre uniquement à Allāh سبحانه وتعالى**
- **Pour se protéger contre le fait d'être envieux**

CHAPITRE 9

Envie [Ḥasad] الحَسَد

L'envie se manifeste lorsque vous apercevez un bienfait (ou ce que vous prenez pour un bienfait) qui a été offert à quelqu'un d'autre que vous. Vous commencez alors à souhaiter, par quelques ruses ou tromperies, que ce bienfait lui soit retiré. L'envie comporte trois degrés :

1. L'envie en tant que pure émotion humaine : l'homme en est excusé et elle n'est pas une faute.
2. L'envie qui provoque et dirige l'action : l'homme est alors un pécheur.
3. L'envie qui échoue à dicter sa loi : l'homme mérite alors les louanges et sera récompensé.

Le Qur'ān, à ce sujet, nous invite ainsi à rechercher la protection d'Allāh ﷻ : « Dis : « Je cherche protection auprès du Seigneur de l'aube naissante, contre le mal des êtres qu'Il a créés, contre le mal de l'obscurité quand elle s'approfondit, contre le mal de celles qui soufflent [les sorcières] sur les nœuds, et contre le mal de l'envieux quand il envie ». » [Al-Falaq 113: 1-5]

Le Prophète ﷺ a dit : « Servez-vous du secret pour la réussite de vos affaires car, en vérité, quiconque possède un bien est envié. » [Al-Mu'jam Aṣ-Ṣaghīr Aṭ-Ṭabrānī 1186, Al-Mu'jam Al-Kabīr Aṭ-Ṭabrānī 183, Al-Bayhaqī in Shu'ab Al-Īmān 6228] ;
Cela signifie que toute personne qui jouit de quelque chose trouvera quelqu'un pour envier ses biens.

De nombreuses causes peuvent générer l'envie : l'animosité nourrie envers quelqu'un (inimitié ou 'adāwah, lorsque cette personne s'en sort mieux que nous), l'arrogance, l'orgueil (takabbur) notamment lorsqu'il génère l'illusion (gharūr), une mauvaise ou une faible estime de soi (ta'azzu), un complexe d'infériorité, la vanité, l'amour du pouvoir et du rang, une avidité extrême pour la richesse, le gain, l'argent ou les biens matériels.

Envie

Invocation des Noms d'Allāh ﷻ

الْبَرُّ **Al-Barr** **Celui qui fait le bien**	السَّلَامُ **As-Salām** **La Paix**
الرَّقِيبُ **Ar-Raqīb** **Le Vigilant**	الْوَاسِعُ **Al-Wāsi'** **Celui qui embrasse et comprend tout**
الْحَفِيظُ **Al-Ḥafīẓ** **Le Préservateur**	الْوَدُودُ **Al-Wadūd** **Celui dont l'amour est constant**

Envie

Méditations et Réflexions sur les Noms Excellents d'Allāh ﷻ

- Vous comprenez que chaque serviteur dont le cœur est libéré du ressentiment, de l'amertume et des mauvaises intentions, et dont les membres ne sont ternis ni par le péché, ni par la transgression (c'est-à-dire, en fait, le serviteur pieux), celui-là retournera à Allāh ﷻ avec un cœur apaisé.

- Vous prenez conscience que, pour l'homme, le véritable prestige ou la véritable supériorité résident dans la connaissance et le comportement, non dans la richesse matérielle.

- Vous réalisez qu'Allāh ﷻ vous voit et vous observe dans chaque situation. Votre attention est donc dirigée vers Lui et vers votre cœur.

- Vous comprenez que Satan est votre ennemi et qu'il saisit la moindre opportunité pour vous pousser vers la tromperie et la désobéissance.

- Vous placez votre confiance en Allāh ﷻ et Sa constante protection qui terrasse le mal et repousse les murmures maléfiques de Satan.

- Vous vous efforcez d'agir contre les impulsions générées par l'envie. Si vous sentez naître du ressentiment ou de mauvaises intentions face à quelqu'un, vous vous armez de gentillesse et de douceur (et ce n'est en rien de l'hypocrisie). Vous bénéficierez, en retour, de sa bienveillance (le bien appelle le bien).

Envie

Aṣ-Ṣalāh Al-Ibrāhīmiyyah

اَللّٰهُمَّ صَلِّ عَلَى مُحَمَّدٍ وَعَلَى آلِ مُحَمَّدٍ كَمَا صَلَّيْتَ عَلَى
إِبْرَاهِيمَ وَآلِ إِبْرَاهِيمَ إِنَّكَ حَمِيدٌ مَجِيدٌ وَبَارِكْ عَلَى
مُحَمَّدٍ وَعَلَى آلِ مُحَمَّدٍ كَمَا بَارَكْتَ عَلَى إِبْرَاهِيمَ
وَآلِ إِبْرَاهِيمَ إِنَّكَ حَمِيدٌ مَجِيدٌ

Allāhumma ṣalli ʻalā Muḥammadin wa ʻalā āli Muḥammadin kamā ṣallayta ʻalā Ibrāhīm wa āli Ibrāhīm innaka ḥamīdum majīd, wa bārik ʻalā Muḥammadin wa ʻalā āli Muḥammadin kamā bārakta ʻalā Ibrāhīm wa āli Ibrāhīm innaka ḥamīdum majīd

Ô Seigneur ! Prie pour Muḥammad et pour la famille de Muḥammad comme Tu as prié pour Ibrāhīm et pour la famille d'Ibrāhīm. Et bénis Muḥammad et la famille de Muḥammad comme Tu as béni Ibrāhīm et la famille d'Ibrāhīm, Tu es certes Digne de louange et de glorification. [Sunan An-Nasaī 1290]

Envie

Protection contre tous les démons et le mauvais oeil

أَعُوذُ بِكَلِمَاتِ اللهِ التَّامَّةِ مِنْ كُلِّ شَيْطَانٍ وَهَامَّةٍ
وَمِنْ كُلِّ عَيْنٍ لَامَّةٍ

A'ūdhu bi kalimāti-Llāhi at-tāmmati min kulli Shayṭānin wa hāmmatin wa min kulli 'aynin lāmmatin

Je demande protection à Allāh ﷻ, par Sa parole parfaite, contre tout démon, tout ce qui est venimeux et tout mauvais œil. [Ṣaḥīḥ Al-Bukhārī 3371]

Protection contre les incitations des démons

رَبِّ أَعُوذُ بِكَ مِنْ هَمَزَاتِ ٱلشَّيَٰطِينِ وَأَعُوذُ بِكَ رَبِّ أَن يَحْضُرُونِ

Rabbi a'ūdhu bika min hamazati sh-shayāṭīni wa a'ūdhu bika rabbi an yaḥḍurūn

Seigneur, je cherche Ta protection contre les incitations des diables. Et je cherche Ta protection, Seigneur, contre leur présence auprès de moi. [Al-Mu'minūn 23: 97-98]

Protection contre la sournoiserie d'un proche

اَللّٰهُمَّ إِنِّي أَعُوذُ بِكَ مِنْ خَلِيلٍ مَّاكِرٍ عَيْنُهُ تَرَانِي، وَقَلْبُهُ تَرْعَانِي، إِنْ رَأَى
حَسَنَةً دَفَنَهَا، وَإِذَا رَأَى سَيِّئَةً أَذَاعَهَا

Allāhumma innī a'ūdhu bika min khalīlin mākirin, 'aynuhu tarānī, wa qalbuhū tar'ānī, in ra'ā ḥasanatan dafanahā wa idhā ra'ā sayyi'atan adhā'ahā

Ô Allāh, je cherche Ta protection contre l'ami sournois dont les yeux me voient mais dont le cœur se méfie de moi : s'il aperçoit un bien, il le dissimule et s'il aperçoit un mal, il l'expose. [Aṭ-Ṭabarānī dans Ad-Du'ā 1339]

Envie

Protection contre les ennemis

اَللّٰهُمَّ احْفَظْنِي بِالْإِسْلَامِ قَائِمًا، وَاحْفَظْنِي بِالْإِسْلَامِ قَاعِدًا، وَاحْفَظْنِي بِالْإِسْلَامِ رَاقِدًا، وَلَا تُشْمِتْ بِي عَدُوًّا حَاسِدًا، وَاللَّهُمَّ إِنِّي أَسْأَلُكَ مِنْ كُلِّ خَيْرٍ خَزَائِنُهُ بِيَدِكَ، وَأَعُوذُ بِكَ مِنْ كُلِّ شَرٍّ خَزَائِنُهُ بِيَدِكَ

Allāhumma hfaẓnī bil islāmi qā'imān, wahfaẓnī bil islāmi qā'idān, wahfaẓnī bil islāmi rāqidān, wa lā tushmit bī 'aduwwan ḥāsidan, wa Allāhumma innī as'aluka min kulli khayrin khazā'inuhū biyadik, wa a'ūdhu bika min kulli sharrin khazā'inuhū biyadika

Ô Allāh, protège-moi par l'Islām quand je suis debout, protège-moi par l'Islām quand je suis assis, protège-moi par l'Islām quand je suis couché. Ne laisse pas un ennemi envieux se réjouir à mes dépens. Ô Allāh, je te demande tous les biens déposés entre Tes mains, et je me réfugie auprès de Toi contre tout le mal dont tu tiens les clés entre Tes mains. [Al-Ḥākim 1924]

ENVIE

Protection contre l'envie

قُلْ أَعُوذُ بِرَبِّ ٱلْفَلَقِ ۝١ مِن شَرِّ مَا خَلَقَ ۝٢ وَمِن شَرِّ غَاسِقٍ إِذَا وَقَبَ ۝٣
وَمِن شَرِّ ٱلنَّفَّٰثَٰتِ فِى ٱلْعُقَدِ ۝٤ وَمِن شَرِّ حَاسِدٍ إِذَا حَسَدَ ۝٥

Qul a'udhu bi rabbi-l-falaq. Min sharri mā khalaq. Wa min sharri ghāsiqin idhā waqab. Wa min sharrin naffāthāti fi-l-'uqad. Wa min sharri ḥāsidin idhā ḥasad

Dis : « Je cherche protection auprès du Seigneur de l'aube naissante, contre le mal des êtres qu'Il a créés, contre le mal de l'obscurité quand elle s'approfondit, contre le mal de celles qui soufflent [les sorcières] sur les nœuds, et contre le mal de l'envieux quand il envie. » [Al-Falaq 113:1-5]

Envie

Protection contre les murmures du diable

قُلْ أَعُوذُ بِرَبِّ ٱلنَّاسِ ١ مَلِكِ ٱلنَّاسِ ٢ إِلَٰهِ ٱلنَّاسِ ٣ مِن شَرِّ
ٱلْوَسْوَاسِ ٱلْخَنَّاسِ ٤ ٱلَّذِى يُوَسْوِسُ فِى صُدُورِ ٱلنَّاسِ ٥
مِنَ ٱلْجِنَّةِ وَٱلنَّاسِ ٦

Qul a'udhu bi rabbi-n-nās. Malikin n-nās llāhi-n-nās. Min sharri-l-waswāsi-l-khannās. Alladhī yuwaswisu fī ṣudūrin-n-nās. Mina-l-jinnati wan nās

Dis : « Je cherche protection auprès du Seigneur des hommes. Le Souverain des hommes, Dieu des hommes, contre le mal du mauvais conseiller, furtif, qui souffle le mal dans les poitrines des hommes, qu'il (le conseiller) soit un djinn, ou un être humain. » [An-Nās 114:1-6]

Éviter l'affliction des calamités

بِسْمِ اللَّهِ الَّذِي لَا يَضُرُّ مَعَ اسْمِهِ شَيْءٌ فِي الْأَرْضِ وَلَا فِي السَّمَاءِ
وَهُوَ السَّمِيعُ الْعَلِيمُ

Bismillāhi lladhī lā yaḍurru ma'a ismihī shay'un fi-l arḍi wa lā fi-s-samā-i wa huwa s-samī-'u -l 'alīm

Au nom d'Allāh, Celui dont par le nom rien ne peut nuire que ce soit sur la terre ou dans les cieux, et Il est Celui qui entend, l'Omniscient. [Sunan Abī Dawūd 5088]

Envie

Protection lorsque le jour se lève

اَللّٰهُمَّ إِنِّي أَصْبَحْتُ مِنْكَ فِي نِعْمَةٍ وَعَافِيَةٍ وَسِتْرٍ، فَأَتِمَّ عَلَيَّ نِعْمَتَكَ وَعَافِيَتَكَ وَسِتْرَكَ فِي الدُّنْيَا وَالْآخِرَةِ

Allāhumma innī aṣbaḥtu minka fī ni'matin wa 'āfiyatin wa sitr, fa atimma 'alayya ni'mataka wa 'āfiyataka wa sitraka fid dunyā wal ākhīrah

Ô Allāh ! Je me lève avec Toi dans les bienfaits, le bien-être et la protection ; alors accomplis sur moi Tes bienfaits, Ton bien-être et Ta protection, dans ce monde et le suivant. [Ibn As-Sunnī in 'Amal Al-Yawm wa Al-Laylah 55]

ENVIE

Pour s'en remettre uniquement à Allāh ﷻ

اَللّٰهُمَّ لَا يَأْتِي بِالْحَسَنَاتِ إِلَّا أَنْتَ، وَلَا يَدْفَعُ السَّيِّئَاتِ إِلَّا أَنْتَ، وَلَا حَوْلَ وَلَا قُوَّةَ إِلَّا بِكَ

Allāhumma lā ya-tī bil ḥasanāti illā anta wa lā yadfa'us sayyi-āti illa anta wa lā ḥawla wa lā quwwata illā bik

Ô Allāh, personne n'apporte les bienfaits à part Toi et personne n'éloignent les maux à part Toi. La force et la puissance T'appartiennent. [Al-Bayhaqī dans Ad-Da'awāt Al-Kabīr 568]

Envie

Protection contre le fait d'être envieux

أَعُوذُ بِاللهِ مِنْ طَمَعٍ يَهْدِي إِلَى طَبَعٍ، وَمِنْ طَمَعٍ فِي غَيْرِ مَطْمَعٍ، وَمِنْ طَمَعٍ حَيْثُ لَا مَطْمَعَ

A'ūdhu billāhi min ṭama'in yahdī ilā ṭab'in, wa min ṭama'in fī ghayri maṭma'in, wa min ṭama'in ḥaythu lā maṭma'

Je cherche protection auprès d'Allāh ﷻ contre l'envie qui mène à la disgrace, et contre le fait d'envier une chose qui ne doit pas être enviée ou une chose qui n'a aucun espoir (d'être atteinte). [Musnad Aḥmad 22128]

الإِسْرَاف

Extravagance

ÉMOTIONS RELIÉES
Dépendant | Étourdi | Insuffisance | Inquiet | Immodéré
Déprimé | Indifférent | Excessif | Inconscient

NOMS D'ALLĀH ﷻ POUR L'INVOCATION

- **Al-Baṣīr - Celui qui voit tout**
- **Ar-Raqīb - Le Vigilant**
- **Al-Muhaymin - Le Surveillant**
- **Al-Khāfiḍ - Celui qui abaisse**
- **Al-Mu'izz - Celui qui donne l'honneur**
- **Al-Karīm - Le Généreux**

AṢ-ṢALĀH AL-IBRĀHĪMIYYAH

INVOCATIONS EXAUCÉES

- **Pour se contenter de notre subsistance**
- **Pour demander pardon pour l'extravagance**
- **Pour se protéger contre l'abondance qui mène à l'extravagance**
- **Pour se protéger contre la richesse qui mène au châtiment**
- **Pour rechercher la modération en période faste**
- **Pour ne placer sa confiance qu'en Allāh ﷻ**

CHAPITRE 10

Extravagance [Isrāf] الإسراف

L'extravagance se manifeste à travers le manque de retenue dans la dépense d'argent ou l'utilisation d'une ressource. On parle également de gaspillage (tabdhir) ou de prodigalité. Il s'agit, par exemple, d'un individu qui dépense ou consomme plus que nécessaire et dépasse les bornes du raisonnable.

Allāh ﷻ a composé une harmonie et un équilibre naturel. Il dit : « Et quant au ciel, Il l'a élevé bien haut. Et Il a établi la balance, afin que vous ne transgressiez pas dans la pesée. » [Ar-Raḥmān 55:7-8]

Le Prophète ﷺ a dit : « Par Allāh ﷻ, ce n'est pas la pauvreté que je crains pour vous ! Je crains plutôt que les richesses d'ici-bas ne soient étendues pour vous comme elles l'ont été pour ceux qui sont venus avant vous, que vous vous concurrenciez les concernant comme ils se sont concurrencés et qu'alors elles vous fassent périr comme elles les ont fait périr. » [Ṣaḥīḥ Al-Bukhārī 3158]

On rapporte qu' 'Ā'ishah رضي الله عنها a dit : « La première calamité pour cette nation après la mort du Prophète est la plénitude de leurs estomacs. Une fois les estomacs remplis, ils sont devenus obèses : leurs cœurs ont faibli et leurs désirs sont devenus sauvages. » [Al-Jū'u Ibn Abī Dunyā : 22]

Extravagance

Invocation des Noms d'Allāh سبحانه وتعالى

الْبَصِيرُ

Al-Başīr
Celui qui voit tout

الرَّقِيبُ

Ar-Raqīb
Le Vigilant

الْمُهَيْمِنُ

Al-Muhaymin
Le Surveillant

الْخَافِضُ

Al-Khāfiḍ
Celui qui abaisse

الْمُعِزُّ

Al-Mu'izz
Celui qui donne l'honneur

الْكَرِيمُ

Al-Karīm
Le Généreux

Extravagance

Méditations et Réflexions sur les Noms Excellents d'Allāh ﷻ

- Vous ne sous-estimez pas le fait qu'Il vous surveille absolument et qu'Il est informé à votre égard.

- Vous savez qu'Allāh ﷻ vous observe dans chaque situation et vous êtes déterminé à utiliser ce savoir pour purifier votre cœur et tenir à distance les tentations.

- Vous savez que les plus bas instincts de votre esprit sont vos ennemis et que Satan poursuit un objectif à long-terme : détruire en vous tout élan de piété. Concernant votre rapport à Allāh ﷻ, vous avez bien conscience qu'en suivant vos désirs ou les incitations de Satan, vous deviendrez indifférent, distrait et désobéissant.

- Vous progressez, pas à pas, vers le renoncement aux gains et aux plaisirs matériels et vous gardez à l'esprit les conséquences néfastes d'une quête excessive des plaisirs de ce monde. Dans un coin de votre tête, vous êtes conscient des dommages physiques et mentaux que peuvent facilement causer les addictions (excès à répétition, lorsqu'il n'y a plus de maîtrise de soi).

- Vous réalisez véritablement que vous n'existez, ne subsistez et ne grandissez que par le soin, la protection et la générosité d'Allāh ﷻ. Par conséquent, la tentation d'entrer en compétition avec les autres vous semble vaine, voire malsaine.

- Vous réalisez que tout sentiment de vulnérabilité ou d'insuffisance est stimulé par votre penchant pour cette vie éphémère qui n'est que divertissement et distraction.

- Vous vous rappelez que seul le vêtement de la taqwā pourra habiller votre cœur et tout votre être intérieur de louables atours, comme l'humilité et la modestie. En fin de compte, enfiler ce vêtement c'est embellir votre caractère et, en parallèle, diminuer votre manque d'assurance et augmenter votre estime personnelle.

Extravagance

Aṣ-Ṣalāh Al-Ibrāhīmiyyah

اَللّٰهُمَّ صَلِّ عَلَى مُحَمَّدٍ وَعَلَى آلِ مُحَمَّدٍ كَمَا صَلَّيْتَ عَلَى
إِبْرَاهِيمَ وَآلِ إِبْرَاهِيمَ إِنَّكَ حَمِيدٌ مَجِيدٌ وَبَارِكْ عَلَى
مُحَمَّدٍ وَعَلَى آلِ مُحَمَّدٍ كَمَا بَارَكْتَ عَلَى إِبْرَاهِيمَ
وَآلِ إِبْرَاهِيمَ إِنَّكَ حَمِيدٌ مَجِيدٌ

Allāhumma ṣalli ʿalā Muḥammadin wa ʿalā āli Muḥammadin kamā ṣallayta ʿalā Ibrāhīm wa āli Ibrāhīm innaka ḥamīdum majīd, wa bārik ʿalā Muḥammadin wa ʿalā āli Muḥammadin kamā bārakta ʿalā Ibrāhīm wa āli Ibrāhīm innaka ḥamīdum majīd

Ô Seigneur ! Prie pour Muḥammad et pour la famille de Muḥammad comme Tu as prié pour Ibrāhīm et pour la famille d'Ibrāhīm. Et bénis Muḥammad et la famille de Muḥammad comme Tu as béni Ibrāhīm et la famille d'Ibrāhīm, Tu es certes Digne de louange et de glorification.
[Sunan An-Nasaī 1290]

Extravagance

Le contentement face à notre subsistance

اَللّٰهُمَّ قَنِّعْنِي بِمَا رَزَقْتَنِي، وَبَارِكْ لِي فِيهِ، وَاخْلُفْ عَلَيَّ كُلَّ غَائِبَةٍ بِخَيْرٍ

Allāhumma qanna'nī bimā razaqtanī wa bārik lī fīhi wakhluf 'alayya kulla ghā'ibatin bi khayr

Ô Allāh, rends-moi satisfait de la subsistance que Tu m'as accordée, favorise-moi à travers elle et place un bien pour moi dans chaque chose que je ne possède pas. [Al-Adab Al-Mufrad 681]

Le pardon pour l'extravagance

اَللّٰهُمَّ اغْفِرْ لِي خَطِيئَتِي وَجَهْلِي وَإِسْرَافِي فِي أَمْرِي، وَمَا أَنْتَ أَعْلَمُ بِهِ مِنِّي،
اللَّهُمَّ اغْفِرْ لِي هَزْلِي وَجِدِّي وَخَطَايَ وَعَمْدِي، وَكُلُّ ذَلِكَ عِنْدِي

Allāhumma ghfirlī khatī'atī wa jahlī wa isrāfī fī amrī, wa mā anta a'lamu bihi minnī, Allāhumma ghfirlī hazlī wa jiddī wa khatāya wa 'amdī wa kullu dhālika 'indī

Seigneur, puisses-Tu me pardonner mes péchés, mon ignorance et toute extravagance que j'ai pu commettre à mon propre détriment, ainsi que tout ce dont Tu es bien plus informé que moi. Seigneur, puisses-Tu pardonner mes péchés, mes actes délibérés, mes plaisanteries comme mes faits et dires sérieux, ainsi que toutes les choses qui me sont comptées. [Ṣaḥīḥ Al-Bukhārī 6399]

Extravagance

Protection contre l'abondance qui mène à l'extravagance

اَللّٰهُمَّ إِنِّي أَعُوذُ بِكَ مِنْ كُلِّ عَمَلٍ يُخْزِينِي، وَأَعُوذُ بِكَ مِنْ كُلِّ صَاحِبٍ يُرْدِينِي، وَأَعُوذُ بِكَ مِنْ كُلِّ أَمَلٍ يُلْهِينِي، وَأَعُوذُ بِكَ مِنْ كُلِّ فَقْرٍ يُنْسِينِي، وَأَعُوذُ بِكَ مِنْ كُلِّ غِنًى يُطْغِينِي

Allāhumma innī a'ūdhu bika min kulli 'amalin yukhzīnī, wa a'ūdhu bika min kulli ṣāḥibin yurdīnī, wa a'ūdhu bika min kulli amalin yulhīnī, wa a'ūdhu bika min kulli faqrin yunsīnī, wa a'ūdhu bika min kulli ginan yuṭghīnī

Ô Allāh, je cherche Ta protection contre les actes qui feraient mon humiliation, les amis qui feraient ma ruine, les désirs qui feraient ma distraction, la pauvreté qui me ferait tout oublier et la richesse qui me mènerait à la démesure. [Ibn As-Sunnī in 'Amal Al-Yawm wa Al-Laylah 120]

Se protéger contre la richesse qui mène au châtiment

اَللّٰهُمَّ إِنِّي أَعُوذُ بِكَ مِنْ مَالٍ يَكُونُ عَلَيَّ عَذَابًا

Allāhumma innī a'ūdhu bika min mālin yakūnu 'alayya 'adhābān

Ô Allāh, je cherche Ta protection contre la richesse qui se transformera en châtiment pour moi. [Aṭ-Ṭabarānī dans Ad-Du'ā 1339]

Extravagance

Recherche de modération en période faste

اَللّٰهُمَّ وَأَسْأَلُكَ خَشْيَتَكَ فِي الْغَيْبِ وَالشَّهَادَةِ وَأَسْأَلُكَ كَلِمَةَ الْحَقِّ فِي الرِّضَا وَالْغَضَبِ وَأَسْأَلُكَ الْقَصْدَ فِي الْفَقْرِ وَالْغِنَى

Allāhumma wa as'aluka khashyataka fil ghaybi wash shahādati wa as'aluka kalimata -l-haqqi fi r-riḍā wal ghaḍabi wa as'alukal qaṣda fi-l-faqri wal ghinā

Ô Allāh, je demande à Te craindre en privé et en public, ainsi que des paroles de vérités dans les moments de joie et de colère. Je Te demande de me rendre modéré tant dans la pauvreté que la richesse. [Sunan An-Nasaī 1305]

Ne placer sa confiance qu'en Allāh ﷻ

حَسْبِيَ اللهُ لآ إِلَهَ إِلَّا هُوَ، عَلَيْهِ تَوَكَّلْتُ، وَهُوَ رَبُّ الْعَرْشِ الْعَظِيمِ

Ḥasbiya Allāhu lā ilāha illā hūwa, 'alayhi tawakkaltu wa huwa rabbu-l-arshi-l-'aẓımı

Allāh ﷻ me suffit, nulle divinité ne mérite d'être adorée en dehors de Lui, c'est en Lui que je place ma confiance et Il est le Seigneur du Trône immense. [Sunan Abī Dawūd 5081]

التَخَيُّل

Fantasme

ÉMOTIONS RELIÉES

Frustré | Énervé | Agité | Contrarié | Aigri
Discuteur | Aggressif | Enragé | Furieux | Méprisant
Dur | Hostile | Blessé | Énervé

NOMS D'ALLĀH سبحانه وتعالى POUR L'INVOCATION

- **Al-Baṣīr - Celui qui voit tout**
- **Al-Khabīr - L'Informé**
- **Al-'Alīm - L'Omniscient**
- **Ar-Raqīb - Le Vigilant**
- **Ash-Shahīd - Le Témoin**
- **Al-Muḥṣī - Celui garde les comptes**
- **Al-Bāṭin - Le Caché**
- **Al-Māni' - Celui qui empêche**

AṢ-ṢALĀH AL-IBRĀHĪMIYYAH

INVOCATIONS EXAUCÉES

- **Pour reconnaître ses fautes et obtenir le pardon**
- **Pour trouver un refuge contre les méfaits de nos sens**
- **Pour trouver un refuge contre les mauvaises actions et les mauvais désirs**
- **Pour se protéger des désirs interdits**
- **Pour trouver un refuge contre les tentations des démons**
- **Pour se purifier des regards coupables**
- **Pour couvrir sa honte**
- **Pour se faire pardonner les péchés commis en public et en privé**
- **Pour avoir une épouse et des enfants pieux**
- **Pour qu'Allāh prenne soin de nous**

CHAPITRE 11

Fantasme [Takhayyul] التَخَيُّل

Explorer une pensée ou dérouler, dans son esprit, une action interdite en la fantasmant ou en la décrivant de manière détaillée à quelqu'un d'autre, c'est se situer au bord de sa concrétisation : que ce soit braquer une banque, gagner à la roulette ou commettre l'adultère. L'individu qui « fantasme » est celui dont le cœur s'attarde sur quelque chose d'interdit ou défendu et se trouve inspiré par des pensées qui ne doivent pas le concerner. Cela inclut le fait de penser aux faiblesses et aux défauts des autres, qu'ils soient présents ou non.

Fantasme

Invocation des Noms d'Allāh ﷻ

الْبَصِيرُ
Al-Baṣīr
Celui qui voit tout

الْخَبِيرُ
Al-Khabīr
L'Informé

الْعَلِيمُ
Al-'Alīm
L'Omniscient

الرَّقِيبُ
Ar-Raqīb
Le Vigilant

الشَّهِيدُ
Ash-Shahīd
Le Témoin

الْمُحْصِي
Al-Muḥṣī
Celui garde les comptes

الْبَاطِنُ
Al-Bāṭin
Le Caché

الْمَانِعُ
Al-Māni'
Celui qui empêche

Fantasme

Méditations et Réflexions sur les Noms Excellents d'Allāh ﷻ

- Vous réalisez qu'Allāh ﷻ est le Témoin et qu'Il observe de telle sorte que rien ne Lui échappe. Car rien ne se passe dans le royaume des cieux ou de la terre, aucun atome ne bouge, aucune âme ne s'agite ni ne s'apaise, sans qu'Il en ait conscience. Ainsi, vous réservez l'utilisation de vos sens à l'obéissance d'Allāh ﷻ et à Ses enseignements.

- Vous comprenez que chaque serviteur dont le cœur est libéré des mauvaises intentions, et dont les membres ne sont ternis ni par le péché, ni par la transgression ou les addictions volontaires, celui-là retournera à Allāh ﷻ avec un cœur impeccable.

- Vous vous rappelez qu'avoir sans cesse conscience d'Allāh ﷻ, être vraiment attentif au fait qu'Il vous surveille, constitue un moyen efficace de tenir à distance Satan et ses tentations.

- Vous avez conscience que si Allāh ﷻ est invisible dans ce monde, Il connaît pourtant la moindre de vos dispositions intérieures !

- Vous faites particulièrement attention à tenir compte de la réalité lorsque vous agissez, afin d'éviter l'embarras et l'échec dans l'Au-Delà.

- Vous comprenez que Satan est votre ennemi et qu'il saisit la moindre opportunité pour vous pousser vers la tromperie et la désobéissance.

- Vous devenez lucide et vous avez fait l'expérience de vos bas instincts. Vous êtes conscient de leur tendance à vous attirer vers les mensonges de la sensualité, l'illusion et la débauche. Vous refusez de vous faire piéger et vous faites tout ce qu'il faut pour les combattre.

Fantasme

Aṣ-Ṣalāh Al-Ibrāhīmiyyah

اَللّٰهُمَّ صَلِّ عَلَى مُحَمَّدٍ وَعَلَى آلِ مُحَمَّدٍ كَمَا صَلَّيْتَ عَلَى
إِبْرَاهِيمَ وَآلِ إِبْرَاهِيمَ إِنَّكَ حَمِيدٌ مَجِيدٌ وَبَارِكْ عَلَى
مُحَمَّدٍ وَعَلَى آلِ مُحَمَّدٍ كَمَا بَارَكْتَ عَلَى إِبْرَاهِيمَ
وَآلِ إِبْرَاهِيمَ إِنَّكَ حَمِيدٌ مَجِيدٌ

Allāhumma ṣalli ʿalā Muḥammadin wa ʿalā āli Muḥammadin kamā ṣallayta ʿalā Ibrāhīm wa āli Ibrāhīm innaka ḥamīdum majīd, wa bārik ʿalā Muḥammadin wa ʿalā āli Muḥammadin kamā bārakta ʿalā Ibrāhīm wa āli Ibrāhīm innaka ḥamīdum majīd

Ô Seigneur ! Prie pour Muḥammad et pour la famille de Muḥammad comme Tu as prié pour Ibrāhīm et pour la famille d'Ibrāhīm. Et bénis Muḥammad et la famille de Muḥammad comme Tu as béni Ibrāhīm et la famille d'Ibrāhīm, Tu es certes Digne de louange et de glorification.
[Sunan An-Nasaī 1290]

Fantasme

Reconnaître ses fautes et obtenir le pardon

رَبِّ إِنِّي ظَلَمْتُ نَفْسِي فَاغْفِرْ لِي

Rabbi innī ẓalamtu nafsī fa-ghfirlī

Seigneur, je me suis fait du tort à moi-même ; pardonne-moi. [Al-Qaṣaṣ 28:16]

Trouver un refuge contre les méfaits de nos sens

اَللّٰهُمَّ إِنِّي أَعُوذُ بِكَ مِنْ شَرِّ سَمْعِي وَمِنْ شَرِّ بَصَرِي وَمِنْ شَرِّ لِسَانِي
وَمِنْ شَرِّ قَلْبِي وَمِنْ شَرِّ مَنِيِّي

Allahumma innī a'ūdhu bika min sharri sam'ī wa min sharri basarī wa min sharri lisānī wa min sharri qalbī wa min sharri maniyyī

Ô Allāh ! Je me réfugie auprès de Toi contre le mal de mon ouïe, contre le mal de ma vue, contre le mal de ma langue, contre le mal de mon cœur et contre le mal de ma semence (la passion sexuelle). [Sunan Abī Dawūd 1551]

Trouver un refuge contre les mauvaises actions et les mauvais désirs

اَللّٰهُمَّ إِنِّي أَعُوذُ بِكَ مِنْ مُنْكَرَاتِ الأَخْلاَقِ وَالأَعْمَالِ وَالأَهْوَاءِ

Allāhumma innī a'ūdhu bika min munkarāti-l-akhlāqi wa-l -'māli wa-l-ahwā'i

Ô Allāh, Je me réfugie auprès de Toi contre le mauvais caractère, les mauvaises actions et les mauvais désirs. [Jāmi` At-Tirmidhī 3591]

Fantasme

Se protéger contre les désirs interdits

اَللّٰهُمَّ اغْفِرْ ذَنْبِي وَطَهِّرْ قَلْبِي، وَحَصِّنْ فَرْجِي

Allāhumma ghfir dhanbī wa ṭahhir qalbī, wa ḥaṣṣin farjī

Ô Allāh, pardonne-moi mes péchés, purifie mon cœur et préserve ma chasteté. [Musnad Aḥmad 22211]

Trouver un refuge contre les tentations des démons

رَبِّ أَعُوذُ بِكَ مِنْ هَمَزَٰتِ ٱلشَّيَٰطِينِ وَأَعُوذُ بِكَ رَبِّ أَن يَحْضُرُونِ

Rabbi a'ūdhu bika min hamazāti sh-shayāṭini wa a'ūdhu bika rabbi an yaḥḍurūn

Seigneur, je cherche Ta protection contre les incitations des diables. Et je cherche Ta protection, Seigneur, contre leur présence auprès de moi. [Al-Mu'minūn 23: 97-98]

Se purifier des regards coupables

اَللّٰهُمَّ طَهِّرْ قَلْبِي مِنَ النِّفَاقِ وَعَمَلِي مِنَ الرِّيَاءِ وَلِسَانِي مِنَ الْكَذِبِ وَعَيْنِي مِنَ الْخِيَانَةِ، فَإِنَّكَ تَعْلَمُ خَائِنَةَ الأَعْيُنِ وَمَا تُخْفِي الصُّدُورُ

Allāhumma ṭahhir qalbī mina n-nifāq wa 'amalī mina r-riyā'i wa lisānī mina l-kadhibi wa 'aynī mina l-khiyānati, fa innaka ta'lamu khā'inata l-'a'yuni wa mā tukhfi ṣ ṣudūr

Ô Allāh, purifie mon cœur de l'hypocrisie, mes actes de l'ostentation et de la prétention, ma langue du mensonge et mes yeux des regards coupables. Car, en vérité, Tu sais ce que les yeux regardent sournoisement et ce que cachent les cœurs. [Al-Bayhaqī dans Ad-Da'awāt Al-Kabīr 258]

Fantasme

Couvrir sa honte

اَللّٰهُمَّ اسْتُرْ عَوْرَاتِي وَآمِنْ رَوْعَاتِي

Allāhumma stur 'awrātī wa āmin raw'ātī.

Ô Allāh, couvre ce dont j'ai honte et apaise mes craintes. [Sunan Abī Dawūd 5074]

Demander pardon pour les péchés commis en public et en privé

اَللّٰهُمَّ اغْفِرْ لِي مَا قَدَّمْتُ وَمَا أَخَّرْتُ وَمَا أَسْرَرْتُ وَمَا أَعْلَنْتُ وَمَا أَنْتَ أَعْلَمُ
بِهِ مِنِّي أَنْتَ الْمُقَدِّمُ وَأَنْتَ الْمُؤَخِّرُ وَأَنْتَ عَلَى كُلِّ شَيْءٍ قَدِيرٌ

Allāhumma ghfir lī mā qaddamtu wa akhkhartu wa asrartu wa a'lantu wa anta a'lamu bihī minnī, anta l-muqaddim wa anta l-mu'akhkhiru wa anta 'alā kulli shay'in qadīr

Ô Allāh ! Pardonne-moi les péchés que j'ai déjà commis et ceux à venir, ceux que j'ai accomplis en secret ou en public, et ceux dont Tu es bien plus au fait que moi. Tu es Celui qui avance et Celui qui retarde, et Tu es Capable de toute chose. [Ṣaḥīḥ Muslim 2719a]

Fantasme

Avoir une épouse et des enfants pieux

رَبَّنَا هَبْ لَنَا مِنْ أَزْوَٰجِنَا وَذُرِّيَّٰتِنَا قُرَّةَ أَعْيُنٍ وَٱجْعَلْنَا لِلْمُتَّقِينَ إِمَامًا

Rabbanā hab lanā min azwājina wa dhurriyyātinā qurrata a'yun wa-j'alnā li l-muttaqīna imāmā

Seigneur, donne-nous, en nos épouses et nos descendants, la joie des yeux, et fais de nous un guide pour les pieux. [Al-Furqān 25:74]

Qu'Allāh ﷻ s'occupe de tout

اَللّٰهُمَّ رَحْمَتَكَ أَرْجُو فَلاَ تَكِلْنِي إِلَى نَفْسِي طَرْفَةَ عَيْنٍ وَأَصْلِحْ لِي شَأْنِي كُلَّهُ لاَ إِلَهَ إِلاَّ أَنْتَ

Allāhumma raḥmataka arjū, falā takilnī ilā nafsī ṭarfata 'aynin, wa aṣliḥ lī sha'nī kullahu, lā ilāha illā anta

Ô Allāh, je porte l'espoir de Ta miséricorde. Ne m'abandonne pas à moi-même, ne serait-ce qu'un instant, mais rétablis l'ordre pour moi dans tout ce qui me concerne. Il n'existe aucun dieu en-dehors de Toi. [Sunan Abī Dawūd 5090]

FANTASME

الغِشّ

Fraude

ÉMOTIONS RELIÉES

Coupable | Honteux | Anxieux | Manipulateur | Fourbe | Cruel | Hypocrite

NOMS D'ALLĀH ﷻ POUR L'INVOCATION

- Al-'Alīm - L'Omniscient
- Al-'Adl - Le Juste
- Al-Muqsiṭ - L'Équitable
- Al-Baṣīr - Celui qui voit tout
- Al-Ḥasīb - Celui qui compte
- As-Samī' - Celui qui entend tout
- Ar-Raqīb - Le Vigilant
- Al-Khabīr - L'Informé
- Ash-Shahīd - Le Témoin
- Al-Bāṭin - Le Caché
- Al-Muḥṣī - Celui garde les comptes
- Al-Ḥaqq - La Vérité
- Al-Mu'akhkhir - Celui qui retarde
- Al-Māni' - Celui qui empêche
- Ar-Rashīd - Celui qui guide

AṢ-ṢALĀH AL-IBRĀHĪMIYYAH

INVOCATIONS EXAUCÉES

- Pour reconnaître ses mauvaises actions
- Pour reconnaître ses fautes et demander pardon
- Pour rechercher la vérité et s'abstenir du mensonge
- Pour suivre le droit chemin et être intègre
- Pour se protéger contre la richesse qui mène au châtiment
- Pour se protéger contre les hommes corrompus
- Pour se protéger contre la faute involontaire
- Pour se protéger contre le mal de son âme
- Pour obtenir le pardon pour ses péchés
- Pour se protéger contre la traîtrise
- Prière pour une langue véridique, un cœur pur et un caractère droit
- Pour mourir en homme vertueux

CHAPITRE 12

Fraude [Ghish] الغِشّ

Le trouble suivant se nomme « fraude » ou « ghish ». Elle n'est pas réservée à ceux qui mentent à leurs clients ou aux impôts : la fraude existe dès qu'il y a dissimulation d'une faute, d'un mal, d'un vice, en rapport ou non avec la religion. Elle peut être causée par la cupidité ou l'attrait pour la richesse.

Certains définissent la fraude (relative à un produit ou à un service) comme la tromperie qui consiste à faire passer une chose inutile ou défectueuse pour une chose utile et bénéfique.

Un jour, le Prophète ﷺ passa à côté d'un tas de maïs à vendre. Il y plongea sa main et sentit de l'humidité sur ses doigts. Il demanda au propriétaire de ce tas : « Qu'est-ce donc ? » Il répondit : « Ô Messager d'Allāh ﷺ, ces denrées ont été trempées par la pluie. » Le Prophète ﷺ lui fit alors cette remarque : « Pourquoi n'as-tu pas placé cela (la partie trempée du maïs) au-dessus du reste afin que les gens puissent le voir ? Celui qui trompe n'est pas de moi (n'est pas de mes adeptes). » [Ṣaḥīḥ Muslim 102:164]

La fausseté ou le mensonge (kidhb) sont similaires à la fraude. Il s'agit d'un même vice : ne pas exposer la réalité des faits.

Le Prophète ﷺ a dit :

- « Chaque ummah a une fitnah (une épreuve pour la tester). La fitnah de ma ummah est la richesse. » [At-Tirmidhī 2336]
- « Un temps viendra où personne n'accordera d'importance au fait de gagner son argent de manière licite ou illicite. » [Ṣaḥīḥ Al-Bukhārī 2059]

Fraude

Invocation des Noms d'Allāh ﷻ

الْعَلِيمُ
Al-'Alīm
L'Omniscient

الْعَدْلُ
Al-'Adl
Le Juste

الْمُقْسِطُ
Al-Muqsiṭ
L'Équitable

الْبَصِيرُ
Al-Baṣīr
Celui qui voit tout

الْحَسِيبُ
Al-Ḥasīb
Celui qui compte

السَّمِيعُ
As-Samī'
Celui qui entend tout

الرَّقِيبُ
Ar-Raqīb
Le Vigilant

الْخَبِيرُ
Al-Khabīr
L'Informé

الشَّهِيدُ
Ash-Shahīd
Le Témoin

الْبَاطِنُ
Al-Bāṭin
Le Caché

الْمُحْصِي
Al-Muḥṣī
Celui garde les comptes

الْحَقُّ
Al-Ḥaqq
La Vérité

الْمُؤَخِّرُ
Al-Mu'akhkhir
Celui qui retarde

الْمَانِعُ
Al-Māni'
Celui qui empêche

الرَّشِيدُ
Ar-Rashīd
Celui qui guide

Fraude

Méditations et Réflexions sur les Noms Excellents d'Allāh ﷻ

- Vous comprenez que Satan est votre ennemi et qu'il saisit la moindre opportunité pour vous inciter à manipuler les autres, à les tromper et à vous rendre ainsi coupable de trahison.
- Vous vous rappelez qu'Allāh ﷻ est la source de la vérité, qu'Il vous demande de vous illustrer par l'honnêteté et le bon caractère, loin de la fausseté et de la tromperie.
- Vous vous souvenez qu'Allāh ﷻ est le Témoin et qu'Il observe de telle façon que rien ne Lui échappe : il n'y a pas de « secrets » avec Allāh ﷻ. Sachant qu'Allāh ﷻ est l'Omniscient, vous êtes très attentif aux comptes que vous allez devoir Lui rendre et vous devenez donc très prudent dans vos actes.
- Vous faites très attention à vous comporter avec honnêteté dans tous vos actes afin d'éviter, le Jour du Jugement, un embarras et un échec immenses devant la parfaite justice et la parfaite honnêté.
- Vous promettez de suivre un chemin d'obéissance, libérant votre cœur des mauvaises intentions et vos mains des actes impurs.
- Vous vous rappelez que l'honnêteté et l'intégrité, dans la parole ou le commerce, vous offriront l'honneur d'être parmi la compagnie des Prophètes, des adeptes fidèles, des martyres et des pieux le Jour de la Résurrection.
- Vous vous rappelez que chaque mensonge, chaque fausseté, chaque moment de malhonnêteté marque votre cœur d'une tâche noire. Si vous n'arrêtez pas, vous avancerez, petit à petit, vers le point de non-retour : un cœur définitivement noirci. À ce stade, votre nom rejoint la liste des menteurs invétérés.
- Vous réalisez que vous allez devoir rendre des comptes à Allāh ﷻ, Celui qui compte, le Juste, l'Équitable, Celui qui retarde et Celui qui garde les comptes, Celui qui demande justice pour les victimes contre les coupables.
- Vous réalisez que le délai dans la punition des coupables fait partie de la sagesse ultime d'Allāh ﷻ, de Son vaste plan et qu'il ne faut jamais l'interpréter comme la possibilité d'échapper à cette punition.
- Vous réalisez que la mort est le « terminus » : après elle, vous n'avez plus aucun moyen d'accroître vos bonnes actions.
- Vous devenez un esprit conscient de ses bas instincts car il en a fait l'expérience. Un esprit qui connaît leurs tromperies, leurs illusions et leurs ruses. Ainsi, vous êtes sur vos gardes face à eux et vous les combattez avec vigilance.

Fraude

Aṣ-Ṣalāh Al-Ibrāhīmiyyah

اَللّٰهُمَّ صَلِّ عَلَى مُحَمَّدٍ وَعَلَى آلِ مُحَمَّدٍ كَمَا صَلَّيْتَ عَلَى
إِبْرَاهِيمَ وَآلِ إِبْرَاهِيمَ إِنَّكَ حَمِيدٌ مَجِيدٌ وَبَارِكْ عَلَى
مُحَمَّدٍ وَعَلَى آلِ مُحَمَّدٍ كَمَا بَارَكْتَ عَلَى إِبْرَاهِيمَ
وَآلِ إِبْرَاهِيمَ إِنَّكَ حَمِيدٌ مَجِيدٌ

Allāhumma ṣalli ʿalā Muḥammadin wa ʿalā āli Muḥammadin kamā ṣallayta ʿalā Ibrāhīm wa āli Ibrāhīm innaka ḥamīdum majīd, wa bārik ʿalā Muḥammadin wa ʿalā āli Muḥammadin kamā bārakta ʿalā Ibrāhīm wa āli Ibrāhīm innaka ḥamīdum majīd

Ô Seigneur ! Prie pour Muḥammad et pour la famille de Muḥammad comme Tu as prié pour Ibrāhīm et pour la famille d'Ibrāhīm. Et bénis Muḥammad et la famille de Muḥammad comme Tu as béni Ibrāhīm et la famille d'Ibrāhīm, Tu es certes Digne de louange et de glorification.
[Sunan An-Nasaī 1290]

Fraude

Reconnaître ses mauvaises actions

لَآ إِلَٰهَ إِلَّآ أَنتَ سُبْحَٰنَكَ إِنِّى كُنتُ مِنَ ٱلظَّٰلِمِينَ

Lā ilāha illā anta subḥānaka innī kuntu mina ẓ-ẓālimīn

Pas de divinité à part Toi ! Pureté à Toi ! J'ai été vraiment du nombre des injustes. [Al-Anbiyā 21:87]

Reconnaître ses fautes et demander pardon

رَبِّ إِنِّي ظَلَمْتُ نَفْسِي فَاغْفِرْ لِي

Rabbi innī ẓalamtu nafsī fa-ghfirlī

Seigneur, je me suis fait du tort à moi-même ; pardonne-moi. [Al-Qaṣaṣ 28:16]

Rechercher la vérité et s'abstenir du mensonge

اَللّٰهُمَّ أَرِنَا الْحَقَّ حَقًّا وَارْزُقْنَا اتِّبَاعَهُ، وَأَرِنَا الْبَاطِلَ بَاطِلًا وَوَفِّقْنَا لِاجْتِنَابِهِ

Allāhumma arina lḥaqqa ḥaqqān warzuqna ittibāʿahu wa arina l-bāṭila bāṭilan wa waffiqnā lijtinābih

Ô Allāh, montre-moi la vérité en tant que telle et guide-moi afin que je la suive. Montre-moi l'erreur en tant que tel et guide-moi afin que je m'en écarte. [Tafsīr Ibn Kathīr 1:571 sous le verset 2:213]

Fraude

Droit chemin et intégrité

اَللَّهُمَّ اهْدِنِي وَسَدِّدْنِي

Allāhumma hdinī wa saddidnī

Ô Allāh ! Guide-moi et accorde-moi la droiture. [Ṣaḥīḥ Muslim 2725]

Se protéger contre la richesse qui mène au châtiment

اَللَّهُمَّ إِنِّي أَعُوذُ بِكَ مِنْ مَالٍ يَكُونُ عَلَيَّ عَذَابًا

Allāhumma innī a'ūdhu bika min mālin yakūnu 'alayya 'adhābān

Ô Allāh, je cherche Ta protection contre la richesse qui se transformera en châtiment pour moi. [Aṭ-Ṭabarānī dans Ad-Du'ā 1339]

Se protéger contre les hommes corrompus

رَبِّ ٱنصُرْنِى عَلَى ٱلْقَوْمِ ٱلْمُفْسِدِينَ

Rabbi nṣurnī 'ala l-qawmi l-mufsidīn

Seigneur, donne-moi victoire sur ce peuple de corrupteurs. [Al-'Ankabūt 29:30]

Fraude

Se protéger contre la faute involontaire

بِسْمِ اللَّهِ تَوَكَّلْتُ عَلَى اللَّهِ اللَّهُمَّ إِنَّا نَعُوذُ بِكَ مِنْ أَنْ نَزِلَّ أَوْ نَضِلَّ أَوْ نَظْلِمَ أَوْ نُظْلَمَ أَوْ نَجْهَلَ أَوْ يُجْهَلَ عَلَيْنَا

Bismillāhi tawakkaltu ʿalā l-Lāhi Allāhumma innā naʿūdhu bika min an nazilla aw naḍilla aw naẓlima aw nuẓlama aw najhala aw yujhala ʿalaynā

Au nom de Dieu, je m'en remets en toute confiance à Dieu, Ô Allāh, protège-nous des péchés involontaires ou de l'égarement, empêche-nous de devenir des oppresseurs ou des opprimés, d'agir dans l'ignorance ou d'être traités par l'ignorance. [Jāmi` At-Tirmidhī 3427]

Se protéger contre le mal de son âme

اَللَّهُمَّ أَلْهِمْنِي رُشْدِي وَأَعِذْنِي مِنْ شَرِّ نَفْسِي

Allāhumma alhimnī rushdī, wa aʿidhnī min sharri nafsī

Ô Allāh, guide-moi par ton inspiration et protège-moi du mal de mon âme. [Jāmi` At-Tirmidhī 3483]

Fraude

Le pardon pour ses péchés

اَللّٰهُمَّ إِنِّي ظَلَمْتُ نَفْسِي ظُلْمًا كَثِيرًا، وَلاَ يَغْفِرُ الذُّنُوبَ إِلاَّ أَنْتَ، فَاغْفِرْ لِي مِنْ عِنْدِكَ مَغْفِرَةً، إِنَّكَ أَنْتَ الْغَفُورُ الرَّحِيمُ

Allāhumma innī ẓalamtu nafsī ẓulman kathīran, wa lā yaghfiru dh-dhunūba illa anta, fa-ghfirlī min 'indika maghfiratan, innaka anta l-ghafūru r-raḥīm

Ô Seigneur! J'ai été vraiment injuste envers moi-même. Et nul en dehors de Toi n'absout les péchés, accorde-moi donc une rémission de Ta part et fais-moi miséricorde, car Tu es certes le Pardonneur et le Très Miséricordieux. [Ṣaḥīḥ Al-Bukhārī 7387]

Se protéger contre la traîtrise

اَللّٰهُمَّ إِنِّي أَعُوذُ بِكَ مِنَ الْجُوعِ، فَإِنَّهُ بِئْسَ الضَّجِيعُ، وَأَعُوذُ بِكَ مِنَ الْخِيَانَةِ ، فَإِنَّهَا بِئْسَتِ الْبِطَانَةُ

Allāhumma innī a'ūdhu bika mina l-jū'i, fa innahū bi'saḍ ḍajī', wa a'ūdhu bika mina l-khiyānati, fa innahā bi'sati l-biṭānah

Ô Allāh! Je me réfugie auprès de Toi contre la faim, car c'est un bien mauvais compagnon et je me réfugie auprès de Toi contre la traîtrise, car c'est un bien mauvais caractère! [Sunan Abī Dawūd 1547]

Fraude

Prière pour une langue véridique, un cœur pur et un caractère droit

اَللَّهُمَّ إِنِّي أَسْأَلُكَ الثَّبَاتَ فِي الأَمْرِ وَأَسْأَلُكَ عَزِيمَةَ الرُّشْدِ وَأَسْأَلُكَ شُكْرَ نِعْمَتِكَ وَحُسْنَ عِبَادَتِكَ وَأَسْأَلُكَ لِسَانًا صَادِقًا وَقَلْبًا سَلِيمًا وَأَعُوذُ بِكَ مِنْ شَرِّ مَا تَعْلَمُ وَأَسْأَلُكَ مِنْ خَيْرِ مَا تَعْلَمُ وَأَسْتَغْفِرُكَ مِمَّا تَعْلَمُ إِنَّكَ أَنْتَ عَلَّامُ الْغُيُوبِ

Allāhumma innī as'aluka ath-thabāta fi l-'amri wa as'aluka 'azīmata r-rushdi wa as'aluka shukra ni'matika wa ḥusna 'ibādatika, wa as'aluka lisānan ṣādiqan, wa qalban salīman, wa a'ūdhu bika min sharri ma ta'lam, wa as'aluka min khayri ma ta'lam, wa astaghfiruka mimmā ta'lam, innaka anta 'allāmu l-ghuyūb

Ô Allāh, je Te demande le maintien sur la rectitude et la ferme volonté d'être bienfaisant. Je Te demande la gratitude envers Ta grâce et la meilleure dévotion dans Ton adoration. Je Te demande un cœur pur, une langue véridique et un caractère droit. Je Te demande tout bien que Tu connais et j'invoque Ta protection contre tout mal que Tu connais. J'implore Ton pardon pour ce que Tu sais (de mes péchés). Tu es Celui qui connaît tout ce qui est caché. [Jāmi` At-Tirmidhī 3407]

Mourir en homme vertueux

رَبَّنَا فَٱغْفِرْ لَنَا ذُنُوبَنَا وَكَفِّرْ عَنَّا سَيِّـَٔاتِنَا وَتَوَفَّنَا مَعَ ٱلْأَبْرَارِ

Rabbanā faghfirlanā dhunūbanā wa kaffir 'annā sayyi'ātina wa tawaffanā ma'a l-abrār

Seigneur, pardonne-nous nos péchés, efface nos méfaits, et place nous, à notre mort, avec les gens de bien. [Āl 'Imrān 3:193]

البُغض

Haine

ÉMOTIONS RELIÉES

Rétif | Aigri | Amer | Vindicatif | Hostile | Aggressif
Discuteur | Enragé | Furieux

NOMS D'ALLĀH ﷻ POUR L'INVOCATION

- **Ar-Raḥmān - Celui qui fait miséricorde**
- **Al-Ghafūr - Le Clément**
- **Al-Ḥalīm - L'Indulgent**
- **Al-Wadūd - Celui dont l'amour est constant**
- **At-Tawwāb - Celui qui ne cesse de revenir**
- **Al-Barr - Celui qui fait le bien**
- **As-Salām - La Paix**
- **Ar-Raḥīm - Le Miséricordieux**
- **Al-Ghaffār - Celui qui ne cesse de pardonner**

AṢ-ṢALĀH AL-IBRĀHĪMIYYAH

INVOCATIONS EXAUCÉES

- **Prière pour la paix**
- **Pour ôter la haine de votre poitrine**
- **Pour se prémunir contre l'amertume dans le cœur**
- **Pour le bien d'un autre croyant que vous avez blessé**
- **Pour rapprocher les cœurs et apaiser les relations**
- **Pour la protection d'Allāh ﷻ contre quelqu'un d'autre**
- **Pour obtenir la victoire sur son ennemi**

CHAPITRE 13

Haine [Bughd] البُغْض

Allāh ﷻ autorise certaines formes de haine. En effet, nous trouvons dans la révélation et les actions du Noble Prophète ﷺ l'idée que, dans certaines conditions, la haine de quelque chose peut avoir un certain mérite. Cependant, lorsqu'elle ne sert pas un noble dessein et dépasse les limites de la religion, la haine n'est jamais justifiée. Dans ce chapitre, nous ne parlons donc pas de la haine pour les choses désignées comme méprisables par Allāh ﷻ.

La méchanceté s'apparente également à la haine. Elle naît chez une personne qui ne peut ni se venger, ni obtenir réparation et dont la colère sera donc réprimée et frustrée. Plus forte encore, la rancœur (ghill) est une autre forme de colère et une émotion détestable. Elle s'enracine dans le cœur d'une personne extrêmement fâchée contre quelqu'un, au point de lui vouloir du mal.

Le Prophète ﷺ a dit un jour à ses Compagnons : « Voulez-vous voir un homme du Paradis ? » Un homme passa et le Prophète ﷺ dit : « Cet homme fait partie des gens du Paradis. » Un des compagnons du Prophète se chargea d'apprendre ce qui, chez cet homme, lui valait un tel éloge de la part du Messager d'Allāh ﷻ. Il passa du temps avec lui et l'observa de près. Il remarqua qu'il n'accomplissait ni la prière de nuit (tahajjud), ni quoi que ce soit d'extraordinaire : il semblait bien être un homme tout à fait normal de Médine. Le Compagnon décida finalement d'interroger l'homme, lui rapporta les propos du Prophète à son égard et lui demanda s'il pouvait expliquer ces éloges par une de ses qualités particulières. L'homme se mit à réfléchir puis finit par répondre : « La seule chose à laquelle je pense, en-dehors de ce que tu as toi-même observé, c'est que je m'assure de ne jamais dormir avec la moindre rancœur au fond de moi envers un croyant et que je n'envie personne pour aucun geste de bonté qu'Allāh ﷻ a eu à son égard. » C'était là son secret. [Musnad Aḥmad 12697]

Haine

Invocation des Noms d'Allāh ﷻ

الرَّحْمَانُ
Ar-Raḥmān
Celui qui fait miséricorde

الْغَفُورُ
Al-Ghafūr
Le Clément

الْحَلِيمُ
Al-Ḥalīm
L'Indulgent

الْوَدُودُ
Al-Wadūd
Celui dont l'amour est constant

التَّوَّابُ
At-Tawwāb
Celui qui ne cesse de revenir

الْبَرُّ
Al-Barr
Celui qui fait le bien

السَّلَامُ
As-Salām
La Paix

الرَّحِيمُ
Ar-Raḥīm
Le Miséricordieux

الْغَفَّارُ
Al-Ghaffār
Celui qui ne cesse de pardonner

Haine

Méditations et Réflexions sur les Noms Excellents d'Allāh ﷻ

- Vous comprenez que l'amour est un attribut d'Allāh ﷻ mais pas la haine, que la haine est l'absence d'amour et que seul l'amour peut ôter l'amertume et l'inimitié du cœur.

- Vous faites preuve de miséricorde envers les autres par votre douceur et non par la dispute, par un regard plein de bienveillance et non par la moquerie, n'épargnant aucun effort pour vous protéger de la colère d'Allāh ﷻ.

- Vous vous souvenez que la douceur (pas l'agressivité ou l'inimitié) fait partie des qualités les plus précieuses chez l'être humain.

- Vous devenez généreux et plein de largesses envers les autres, mais strict avec vous-même. Par dessus tout, vous vous interdisez d'exposer les fautes, les péchés et les mauvaises habitudes des autres car vous détesteriez que quelqu'un agisse ainsi avec les vôtres.

- Vous désirez pour les créatures d'Allāh ﷻ tout ce que vous désirez pour vous-mêmes. Et si les autres comptent plus que vous-mêmes, alors vous êtes encore plus noble.

- Vous comprenez que le serviteur au cœur libre est celui qui s'est débarassé du fardeau de ses passions. Ce même serviteur, dont les membres ne sont ni ternis par le péché, ni par la transgression, fera partie de ceux qui retourneront à Allāh ﷻ avec un cœur impeccable.

- Vous supportez les offenses et le mal qu'on vous inflige car vous réalisez qu'Allāh ﷻ demandera Lui-même des comptes aux responsables, et cela vous suffit.

- Vous savez que le serviteur aimant et attentionné est celui qui désire pour les créatures d'Allāh ﷻ ce qu'il désire pour lui-même. Cette vertu atteint sa perfection lorsque, malgré des expériences profondément négatives, ce serviteur ne cesse de se préoccuper très sincèrement du bien-être des autres.

Haine

Aṣ-Ṣalāh Al-Ibrāhīmiyyah

اَللّٰهُمَّ صَلِّ عَلَى مُحَمَّدٍ وَعَلَى آلِ مُحَمَّدٍ كَمَا صَلَّيْتَ عَلَى
إِبْرَاهِيمَ وَآلِ إِبْرَاهِيمَ إِنَّكَ حَمِيدٌ مَجِيدٌ وَبَارِكْ عَلَى
مُحَمَّدٍ وَعَلَى آلِ مُحَمَّدٍ كَمَا بَارَكْتَ عَلَى إِبْرَاهِيمَ
وَآلِ إِبْرَاهِيمَ إِنَّكَ حَمِيدٌ مَجِيدٌ

Allāhumma ṣalli 'alā Muḥammadin wa 'alā āli Muḥammadin kamā ṣallayta 'alā Ibrāhīm wa āli Ibrāhīm innaka ḥamīdum majīd, wa bārik 'alā Muḥammadin wa 'alā āli Muḥammadin kamā bārakta 'alā Ibrāhīm wa āli Ibrāhīm innaka ḥamīdum majīd

Ô Seigneur ! Prie pour Muḥammad et pour la famille de Muḥammad comme Tu as prié pour Ibrāhīm et pour la famille d'Ibrāhīm. Et bénis Muḥammad et la famille de Muḥammad comme Tu as béni Ibrāhīm et la famille d'Ibrāhīm, Tu es certes Digne de louange et de glorification.
[Sunan An-Nasaī 1290]

Haine

Prière pour la paix

اَللّٰهُمَّ أَنْتَ السَّلامُ وَمِنْكَ السَّلام تَبارَكْتَ يا ذا الجَلالِ وَالإِكْرام

Allāhumma anta s-salām wa minka s-salām tabārakta yā dhal jalāli wa l-ikrām

«Ô Allāh ! Tu es la Paix et c'est de Toi que provient la paix. Béni sois-Tu, ô Toi qui a la Majesté et la Magnificence.» [Ṣaḥīḥ Muslim 592]

Ôter la haine de votre poitrine

رَبِّ تَقَبَّلْ تَوْبَتِي وَاغْسِلْ حَوْبَتِي وَأَجِبْ دَعْوَتِي وَثَبِّتْ حُجَّتِي وَاهْدِ قَلْبِي وَسَدِّدْ لِسَانِي وَاسْلُلْ سَخِيمَةَ قَلْبِي

Rabbi taqabbal tawbatī wa-ghsil ḥawbatī wa-ajib da'watī wa-thabbit ḥujjatī wa-hdi qalbī wa saddid lisānī wa-slul sakhīmata qalbī

Seigneur, accepte mon repentir, lave-moi de mes péchés, réponds à mes prières, consolide ma parole et ma foi, guide mon cœur, préserve ma langue et ôte la rancœur de ma poitrine. [Sunan Abī Dawūd 1510]

Haine

Se prémunir contre l'amertume dans le coeur

رَبَّنَا ٱغْفِرْ لَنَا وَلِإِخْوَٰنِنَا ٱلَّذِينَ سَبَقُونَا بِٱلْإِيمَٰنِ وَلَا تَجْعَلْ فِى قُلُوبِنَا غِلًّا لِّلَّذِينَ ءَامَنُوا۟ رَبَّنَآ إِنَّكَ رَءُوفٌ رَّحِيمٌ

Rabbāna ghfir lanā wa li ikhwānina lladhīna sabaqūnā bi l-īmāni wa lā taj'al fī qulūbinā ghillal lilladhīna āmanu rabbāna innaka ra'ūfun r-raḥīm

Seigneur, pardonne-nous, ainsi qu'à nos frères qui nous ont précédés dans la foi; et ne mets dans nos cœurs aucune rancœur pour ceux qui ont cru. Seigneur, Tu es Compatissant et Très-Miséricordieux. [Al-Ḥashr 59:10]

Demander le bien pour un autre croyant que vous avez blessé

اَللّٰهُمَّ إِنِّي أَتَّخِذُ عِنْدَكَ عَهْدًا لَنْ تُخْلِفَنِيهِ فَإِنَّمَا أَنَا بَشَرٌ فَأَىُّ الْمُؤْمِنِينَ آذَيْتُهُ شَتَمْتُهُ لَعَنْتُهُ جَلَدْتُهُ فَاجْعَلْهَا لَهُ صَلاَةً وَزَكَاةً وَقُرْبَةً تُقَرِّبُهُ بِهَا إِلَيْكَ يَوْمَ الْقِيَامَةِ

Allāhumma innī attakhidhu 'indaka 'ahdan lan tukhlifanīhi fa innamā ana basharun fa ayyu l-mu'minīna ādhaytuhū shatamtuhū la'antuhū jaladtuhū faj'alhā lahū ṣalātan wa zakātan wa qurbatan tuqarribuhū bihā ilayka yawma l-qiyāmati

Ô Allāh, je Te demande une promesse qui ne sera jamais rompue. Je ne suis qu'un être humain. Chaque croyant que j'ai blessé, réprimandé, frappé ou maudit, transforme cela pour lui en miséricorde, en purification et en moyen de se rapprocher de Toi au Jour du Jugement. [Ṣaḥīḥ Muslim 2601b]

Haine

Rapprocher les cœurs et apaiser les relations

اَللّٰهُمَّ أَلِّفْ بَيْنَ قُلُوبِنَا وَأَصْلِحْ ذَاتَ بَيْنِنَا وَاهْدِنَا سُبُلَ السَّلَامِ وَنَجِّنَا مِنَ الظُّلُمَاتِ إِلَى النُّورِ وَجَنِّبْنَا الْفَوَاحِشَ مَا ظَهَرَ مِنْهَا وَمَا بَطَنَ وَبَارِكْ لَنَا فِي أَسْمَاعِنَا وَأَبْصَارِنَا وَقُلُوبِنَا وَأَزْوَاجِنَا وَذُرِّيَّاتِنَا وَتُبْ عَلَيْنَا إِنَّكَ أَنْتَ التَّوَّابُ الرَّحِيمُ وَاجْعَلْنَا شَاكِرِينَ لِنِعْمَتِكَ مُثْنِينَ بِهَا قَابِلِيهَا وَأَتِمَّهَا عَلَيْنَا

Allāhumma allif bayna qulūbina wa aṣliḥ dhāta bayninā wahdinā subula s-salāmi wa najjinā mina ẓ-ẓulumāti ila n-nūr, wa jannibna l-fawāḥisha ma ẓahara minhā wa ma baṭan, wa bārik lanā fī asmā'inā wa abṣārinā wa qulūbinā wa azwājinā wa dhurriyyātinā wa tub 'alaynā innaka anta t tawwābu r-raḥīm, wa-j'alnā shākirīna li ni'matika muthnīna bihā qābilīhā wa atimmahā 'alaynā

Ô Allāh, rapproche nos cœurs, apaise nos relations, et guide-nous sur le chemin de la paix. Fais-nous sortir de l'obscurité vers la lumière et éloigne-nous des obscénités manifestes ou cachées. Bénis nos oreilles, nos yeux, nos cœurs, nos épouses et nos enfants. Accepte notre repentance. Car Tu es le Pardonneur, le Très-Miséricordieux. Remplis-nous de gratitude pour Tes bienfaits afin que nous les recevions avec les louanges qui conviennent. Et embellis-les pour nous. [Sunan Abī Dawūd 969]

Haine

Protection d'Allāh ﷻ contre quelqu'un d'autre

رَبِّ أَعِنِّي وَلاَ تُعِنْ عَلَيَّ وَانْصُرْنِي وَلاَ تَنْصُرْ عَلَيَّ وَامْكُرْ لِي وَلاَ تَمْكُرْ عَلَيَّ
وَاهْدِنِي وَيَسِّرْ هُدَايَ إِلَيَّ وَانْصُرْنِي عَلَى مَنْ بَغَى عَلَيَّ

Rabbi a'innī wa la tu'in 'alyya wa-nṣurnī wa lā tanṣur 'alayya wa-mkur lī wa lā tamkur 'alayya wa-hdinī wa-yassir hudāya ilayya wa-nṣurnī 'alā man baghā 'alayya

Ô Allâh ! Aide-moi et n'aide personne contre moi. Soutiens-moi et ne soutiens personne contre moi. Sois un stratège pour moi et non contre moi. Guide-moi et facilite-moi le chemin de la droiture. Donne-moi le dessus sur quiconque transgresse mes droits. [Sunan Abī Dawūd 1510]

Obtenir la victoire sur son ennemi

اَللَّهُمَّ انْصُرْنَا عَلَى مَنْ عَادَانَا وَلاَ تَجْعَلْ مُصِيبَتَنَا فِي دِينِنَا وَلاَ تَجْعَلِ الدُّنْيَا
أَكْبَرَ هَمِّنَا وَلاَ مَبْلَغَ عِلْمِنَا وَلاَ تُسَلِّطْ عَلَيْنَا مَنْ لاَ يَرْحَمُنَا

Allāhumma nṣurnā 'alā man 'ādānā wa lā taj'al muṣīybatanā fī dīninā wa lā taj'alid dunyā akbara hamminā wa lā mablagha 'ilminā wa lā tusalliṭ 'alaynā man lā yarḥamunā

Ô Allāh, aide-nous à vaincre nos ennemis. Fais en sorte que les malheurs qui nous touchent n'influent pas sur notre religion, que ce bas monde ne soit pas notre plus grand souci, ni le seul que nos connaissances embrassent, et n'accorde aucun pouvoir sur nous à qui n'éprouve aucune clémence à notre égard. [Jāmi` At-Tirmidhī 3502]

البغض

الأمَل

Illusion

ÉMOTIONS RELIÉES

Indifférent | Paresseux | Négligent | Superstitieux | Apathique | Incertain
Ignorant | Irrationnel | Hésitant

NOMS D'ALLĀH سبحانه وتعالى POUR L'INVOCATION

- **Al-Malik - Le Roi**
- **Al-Mumīt - Celui qui donne la mort**
- **Al-Bāʿith - Celui qui ressuscite**
- **Al-Ḥakīm- Le Sage**
- **Al-Muʾmin - Celui qui inspire la foi**
- **Al-Muʿakhkhir - Celui qui retarde**

AṢ-ṢALĀH AL-IBRĀHĪMIYYAH

INVOCATIONS EXAUCÉES

- **Pour donner la priorité à la satisfaction d'Allāh سبحانه وتعالى**
- **Pour donner la priorité aux bonnes actions**
- **Pour la vérité et éviter le mensonge**
- **Pour le bien dans l'Au-Delà et se protéger contre le Feu**
- **Pour avoir espoir et confiance dans le dessein d'Allāh سبحانه وتعالى**
- **Pour placer sa confiance en Allāh سبحانه وتعالى**
- **Pour éviter la superstition**

CHAPITRE 14

Illusion [Amal] الأَمَل

L'illusion, lorsqu'elle est prolongée (tatwīl al-amal) devient un phénomène étrange. Pour de nombreuses personnes, il s'agit d'un phénomène psychique omniprésent, une sorte d'auto-persuasion quotidienne que la mort, les concernant, est encore loin. En parallèle, et en un clin d'œil, cette illusion peut agir comme un poison fulgurant et inspirer un comportement immoral ou, au minimum, noyer toute préoccupation spirituelle sous les tentations des biens matériels. Il s'agit d'une atmosphère mentale qui incite à vivre comme si nous avions la garantie d'une longue existence. Cette illusion, et donc aussi l'insouciance à l'égard de l'Au-Delà, peut engendrer la dureté de cœur et la chute dans l'inaction.

Une autre sorte d'espoir (umniyya) consiste à souhaiter quelque chose mais à négliger les moyens de l'obtenir. C'est ce qu'on appelle un « vœu pieux ». Par exemple, nous espérons une meilleure santé mais nous demeurons totalement inconscients et paresseux en matière d'alimentation.

Les causes de l'illusion (prolongée) peuvent être :

- L'insouciance face à la réalité de la mort
- Le manque de certitude (incrédulité) face à l'Au-Delà
- La vision négative de ce qu'est Allāh ﷻ, Son autorité et Sa présence
- L'ignorance du fait que toute chose (dans cette vie) dépend d'Allāh ﷻ et de Lui seul. Tout Lui appartient

Tous les enseignements des Prophètes, et donc toutes les religions révélées, insistent sur un point : l'entrée au Paradis dépend de la miséricorde d'Allāh ﷻ. La récompense de cette demeure éternelle appartient à celui ou celle qui ne cesse de confirmer sa profession de sa foi, et donc combine cette foi avec des actes sincères. En revanche, maintenir imprudemment l'illusion sera une grande cause d'exclusion du Paradis : nombreuses sont les âmes qui attestent l'Islām et qui, pourtant, se retrouveront jetées en Enfer le Jour du Jugement.

Illusion

Invocation des Noms d'Allāh ﷻ

الْمَلِكُ

Al-Malik
Le Roi

الْمُمِيتُ

Al-Mumīt
Celui qui donne la mort

الْبَاعِثُ

Al-Bā'ith
Celui qui ressuscite

الْحَكِيمُ

Al-Ḥakīm
Le Sage

الْمُؤْمِنُ

Al-Mu'min
Celui qui inspire la foi

الْمُؤَخِّرُ

Al-Mu'akhkhir
Celui qui retarde

Illusion

Méditations et Réflexions sur les Noms Excellents d'Allāh ﷻ

- Vous admettez finalement la puissance d'Allāh ﷻ et son autorité sur le monde.

- Vous méditez sur la réalité de la mort (soudaine et inattendue), ses souffrances et toutes les étapes après elle. Vous vous rappelez que la mort survient à tout âge et que vous n'aurez peut-être jamais l'occasion de vous repentir et de réparer vos fautes.

- Vous réalisez que le délai dans la punition des coupables fait partie de la sagesse ultime d'Allāh ﷻ, de Son vaste plan et qu'il ne faut jamais l'interpréter comme la possibilité d'échapper à cette punition.

- Vous réalisez que la mort est le grand « terminus » : après elle, vous n'avez plus aucun moyen d'accroître vos bonnes actions.

- Vous prenez conscience de la signification profonde de l'expression, pourtant très courte : « Lā ilāha illā Allāh ﷻ ». Vous l'interprétez (ou devriez le faire) comme une profession de foi puissante, un authentique témoignage du « carpe diem » qui contraste avec certaines de vos attitudes, en particulier l'indifférence, la paresse et la négligence concernant les actes d'adorations obligatoires. Afin d'arranger les choses et de travailler à l'accomplissement de votre religion, vous commencez à identifier « foi » avec « efforts ».

- Vous comprenez que la personne judicieuse, celle qui entretient sa sagesse, se détourne des privilèges éphémères, examine son âme et fait tous les efforts qui pourront lui bénéficier dans le monde à venir. De l'autre côté, la personne ignorante asservit son âme à ses caprices, ses passions, ses superstitions et ses illusions.

- Inspiré par Allāh ﷻ, vous êtes préservé de la chute dans les ténébres de la superstition et de la mécréance. Car Il a fait descendre la foi sur vous et vous indique le chemin qui mène jusqu'à Lui.

Illusion

Aṣ-Ṣalāh Al-Ibrāhīmiyyah

اَللّٰهُمَّ صَلِّ عَلَى مُحَمَّدٍ وَعَلَى آلِ مُحَمَّدٍ كَمَا صَلَّيْتَ عَلَى
إِبْرَاهِيمَ وَآلِ إِبْرَاهِيمَ إِنَّكَ حَمِيدٌ مَجِيدٌ وَبَارِكْ عَلَى
مُحَمَّدٍ وَعَلَى آلِ مُحَمَّدٍ كَمَا بَارَكْتَ عَلَى إِبْرَاهِيمَ
وَآلِ إِبْرَاهِيمَ إِنَّكَ حَمِيدٌ مَجِيدٌ

Allāhumma ṣalli 'alā Muḥammadin wa 'alā āli Muḥammadin kamā ṣallayta 'alā Ibrāhīm wa āli Ibrāhīm innaka ḥamīdum majīd, wa bārik 'alā Muḥammadin wa 'alā āli Muḥammadin kamā bārakta 'alā Ibrāhīm wa āli Ibrāhīm innaka ḥamīdum majīd

Ô Seigneur ! Prie pour Muḥammad et pour la famille de Muḥammad comme Tu as prié pour Ibrāhīm et pour la famille d'Ibrāhīm. Et bénis Muḥammad et la famille de Muḥammad comme Tu as béni Ibrāhīm et la famille d'Ibrāhīm, Tu es certes Digne de louange et de glorification.
[Sunan An-Nasaī 1290]

Illusion

Donner la priorité à la satisfaction d'Allāh ﷻ

اَللّٰهُمَّ اجْعَلْ خَيْرَ عُمُرِي آخِرَهُ، اللَّهُمَّ اجْعَلْ خَوَاتِيمَ عَمَلِي رِضْوَانَكَ، اللَّهُمَّ اجْعَلْ خَيْرَ أَيَّامِي يَوْمَ أَلْقَاكَ

Allāhumma j'al khayra 'umurī ākhirahu, Allāhumma j'al khawātima 'amalī ridwānaka, Allāhumma j'al khayra ayyāmī yawma alqāka

Ô Allâh! Fais que la dernière partie de ma vie soit la meilleure, ma dernière oeuvre la plus satisfaisante à Tes yeux et le jour de Ta rencontre le meilleur de mes jours. [Aṭ-Ṭabarānī in Al-Mu'jam Al-Awṣaṭ 9411]

Donner la priorité aux bonnes actions

اَللّٰهُمَّ أَصْلِحْ لِي دِينِي الَّذِي هُوَ عِصْمَةُ أَمْرِي، وَأَصْلِحْ لِي دُنْيَايَ الَّتِي فِيهَا مَعَاشِي، وَأَصْلِحْ لِي آخِرَتِي الَّتِي فِيهَا مَعَادِي وَاجْعَلِ الْحَيَاةَ زِيَادَةً لِي فِي كُلِّ خَيْرٍ وَاجْعَلِ الْمَوْتَ رَاحَةً لِي مِنْ كُلِّ شَرٍّ

Allāhumma aṣliḥ lī dīni-llathī huwa 'iṣmatu amrī, wa aṣliḥ lī dunyā-ya allatī fīhā ma'āshī, wa aṣliḥ lī ākhiratī allatī fīhā ma'ādī, wa-j'ali-l ḥayāta ziyādatan lī fī kulli khayr, wa-j'ali-l mawta rāḥatan lī min kulli sharrin

Ô Allāh, améliore pour moi ma religion qui est ma protection contre toute erreur, améliore pour moi la vie d'ici-bas où se trouve ma subsistance, améliore pour moi la vie future où je dois absolument retourner, fais de ma vie une source d'accroissement de tout bien et fait de ma mort une délivrance de tout mal. [Ṣaḥīḥ Muslim 2720]

Illusion

Chercher la vérité et éviter le mensonge

اَللّٰهُمَّ أَرِنَا الْحَقَّ حَقًّا وَارْزُقْنَا اتِّبَاعَهُ، وَأَرِنَا الْبَاطِلَ بَاطِلًا وَوَفِّقْنَا لِاجْتِنَابِهِ

Allāhumma arina-l ḥaqqa ḥaqqān wa-rzuqna-ittibā'ahu wa arina-l bāṭila bāṭilan wa wa-waffiqnā li-ijtinābihi

Ô Allāh, montre-moi la vérité en tant que telle et guide-moi afin que je la suive. Montre-moi l'erreur en tant que tel et guide-moi afin que je m'en écarte. [Tafsīr Ibn Kathīr 1:571 sous le verset 2:213]

Le bien dans l'Au-Delà et la protection contre le Feu

رَبَّنَا آتِنَا فِي الدُّنْيَا حَسَنَةً وَفِي الْآخِرَةِ حَسَنَةً وَقِنَا عَذَابَ النَّارِ

Rabbanā ātinā fi-d-dunyā ḥasanatan wa fi-l-'ākhirati ḥasanatan wa qinā adhāba an-nār

« Seigneur ! Accorde-nous belle part ici-bas, et belle part aussi dans l'au-delà ; et protège-nous du châtiment du Feu ! » [Al-Baqarah 2:201]

L'espoir et la confiance dans le dessein d'Allāh ﷻ

اَللّٰهُمَّ رَحْمَتَكَ أَرْجُو فَلَا تَكِلْنِي إِلَى نَفْسِي طَرْفَةَ عَيْنٍ وَأَصْلِحْ لِي شَأْنِي كُلَّهُ لَا إِلَهَ إِلَّا أَنْتَ

Allāhumma raḥmataka arjū, falā takilnī ilā nafsī ṭarfata 'aynin, wa aṣliḥ lī sha'nī kullahu, lā ilāha illā anta

Ô Allāh, je porte l'espoir de Ta miséricorde. Ne m'abandonne pas à moi-même, ne serait-ce qu'un instant, mais rétablis l'ordre pour moi dans tout ce qui me concerne. Il n'existe aucun dieu en-dehors de Toi. [Sunan Abī Dawūd 5090]

Illusion

Placer sa confiance en Allāh ﷻ

اَللّٰهُمَّ لَا طَيْرَ إِلاَّ طَيْرُك، وَلا خَيْرَ إِلاّ خَيْرُك، وَلَا إِلٰهَ غَيْرُك

Allāhumma lā ṭayra illā ṭayruk, wa khayra khayruk, wa ilāha ghayruk

Ô Allāh, il n'y aucun présage en-dehors des Tiens, aucun bien en-dehors du Tien et personne d'autre que Toi ne mérite l'adoration. [Musnad Aḥmad 7045]

Éviter la superstition

بِسْمِ اللهِ الَّذِي لَا يَضُرُّ مَعَ اسْمِهِ شَيْءٌ فِي الْأَرْضِ وَلَا فِي السَّمَاءِ وَهُوَ السَّمِيعُ الْعَلِيمُ

Bismillāhi-lladhī lā yaḍurru ma'a ismihī shay'un fil arḍi wa fi-s-samā'i wa huwa s-samī'u-l 'alīm

Au nom d'Allāh, Celui dont par le nom rien ne peut nuire que ce soit sur la terre ou dans les cieux, et Il est Celui qui entend, l'Omniscient. [Sunan Abī Dawūd 5088]

كُفْرَانُ النِّعَم

Inconscience des bienfaits ou Ingratitude

ÉMOTIONS RELIÉES

Indigne | Indifférent | Désinvolte | Aigri | Cynique | Réfractaire | Hostile | Apathique | Arrogant | Envieux | Étourdi | Rétif Immature | Inquiet | Négligent | Inconscient

NOMS D'ALLĀH سُبْحَانَهُ وَتَعَالَىٰ POUR L'INVOCATION

- **Al-Laṭīf - Le Bienveillant**
- **Al-Karīm - Le Généreux**
- **Al-Wahhāb - Celui qui donne**
- **Ash-Shakūr - Le Reconnaissant**
- **Al-Ḥakīm - Le Sage**
- **Al-Majīd - L'Honorable**
- **Al-Bāsiṭ - Le Prodigue**
- **Al-Qābiḍ - Celui qui saisit**
- **Aẓ-Ẓāhir - Le Manifeste**

AṢ-ṢALĀH AL-IBRĀHĪMIYYAH

INVOCATIONS EXAUCÉES

- **Pour se contenter de ses biens**
- **Pour qu'Allāh ﷻ nous aide à être reconnaissant envers Lui**
- **Pour être inspiré par la gratitude face aux faveurs d'Allāh ﷻ**
- **Pour être toujours reconnaissant et revenir sans cesse à Allāh ﷻ**
- **Pour recevoir les bienfaits d'Allāh ﷻ avec les louanges qui conviennent**
- **Pour être reconnaissant pour tous bienfaits d'Allāh ﷻ**
- **Pour remercier beaucoup Allāh ﷻ pour Ses bienfaits**
- **Pour témoigner de la gratitude pour les dons d'Allāh ﷻ**
- **Pour reconnaître tous les bienfaits reçus le matin**
- **Pour reconnaître tous les bienfaits reçus le soir**
- **Pour témoigner de la gratitude pour le fait de manger, de boire et d'avoir un abri**
- **Pour la protection d'Allāh ﷻ contre la suppression de Sa protection et de Ses bienfaits**

CHAPITRE 15

Inconscience des bienfaits ou Ingratitude

[Kufrān an-Ni'am] كُفْرَانُ النِّعَم

Allāh ﷻ déclare dans le Qur'ān : « Et tout ce que vous avez comme bienfait provient d'Allāh. » [An-Naḥl 16:53]

Il est possible de mépriser ces bienfaits, de se montrer volontairement hostile et amère à leur égard, d'en faire une véritable posture, une sorte de « pied de nez » à la grâce d'Allāh ﷻ. D'une manière plus passive, un individu peut ignorer les bienfaits d'Allāh ﷻ, ne pas s'en rendre compte par une faiblesse de discernement. Dans un cas comme dans l'autre, ce manque de reconnaissance témoigne de l'ingratitude.

Allāh ﷻ dit également :

- « Et (souvenez-vous) lorsque votre Seigneur proclama : « Si vous êtes reconnaissants, très certainement J'augmenterai [Mes bienfaits] pour vous. Mais si vous êtes ingrats, Mon châtiment sera terrible ». » [Ibrāhīm 14:7]
- « Souvenez-vous de Moi donc. Je me souviendrai de vous. Remerciez-Moi et ne soyez pas ingrats envers Moi ! » [Al-Baqarah 2:152]

Le Prophète ﷺ a dit : « Si le bonheur l'atteint (le croyant), il est reconnaissant (envers Allāh ﷻ). » [Ṣaḥīḥ Muslim 2999:64]

Inconscience des bienfaits ou Ingratitude

Invocation des Noms d'Allāh سبحانه وتعالى

اللَّطِيفُ
Al-Laṭīf
Le Bienveillant

الْكَرِيمُ
Al-Karīm
Le Généreux

الْوَهَّابُ
Al-Wahhāb
Celui qui donne

الشَّكُورُ
Ash-Shakūr
Le Reconnaissant

الْحَكِيمُ
Al-Ḥakīm
Le Sage

الْمَجِيدُ
Al-Majīd
L'Honorable

الْبَاسِطُ
Al-Bāsiṭ
Le Prodigue

الْقَابِضُ
Al-Qābiḍ
Celui qui saisit

الظَّاهِرُ
Aẓ-Ẓāhir
Le Manifeste

Inconscience des bienfaits ou Ingratitude

Méditations et Réflexions sur les Noms Excellents d'Allāh ﷻ

- Vous vous rappelez de tout ce dont l'univers est pourvu par la grâce d'Allāh ﷻ, cette variété de choses tant remarquables par leur beauté qu'exquises par leur conception. Quant à votre propre univers physique et mental, lorsque vous en considérez les proportions, la forme et tout ce qu'il vous permet de réaliser, même si vous n'y pensez qu'un court instant, vous êtes plein de gratitude. Cette gratitude vous incite à multiplier vos efforts spirituels et à accomplir la prière : conscient de tout ce que vous recevez, vous voulez donner en retour.

- Vous faites preuve de gratitude intellectuelle, celle qui se manifeste dans votre manière d'employer vos yeux, vos oreilles, votre langue et vos membres. Vous réalisez que la meilleure forme de gratitude envers Allāh ﷻ consiste à s'en servir pour Lui obéir, pas l'inverse.

- Ce regain de sagesse vous apprend à ressentir de la satisfaction dans votre adoration mais aussi à être constant. Vous avez conscience que ce sont cette constance et ces petits actes réguliers qui vous feront gagner les trésors d'Allāh ﷻ.

- Vos sens révèlent maintenant une réalité incontestable : les merveilles de la Création d'Allāh ﷻ sont partout !

- Vous réexaminez les termes du Tawḥīd (Unicité divine), la profession de foi, cette simple et pourtant profonde déclaration dans laquelle vous témoignez de la grandeur et des bienfaits d'Allāh ﷻ : nulle divinité digne d'adoration en-dehors d'Allāh ﷻ. Nul bienfait en-dehors d'Allāh ﷻ. En conséquence, vous considérez que celui qui méprise Ses bienfaits se montre hostile envers Lui.

Inconscience des bienfaits ou Ingratitude

Aṣ-Ṣalāh Al-Ibrāhīmiyyah

اَللّٰهُمَّ صَلِّ عَلَى مُحَمَّدٍ وَعَلَى آلِ مُحَمَّدٍ كَمَا صَلَّيْتَ عَلَى
إِبْرَاهِيمَ وَآلِ إِبْرَاهِيمَ إِنَّكَ حَمِيدٌ مَجِيدٌ وَبَارِكْ عَلَى
مُحَمَّدٍ وَعَلَى آلِ مُحَمَّدٍ كَمَا بَارَكْتَ عَلَى إِبْرَاهِيمَ
وَآلِ إِبْرَاهِيمَ إِنَّكَ حَمِيدٌ مَجِيدٌ

Allāhumma ṣalli ʿalā Muḥammadin wa ʿalā āli Muḥammadin kamā ṣallayta ʿalā Ibrāhīm wa āli Ibrāhīm innaka ḥamīdum majīd, wa bārik ʿalā Muḥammadin wa ʿalā āli Muḥammadin kamā bārakta ʿalā Ibrāhīm wa āli Ibrāhīm innaka ḥamīdum majīd

Ô Seigneur ! Prie pour Muḥammad et pour la famille de Muḥammad comme Tu as prié pour Ibrāhīm et pour la famille d'Ibrāhīm. Et bénis Muḥammad et la famille de Muḥammad comme Tu as béni Ibrāhīm et la famille d'Ibrāhīm, Tu es certes Digne de louange et de glorification.
[Sunan An-Nasaī 1290]

Inconscience des bienfaits ou Ingratitude

Se contenter de ses biens

اَللّٰهُمَّ قَنِّعْنِي بِمَا رَزَقْتَنِي، وَبَارِكْ لِي فِيهِ، وَاخْلُفْ عَلَيَّ كُلَّ غَائِبَةٍ لِي بِخَيْرٍ

Allāhumma qanniʿnī bimā razaqtanī wa bārik lī fīhi, wa khluf ʿalā kulli ghāʾibatin lī bi khayrin

Ô Allāh, rends-moi satisfait de la subsistance que Tu m'as accordée, bénis-moi à travers elle et place un bien pour moi dans chaque chose que je ne possède pas. [Al-Ḥākim 1878]

De l'aide pour être reconnaissant envers Allāh ﷻ

اَللّٰهُمَّ أَعِنِّي عَلَى ذِكْرِكَ وَشُكْرِكَ وَحُسْنِ عِبَادَتِكَ

Allāhumma aʿinnī ʿalā dhikrika wa shukrika wa ḥusni ʿibādatika

Ô Allāh, aide-nous à nous souvenir de Toi, à témoigner de la gratitude envers Toi, à atteindre l'excellence dans Ton adoration. [Sunan Abī Dawūd 1522]

Inconscience des bienfaits ou Ingratitude

Inspiration pour la gratitude face aux faveurs d'Allāh ﷻ

رَبِّ أَوْزِعْنِيٓ أَنْ أَشْكُرَ نِعْمَتَكَ ٱلَّتِيٓ أَنْعَمْتَ عَلَيَّ وَعَلَىٰ وَٰلِدَيَّ وَأَنْ أَعْمَلَ صَٰلِحًا تَرْضَىٰهُ وَأَدْخِلْنِي بِرَحْمَتِكَ فِي عِبَادِكَ ٱلصَّٰلِحِينَ

Rabbi awzi'nī an ashkura ni'matika llatī an'amta 'alayya wa 'alā wālidayya wa an a'mala ṣāliḥan tarḍāhu wa adkhilnī bi raḥmatika fī 'ibādika ṣ-ṣāliḥīn

Permets-moi Seigneur, de rendre grâce pour les bienfaits dont Tu m'as comblé ainsi que mes père et mère, et que je fasse une bonne œuvre que tu agrées et fais-moi entrer, par Ta miséricorde, parmi Tes serviteurs vertueux. [An-Naml 27:19]

Être toujours reconnaissant et sans cesse revenir à Allāh ﷻ

رَبِّ اجْعَلْنِي لَكَ شَكَّارًا لَكَ ذَكَّارًا لَكَ رَهَّابًا لَكَ مِطْوَاعًا لَكَ مُخْبِتًا إِلَيْكَ أَوَّاهًا مُنِيبًا

Rabbi j'alnī laka shakkārā, laka dhakkārā, laka rahhābā, laka miṭwā'ā, laka mukhbitan ilayka awwāhan munībā

Seigneur, fais-en sorte, sans cesse, que je Te sois reconnaissant, que je me rappelle de Toi, que je Te craigne, que je T'obéisse, que je sois humble devant Toi, que je me tourne et fasse retour vers Toi. [Jāmi' At-Tirmidhī 3551]

Inconscience des bienfaits ou Ingratitude

Recevoir les bienfaits d'Allāh ﷾ avec les louanges qui conviennent

اَللّٰهُمَّ اجْعَلْنَا شَاكِرِينَ لِنِعْمَتِكَ مُثْنِينَ بِهَا قَابِلِيهَا وَأَتِمَّهَا عَلَيْنَا

Allāhumma j'alnā shākirīna li ni'matika muthnīna bihā qābilīhā wa atimmahā 'alaynā

Ô Allāh, remplis-nous de gratitude pour Tes bienfaits afin que nous les recevions avec les louanges qui conviennent. Et embellis-les pour nous. [Sunan Abī Dawūd 969]

Être reconnaissant pour tous les bienfaits d'Allāh ﷾

اَلْحَمْدُ لِلّٰهِ الَّذِي يُطْعِمُ وَلَا يُطْعَمُ، مَنَّ عَلَيْنَا فَهَدَانَا وَأَطْعَمَنَا وَأَسْقَانَا، وَكُلَّ بَلَاءٍ حَسَنٍ أَبْلَانَا، الْحَمْدُ لِلّٰهِ غَيْرَ مُوَدَّعٍ وَلَا مُكَافِي وَلَا مَكْفُورٍ وَلَا مُسْتَغْنًى عَنْهُ، الْحَمْدُ لِلّٰهِ الَّذِي أَطْعَمَ مِنَ الطَّعَامِ، وَسَقَى مِنَ الشَّرَابِ، وَكَسَى مِنَ الْعُرْيِ، وَهَدَى مِنَ الضَّلَالَةِ، وَبَصَّرَ مِنَ الْعَمَى، وَفَضَّلَ عَلَى كَثِيرٍ مِمَّنْ خَلَقَ تَفْضِيلًا، الْحَمْدُ لِلّٰهِ رَبِّ الْعَالَمِينَ

Alḥamdu lillāhi lladhī yuṭ'imu walā yuṭ'am, manna 'alaynā fa hadānā wa aṭ'amanā wa saqānā, wa kulla balā'in ḥasanin ablānā. Alḥamdu lillāhi ghayra muwadda'in mukāfī makfūrin mustaghnan 'anhu. Alḥamdu aṭ'ama mina ṭ-ṭa'āmi, wa saqā mina sh-sharābi, wa kasā mina l-'uryi, wa hadā mina ḍ-ḍalālati, wa baṣṣara mina l-'amā, wa faḍḍala 'ala kathīrin mimman khalaqa tafḍīlā. Alḥamdu lillāhi rabbi l-'ālamīn

La louange est à Allāh ﷾, Celui qui pourvoit pour toute chose et qui n'a nul besoin de subsistance, Celui qui nous a offert Ses bienfaits, qui nous a guidés, nous a donné à manger et à boire, et qui nous a

accordé chaque bienfait. La louange est à Allāh ﷻ dont la grâce ne peut ni être abandonnée, ni être compensée, ni souffrir l'ingratitude, et sans laquelle rien ne peut s'accomplir. La louange est à Allāh ﷻ qui nous a donné à manger et à boire, nous a vêtus alors que nous étions nus, nous a guidés hors de l'égarement, nous a offert la vue alors que nous étions aveugles et a étendu largement Ses faveurs sur le reste de Sa création. Toute la louange est à Allāh ﷻ, Seigneur des Univers.
[Ibn As-Sunnī dans 'Amal Al-Yawm wa Al-Laylah 896]

Remercier beaucoup Allāh ﷻ pour Ses bienfaits

اَللّٰهُمَّ اجْعَلْنِي أُعَظِّمُ شُكْرَكَ وَأُكْثِرُ ذِكْرَكَ وَأَتَّبِعُ نَصِيحَتَكَ وَأَحْفَظُ وَصِيَّتَكَ

Allāhumma j'alnī u'aẓimu shukraka wa ukthiru dhikraka wa attabi'u naṣīḥataka wa aḥfaẓu waṣiyyataka

Ô Allāh, fais-en sorte que je Te remercie beaucoup pour Tes bienfaits, que je me souvienne souvent de Toi, que je suive Ton enseignement et que je veille sur Tes commandements. [Jāmi` At-Tirmidhī 3604]

Témoigner de la gratitude pour les dons d'Allāh ﷻ

اَللّٰهُمَّ إِنِّي أَسْأَلُكَ الثَّبَاتَ فِي الأَمْرِ وَأَسْأَلُكَ عَزِيمَةَ الرُّشْدِ وَأَسْأَلُكَ شُكْرَ نِعْمَتِكَ وَحُسْنَ عِبَادَتِكَ

Allāhumma innī as'alukath thabāta fī l-amri wa as'aluka 'azīmata r-rushdi wa as'aluka shukra ni'matika wa ḥusna 'ibādatika

Ô Seigneur, je Te demande d'affermir mes décisions et de m'inspirer la fermeté dans la droiture. Je Te demande de me permettre d'être reconnaissant pour Ton bienfait et de parfaire Ton adoration. [Jāmi` At-Tirmidhī 3407]

Inconscience des bienfaits ou Ingratitude

Reconnaître tous les bienfaits reçus le matin

اَللّٰهُمَّ مَا أَصْبَحَ بِي مِنْ نِّعْمَةٍ أَوْ بِأَحَدٍ مِّنْ خَلْقِكَ، فَمِنْكَ وَحْدَكَ لَا شَرِيْكَ لَكَ، فَلَكَ الْحَمْدُ وَلَكَ الشُّكْرُ

Allāhumma mā aṣbaḥa bī min ni'matin aw bi aḥadin min khalqika, fa minka waḥdaka lā sharīka laka, fa laka l-ḥamdu wa laka sh-shukr

Ô Allāh, tous les bienfaits que moi, ou n'importe quel être de Ta création, avons reçu le matin viennent uniquement de Toi. Tu n'as pas d'associé. À Toi seul appartiennent toutes les louanges et les remerciements. [Sunan Abī Dawūd 5073]

Reconnaître tous les bienfaits reçus le soir

اَللّٰهُمَّ مَا أَمْسَى بِي مِنْ نِّعْمَةٍ أَوْ بِأَحَدٍ مِّنْ خَلْقِكَ، فَمِنْكَ وَحْدَكَ لَا شَرِيْكَ لَكَ، فَلَكَ الْحَمْدُ وَلَكَ الشُّكْرُ

Allāhumma mā amsā bī min ni'matin aw bi aḥadin min khalqika, fa minka waḥdaka lā sharīka laka, fa laka l-ḥamdu wa laka sh-shukr

Ô Allāh, tous les bienfaits que moi, ou n'importe quel être de Ta création, avons reçu le soir viennent uniquement de Toi. Tu n'as pas d'associé. À Toi seul appartiennent toutes les louanges et les remerciements. [Sunan Abī Dawūd 5073]

Inconscience des bienfaits ou Ingratitude

Témoigner de la gratitude pour le fait de manger, de boire et d'avoir un abri

اَلْحَمْدُ لِلّٰهِ الَّذِي أَطْعَمَنَا وَسَقَانَا وَكَفَانَا وَآوَانَا فَكَمْ مِمَّنْ لَا كَافِيَ لَهُ وَلَا مُؤْوِيَ

Alḥamdu lillāhi lladhī aṭ'amanā wa saqānā, wa kafānā, wa āwānā, fakam mimman lā kāfiya lahū wa mu'wī

Louange à Allāh qui nous a nourris, abreuvés, épargnés et abrités. Car combien sont ceux qui n'ont personne pour leur offrir la subsistance ou l'asile. [Ṣaḥīḥ Muslim 2715]

Protection d'Allāh ﷻ contre la suppression de Sa protection et de Ses bienfaits

اَللّٰهُمَّ إِنِّي أَعُوذُ بِكَ مِنْ زَوَالِ نِعْمَتِكَ وَتَحَوُّلِ عَافِيَتِكَ وَفُجَاءَةِ نِقْمَتِكَ وَجَمِيعِ سَخَطِكَ

Allāhumma innī a'ūdhu bika min zawāl ni'matika wa taḥawwuli 'āfiyatika wa fujā'ati niqmatika wa jamī' sakhatika

Ô Allāh ! Je demande Ta protection contre la suppression de Tes bienfaits, de Ton salut, de la santé dont Tu m'as comblé ! Ne m'expose ni à Ton Châtiment soudain, ni à tout ce qui provoque Ta Colère ! [Ṣaḥīḥ Muslim 2739]

البَغْي

Injustice

ÉMOTIONS RELIÉES

Anxieux | Vulnérable | Impuissant | Inquiet | Menacé | Abattu
Hostile | Malveillant | Agité | Frustré | Arrogant | Impitoyable
Méprisant | Cruel | Fourbe | Déprimé | Déçu
Égocentrique | Craintif | Frustré | Furieux | Manipulateur | Négligent
Imprudent | Désinvolte | Lâche

NOMS D'ALLĀH ﷻ POUR L'INVOCATION

- **Al-Malik - Le Roi**
- **Ar-Raḥmān - Celui qui fait miséricorde**
- **Ar-Raḥīm - Le Miséricordieux**
- **Al-Mu'min - Celui qui inspire la foi**
- **Al-Muhaymin - Le Surveillant**
- **Ar-Raqīb - Le Vigilant**
- **Al-Waliyy - L'Ami protecteur**
- **Al-'Adl - Le Juste**
- **Al-Baṣīr - Celui qui voit tout**
- **Al-Khabīr - L'Informé**
- **Al-Muqsiṭ - L'Équitable**
- **Al-Muntaqim - Le Vengeur**
- **Al-Mujīb - Celui qui répond**
- **Al-Qawiyy - Le Fort**
- **Al-Matīn - L'Inébranlable**
- **Al-Wālī - Le Gouverneur**

AṢ-ṢALĀH AL-IBRĀHĪMIYYAH

INVOCATIONS EXAUCÉES

- **Pour obtenir de l'aide**
- **Pour placer sa confiance en Allāh ﷻ Seul**
- **Pour la force dans la quête de la satisfaction d'Allāh ﷻ**
- **Pour soulager l'inquiétude et l'angoisse**
- **Pour se protéger contre le fait d'opprimer ou d'être opprimé**
- **Pour se protéger contre la domination**
- **Pour se protéger contre le mal des autres**
- **Pour la protection d'Allāh ﷻ contre quelqu'un d'autre**
- **Pour se protéger contre l'égarement, la maltraitance et le comportement insensé**
- **Pour la protection d'Allāh ﷻ**
- **Pour se protéger contre la persécution des hommes**
- **Pour se protéger contre les calamités et les ennemies**
- **Pour soulager le monde de la difficulté et atteindre la victoire contre un ennemi**
- **Pour réparer le fait d'avoir blessé, frappé ou maudit un autre croyant**

CHAPITRE 16

Injustice [Baghy] البَغْي

L'injustice, ou baghy, consiste à léser un élément de la création sans en avoir le droit ou sans légitimité. Elle est généralement provoquée par un esprit piégé et envouté par l'amour des biens et des prestiges de ce monde. Lorsque cette croûte épaisse recouvre le cœur, plus aucune barrière morale ne l'empêche de causer du tort aux autres. Cependant, Allāh ﷻ promet dans Son Qur'ān que l'iniquité et l'injustice se retourneront toujours, en fin de compte, contre leurs auteurs :

« Ô gens ! Votre transgression ne retombera que sur vous-mêmes. »
[Yūnus 10:23]

Le Prophète ﷺ a dit : « Vous assisterez après moi au favoritisme et aux pratiques que vous désapprouverez. » **Quelqu'un demande** : « Que nous conseilles-tu de faire dans de tels cas, ô Envoyé d'Allāh ﷻ ? » **Le Prophète ﷺ répondit** : « Acquittez-vous de vos devoirs envers les autres et invoquez vos droits auprès d'Allāh ﷻ ! » [Ṣaḥīḥ Al-Bukhārī 7052]

Injustice

Invocation des Noms d'Allāh سُبْحَانَهُ وَتَعَالَى

الْمَلِكُ	الرَّحْمَانُ	الرَّحِيمُ	الْمُؤْمِنُ
Al-Malik **Le Roi**	**Ar-Raḥmān** **Celui qui fait miséricorde**	**Ar-Raḥīm** **Le Miséricordieux**	**Al-Mu'min** **Celui qui inspire la foi**
الْمُهَيْمِنُ	الرَّقِيبُ	الْوَلِيُّ	الْعَدْلُ
Al-Muhaymin **Le Surveillant**	**Ar-Raqīb** **Le Vigilant**	**Al-Waliyy** **L'Ami protecteur**	**Al-'Adl** **Le Juste**
الْبَصِيرُ	الْخَبِيرُ	الْمُقْسِطُ	الْمُنْتَقِمُ
Al-Baṣīr **Celui qui voit tout**	**Al-Khabīr** **L'Informé**	**Al-Muqsiṭ** **L'Équitable**	**Al-Muntaqim** **Le Vengeur**
الْمُجِيبُ	الْقَوِيُّ	الْمَتِينُ	الْوَالِي
Al-Mujīb **Celui qui répond**	**Al-Qawiyy** **Le Fort**	**Al-Matīn** **L'Inébranlable**	**Al-Wālī** **Le Gouverneur**

Injustice

Méditations et Réflexions sur les Noms Excellents d'Allāh

- Vous vous souvenez qu'Allāh Seul est la Vérité et le Gouverneur Absolu. Nous, Ses sujets, ne pouvons qu'obéir à Ses commandements.
- Vous comprenez l'importance de faire preuve de justice envers les autres, que cette justice consiste à faire en sorte que les passions et la colère soient guidées par la raison et la religion.
- Vous prenez conscience que votre existence et votre survie dépendent des soins d'Allāh, de Sa protection, de Sa sûreté et de Sa sécurité. Cela vous rappelle que vous devez témoigner des mêmes vertus auprès des autres.
- Vous réalisez qu'il est de votre devoir de faire preuve de la plus grande gentillese, de la plus pure justice et de la plus profonde miséricorde envers votre famille et vos proches, ou envers ceux qui se placent sous votre autorité ou votre responsabilité.
- Vous vous souvenez qu'Allāh est le Témoin et qu'Il observe de telle façon que rien ne Lui échappe. Il aperçoit vos inquiétudes les plus profondes et ce qui vous rend vulnérable. Vous prenez conscience qu'Il vous épargnera tout ce qui menace, et à tous niveaux, votre bien-être. Ainsi, il est inutile de s'en prendre aux autres ou de priver qui que ce soit de ce qui lui appartient légitimement.
- Vous vous retenez d'agir injustement car vous réalisez qu'Allāh donnera à chacun sa juste rétribution. Il punira sévèrement les oppresseurs après leur avoir offert tous les moyens du repentir.
- Vous ressentez encore plus de conviction, de sincérité et de ferveur dans l'espoir qu'Allāh répondra de la meilleure des manières à vos prières (inquiétudes ou angoisses).
- Vous comprenez que chaque ami d'Allāh qui se sépare d'attitudes immorales ou lourdement injustes, surtout lorsqu'il pourrait y trouver une sorte de bénéfice fugace, trouvera un bien meilleur butin en choisissant d'attendre la récompense d'Allāh, le Jour des Comptes.
- Vous comprenez que l'esprit apaisé et la perfection morale appartiennent à celui qui demande justice pour les opprimés contre les oppresseurs. C'est le summum de la justice et de l'équité.
- Vous étudiez la vie du Prophète Muḥammad et de ses pieux héritiers : dans leurs vies et leurs décrets concernant les affaires légales, ils ont perpétué la justice en prenant d'abord soin d'être, eux-mêmes, justes envers les autres.

Injustice

Aṣ-Ṣalāh Al-Ibrāhīmiyyah

اَللّٰهُمَّ صَلِّ عَلَى مُحَمَّدٍ وَعَلَى آلِ مُحَمَّدٍ كَمَا صَلَّيْتَ عَلَى
إِبْرَاهِيمَ وَآلِ إِبْرَاهِيمَ إِنَّكَ حَمِيدٌ مَجِيدٌ وَبَارِكْ عَلَى
مُحَمَّدٍ وَعَلَى آلِ مُحَمَّدٍ كَمَا بَارَكْتَ عَلَى إِبْرَاهِيمَ
وَآلِ إِبْرَاهِيمَ إِنَّكَ حَمِيدٌ مَجِيدٌ

Allāhumma ṣalli 'alā Muḥammadin wa 'alā āli Muḥammadin kamā ṣallayta 'alā Ibrāhīm wa āli Ibrāhīm innaka ḥamīdum majīd, wa bārik 'alā Muḥammadin wa 'alā āli Muḥammadin kamā bārakta 'alā Ibrāhīm wa āli Ibrāhīm innaka ḥamīdum majīd

Ô Seigneur ! Prie pour Muḥammad et pour la famille de Muḥammad comme Tu as prié pour Ibrāhīm et pour la famille d'Ibrāhīm. Et bénis Muḥammad et la famille de Muḥammad comme Tu as béni Ibrāhīm et la famille d'Ibrāhīm, Tu es certes Digne de louange et de glorification.
[Sunan An-Nasaī 1290]

Injustice

Obtenir de l'aide

أَنِّي مَغْلُوبٌ فَٱنتَصِرْ

Annī maghlūbun fa-ntaṣir

Je suis vaincu ! Alors prête assistance ! [Al-Qamar 54:10]

Placer sa confiance en Allāh سبحانه وتعالى seul

حَسْبُنَا ٱللَّهُ وَنِعْمَ ٱلْوَكِيلُ

Ḥasbuna allāhu wa ni'ma l-wakīl

Allāh nous suffit ; Il est notre meilleur Garant. [Āl 'Imrān 3:173]

Force dans la quête de la satisfaction d'Allāh سبحانه وتعالى

اَللّٰهُمَّ إِنِّي ضَعِيفٌ فَقَوِّ فِي رِضَاكَ ضَعْفِي، وَخُذْ إِلَى الْخَيْرِ بِنَاصِيَتِي، وَاجْعَلِ الْإِسْلَامَ مُنْتَهَى رِضَائِي، اللَّهُمَّ إِنِّي ضَعِيفٌ فَقَوِّنِي، وَإِنِّي ذَلِيلٌ فَأَعِزَّنِي، وَإِنِّي فَقِيرٌ فَاغْنِنِي

Allāhumma innī ḍa'īfun fa qawwi fi riḍāka ḍa'fi, wa khudh ilal khayri bi nāṣiyatī, waj'alil Islāma muntahā ridā-ī, Allāhumma innī ḍa'īfun fa qawwinī wa innī dhalīlun fa a-'izzanī wa innī faqīrun faghninī

Ô Allāh, je suis faible, remplace ma faiblesse par la force dans ma quête pour Ta satisfaction. Tire-moi par les cheveux vers le bien. Fais de l'Islām l'objet ultime de mon plaisir. Ô Allāh, je suis si faible... renforce-moi ! Je suis si bas... honore-moi ! Je suis si dépourvu... Enrichis-moi ! [Aṭ-Ṭabarānī dans Al-Mu'jam Al-Awṣaṭ 6575]

Injustice

Soulager l'inquiétude et l'angoisse

اَللّٰهُمَّ فَارِجَ الْهَمِّ، كَاشِفَ الْغَمِّ، مُجِيبَ دَعْوَةِ الْمُضْطَرِّينَ،
رَحْمَانَ الدُّنْيَا وَالْآخِرَةِ وَرَحِيمَهُمَا، أَنْتَ تَرْحَمُنِي، فَارْحَمْنِي بِرَحْمَةٍ تُغْنِينِي بِهَا
عَنْ رَحْمَةِ مَنْ سِوَاكَ

Allāhumma fārija l-hammi kāshifa l-ghammi mujīb da'wati l-muḍ ṭarrīn, raḥmāna d-dunyā wa lākhirati wa raḥīmahumā, anta tarḥamunī farḥamnī bi raḥmatin tughnīnī bihā 'an raḥmati man siwāk

Ô Allāh, Toi qui soulages l'inquiétude et apaises l'angoisse, Toi qui réponds à l'appel du désespéré, le Très-Miséricordieux et le Tout-Miséricordieux dans ce monde et le suivant. Tu es Celui qui peut m'accorder la miséricorde, alors accorde-la moi afin que je puisse me passer de la miséricorde de toute autre personne. [Al-Ḥākim 1898]

INJUSTICE

Se protéger contre le fait d'opprimer ou d'être opprimé

بِسْمِ اللّٰهِ تَوَكَّلْتُ عَلَى اللّٰهِ اللَّهُمَّ إِنَّا نَعُوذُ بِكَ مِنْ أَنْ نَزِلَّ أَوْ نَضِلَّ أَوْ نَظْلِمَ أَوْ
نُظْلَمَ أَوْ نَجْهَلَ أَوْ يُجْهَلَ عَلَيْنَا

Bismillāhi tawakkaltu 'alā Allāhi Allāhumma innī a'ūdhu bika min an nazilla aw naḍilla aw naẓlima aw nuẓlama aw najhala aw yujhala 'alaynā

Ô Allāh, protège-nous des péchés involontaires ou de l'égarement, empêche-nous de devenir des oppresseurs ou des opprimés, d'agir dans l'ignorance ou d'être traités par l'ignorance. [Jāmi' At-Tirmidhī 3427]

Injustice

Se protéger contre la domination

اَللّٰهُمَّ إِنِّي أَعُوذُ بِكَ مِنَ الْهَمِّ وَالْحَزَنِ وَالْعَجْزِ وَالْكَسَلِ وَالْجُبْنِ وَالْبُخْلِ
وَضَلَعِ الدَّيْنِ وَغَلَبَةِ الرِّجَالِ

Allāhumma innī a'ūdhu bika mina lhammi wa l-ḥazani wa l-'ajzi wa l-kasali wa l-jubni wa l-bukhli wa ḍala'i d-dayni wa ghalabati r-rijāl

Seigneur ! Préserve-moi des soucis et de la tristesse, de la faiblesse et de la paresse, de l'avarice et de la lâcheté, de l'endettement et de la dépendance aux hommes ! [Ṣaḥīḥ Al-Bukhārī 6369]

Se protéger contre le mal des autres

اَللّٰهُمَّ إِنَّا نَجْعَلُكَ فِي نُحُورِهِمْ وَنَعُوذُ بِكَ مِنْ شُرُورِهِمْ

Allāhumma innā naj'aluka fī nuḥūrihim wa na'ūdhu bika min shurūrihim

Ô Allāh, nous Te demandons de les retenir par la nuque, et nous demandons Ta protection contre leur mal. [Sunan Abī Dawūd 1537]

Injustice

Protection d'Allāh ﷻ contre quelqu'un d'autre

رَبِّ أَعِنِّي وَلاَ تُعِنْ عَلَيَّ وَانْصُرْنِي وَلاَ تَنْصُرْ عَلَيَّ وَامْكُرْ لِي وَلاَ تَمْكُرْ عَلَيَّ
وَاهْدِنِي وَيَسِّرْ هُدَاىَ إِلَيَّ وَانْصُرْنِي عَلَى مَنْ بَغَى عَلَيَّ

Rabbi a'innī wa la tu'in 'alyya wa-nṣurnī wa lā tanṣur 'alayya wa-mkur lī wa lā tamkur 'alayya wa-hdinī wa yassir hudāya ilayya wa-nṣurnī 'alā man baghā 'alayya

Ô Allāh ! Aide-moi et n'aide personne contre moi. Soutiens-moi et ne soutiens personne contre moi. Sois un stratège pour moi et non contre moi. Guide-moi et facilite-moi le chemin de la droiture. Donne-moi le dessus sur quiconque transgresse mes droits. [Sunan Abī Dawūd 1510]

Se protéger contre l'égarement, la maltraitance et le comportement insensé

اَللّٰهُمَّ إِنِّي أَعُوذُ بِكَ أَنْ أَضِلَّ أَوْ أُضَلَّ أَوْ أَزِلَّ أَوْ أُزَلَّ أَوْ أَظْلِمَ أَوْ أُظْلَمَ أَوْ
أَجْهَلَ أَوْ يُجْهَلَ عَلَيَّ

Allāhumma innī a'ūdhu bika an aḍilla, aw uḍalla, aw azilla, aw uzalla, aw aẓlima, aw uẓlama, aw ajhala aw yujhala 'alayya

Ô Allāh, je demande Ta protection pour ne point égarer (les autres), ni être égaré, pour ne point humilier, ni être humilié, pour ne point opprimer, ni être opprimé, pour ne point être un ignorant ni le devenir. [Sunan Abī Dawūd 5094]

Injustice

Protection d'Allāh ﷻ

اَللّٰهُمَّ وَاقِيَةً كَوَاقِيَةِ الْوَلِيدِ

Allāhumma wāqiyatan kawāqiyati l-walīd

Ô Allāh, je Te demande de me protéger comme Tu protèges un enfant. [Musnad Abī Ya'lā 5527]

Protection contre la persécution des hommes

رَبَّنَا لَا تَجْعَلْنَا فِتْنَةً لِّلْقَوْمِ ٱلظَّٰلِمِينَ وَنَجِّنَا بِرَحْمَتِكَ مِنَ ٱلْقَوْمِ ٱلْكَٰفِرِينَ

Rabbanā lā taj'alnā fitnatan lil qawmiẓ ẓālimīn wa najjinā bi raḥmatika mina l-qawmil l-kāfirīn

Ô notre Seigneur, ne fais pas de nous une cible pour les persécutions des injustes. Et délivre-nous, par Ta miséricorde, des gens mécréants [Yūnus 10:85-86]

Injustice

Se protéger contre les calamités et les ennemies

اَللّٰهُمَّ إِنِّي أَعُوذُ بِكَ مِنْ جَهْدِ الْبَلَاءِ، وَدَرَكِ الشَّقَاءِ، وَسُوءِ الْقَضَاءِ، وَشَمَاتَةِ الْأَعْدَاءِ

Allāhumma innī a'ūdhu bika min jahdi l-balā'i wa daraki sh-shaqā'i wa sū'i l-qaḍā'i wa shamātati l-a'dā'i

Ô Allāh, je me réfugie auprès de Toi contre la persistance des calamités, le concours des malheurs, les injustices et tout ce qui peut faire, à mes dépens, le bonheur des ennemis. [Ṣaḥīḥ Al-Bukhārī 6616]

Soulager le monde de la difficulté et atteindre la victoire contre un ennemi

اَللّٰهُمَّ اقْسِمْ لَنَا مِنَ الْيَقِينِ مَا تُهَوِّنُ بِهِ عَلَيْنَا مُصِيبَاتِ الدُّنْيَا وَانْصُرْنَا عَلَى مَنْ عَادَانَا وَلَا تُسَلِّطْ عَلَيْنَا مَنْ لَا يَرْحَمُنَا

Allahumma iqsim lanā mina l-yaqīni ma tuhawwinu bihī 'alaynā muṣībāti d-dunya, wa-nṣurnā 'alā man 'ādānā wa lā tusalliṭ 'alaynā man lā yarḥamunā

Ô Allāh, donne-nous l'intime conviction que Tu allègeras pour nous les difficultés de ce monde. Aide-nous à vaincre celui qui s'avère être notre ennemi. Et ne nous impose pas la domination de quelqu'un qui n'a pas de pitié envers nous. [Jāmi` At-Tirmidhī 3502]

Injustice

Réparer le fait d'avoir blesser, frapper ou maudit un autre croyant

اَللّٰهُمَّ إِنِّي أَتَّخِذُ عِنْدَكَ عَهْدًا لَنْ تُخْلِفَنِيهِ فَإِنَّمَا أَنَا بَشَرٌ فَأَيُّ الْمُؤْمِنِينَ
آذَيْتُهُ شَتَمْتُهُ لَعَنْتُهُ جَلَدْتُهُ فَاجْعَلْهَا لَهُ صَلاَةً وَزَكَاةً وَقُرْبَةً تُقَرِّبُهُ بِهَا إِلَيْكَ
يَوْمَ الْقِيَامَةِ

Allāhumma innī attakhidhu ʿindaka ʿahdan lan tukhlifanīhi fa innamā ana basharun fa ayyu l-muʾminīna ādhaytuhū shatamtuhū laʿantuhū jaladtuhū fa jʿalhā lahū ṣalātan wa zakātan wa qurbatan tuqarribuhū bihā ilayka yawma lqiyāmati

Ô Allāh, je Te demande une promesse qui ne sera jamais rompue. Je ne suis qu'un être humain. Chaque croyant que j'ai blessé, réprimandé, frappé ou maudit, transforme cela pour lui en miséricorde, en purification et en moyen de se rapprocher de Toi au Jour du Jugement.

[Ṣaḥīḥ Muslim 2601b]

الغَفلَة

Insoucience

ÉMOTIONS RELIÉES

Indifférent | Étourdi | Paresseux | Inattentif | Imprudent | Ignorant
Apathique | Égaré | Insensible | Négligent | Désinvolte
Obstiné | Inconscient

NOMS D'ALLĀH ﷻ POUR L'INVOCATION

- **An-Nūr - La Lumière**
- **Al-Hādī - Le Guide**
- **Ar-Rashīd - Celui qui guide**
- **Al-Quddus - Le Sacré**
- **Ar-Raqīb - Le Vigilant**
- **Al-Khabīr - L'Informé**
- **Al-Bā'ith - Celui qui ressuscite**
- **Al-Muqaddim - Celui qui approche**
- **Al-'Afuww - L'Indulgent**

AṢ-ṢALĀH AL-IBRĀHĪMIYYAH

INVOCATIONS EXAUCÉES

- **Pour accomplir la prière et être exaucé**
- **Pour se protéger contre la paresse**
- **Pour être pardonné de ses oublis et erreurs**
- **Pour être pardonné de l'ignorance et la négligence**
- **Pour être pardonné des fautes commises en privé et en public**
- **Pour la conscience de Dieu et l'obéissance**
- **Pour la pleine conscience dans les actes**
- **Pour la fidélité et la miséricorde**
- **Pour la fermeté dans la religion**
- **Pour la fermeté et la détermination**
- **Pour la fermeté jusqu'à la fin**
- **Pour l'aisance sur la voie droite**

CHAPITRE 17

Insouciance

[Ghaflah] الغَفْلَة

L'insouciance, ou ghaflah, consiste à négliger (manquer d'attention pour) ce qui a pourtant infiniment plus d'importance dans notre vie (que les biens matériels) : ce qu'Allāh ﷻ nous a ordonné et ce qu'Il nous a interdit. Ici, il est question de l'insouciance dans sa forme la plus redoutable : l'insouciance du dessein d'Allāh ﷻ, des comptes que nous devons Lui rendre, de la Résurrection, de l'Heure Ultime et du Jugement dans l'Au-Delà.

Selon les savants, l'insouciance est l'agent pathogène qui engendre toutes les autres maladies du cœur. Le mughaffal (imbécile) est celui qu'on trompe facilement, c'est-à-dire celui qui est détourné des choses essentielles et substantielles pour se pencher plutôt vers ce qui est éphémère et, en fin de compte, inutile.

Insouciance

Invocation des Noms d'Allāh سُبْحَانَهُ وَتَعَالَى

النُّورُ

An-Nūr
La Lumière

الْهَادِي

Al-Hādī
Le Guide

الرَّشِيدُ

Ar-Rashīd
Celui qui guide

الْقُدُّوسُ

Al-Quddus
Le Sacré

الرَّقِيبُ

Ar-Raqīb
Le Vigilant

الْخَبِيرُ

Al-Khabīr
L'Informé

الْبَاعِثُ

Al-Bā'ith
Celui qui ressuscite

الْمُقَدِّمُ

Al-Muqaddim
Celui qui approche

الْعَفُوُّ

Al-'Afuww
L'Indulgent

Insouciance

Méditations et Réflexions sur les Noms Excellents d'Allāh ﷻ

- Vous réalisez qu'Allāh ﷻ guide qui Il veut vers sa divine sagesse en lui montrant la vérité et en lui inspirant la volonté de s'y conformer.

- Vous faites tout ce que vous pouvez pour vous purifier en œuvrant à la piété, en respectant l'injonction coranique à commander le bien et éloigner le mal.

- Vous comprenez l'importance de la vigilance, qu'un cœur et des actions dirigés vers Allāh ﷻ sont dignes d'éloges.

- Vous réalisez qu'Allāh ﷻ vous observe et vous aperçoit dans chaque situation.

- Vous vous rappelez que votre propre âme est un adversaire et que Satan est un ennemi qui vous pousse vers les actes précipités et imprudents. Si vous écoutez Satan et vos bas instincts, ils vous précipiteront dans l'oubli, la désobéissance et, finalement, l'insouciance.

- Vous savez qu'un « mughaffal » (un imbécile) est celui qu'on trompe facilement, c'est-à-dire celui qui est détourné des choses essentielles et substantielles pour se pencher plutôt vers ce qui est éphémère et, en fin de compte, inutile.

- Vous adoptez une attitude vigilante envers votre âme comme envers Satan. Vous observez les occasions qu'ils choisissent pour tenter de vous tromper et, ainsi, vous parvenez à protéger votre cœur.

- Vous tenez un journal dans lequel vous méditez sur le nombre d'actes d'adoration que vous accomplissez. Vous le consultez souvent et vous essayez d'améliorer les petits actes réguliers : vous savez qu'ils sont les plus efficaces pour maintenir un cap et éviter de s'empêtrer dans les soucis du quotidien.

- Vous vous souvenez du véritable but de cette vie, des comptes que vous allez devoir rendre au Créateur, de la Résurrection, de la Dernière Heure et du Jugement dans l'Au-Delà.

Insouciance

Aṣ-Ṣalāh Al-Ibrāhīmiyyah

اَللَّهُمَّ صَلِّ عَلَى مُحَمَّدٍ وَعَلَى آلِ مُحَمَّدٍ كَمَا صَلَّيْتَ عَلَى
إِبْرَاهِيمَ وَآلِ إِبْرَاهِيمَ إِنَّكَ حَمِيدٌ مَجِيدٌ وَبَارِكْ عَلَى
مُحَمَّدٍ وَعَلَى آلِ مُحَمَّدٍ كَمَا بَارَكْتَ عَلَى إِبْرَاهِيمَ
وَآلِ إِبْرَاهِيمَ إِنَّكَ حَمِيدٌ مَجِيدٌ

Allāhumma ṣalli 'alā Muḥammadin wa 'alā āli Muḥammadin kamā ṣallayta 'alā Ibrāhīm wa āli Ibrāhīm innaka ḥamīdum majīd, wa bārik 'alā Muḥammadin wa 'alā āli Muḥammadin kamā bārakta 'alā Ibrāhīm wa āli Ibrāhīm innaka ḥamīdum majīd

Ô Seigneur ! Prie pour Muḥammad et pour la famille de Muḥammad comme Tu as prié pour Ibrāhīm et pour la famille d'Ibrāhīm. Et bénis Muḥammad et la famille de Muḥammad comme Tu as béni Ibrāhīm et la famille d'Ibrāhīm, Tu es certes Digne de louange et de glorification.
[Sunan An-Nasaī 1290]

Insouciance

Accomplir la prière et être exaucé

رَبِّ ٱجْعَلْنِى مُقِيمَ ٱلصَّلَوٰةِ وَمِن ذُرِّيَّتِى ۚ رَبَّنَا وَتَقَبَّلْ دُعَآءِ

Rabbi j'alnī muqīma ṣ-ṣalāti wa min dhurriyyatī rabbanā wa taqabbal du'ā'

Ô mon Seigneur ! Fais que j'accomplisse assidûment la Salât ainsi qu'une partie de ma descendance ; exauce ma prière, ô notre Seigneur ! [Ibrāhīm 14:40]

Se protéger contre la paresse

اَللّٰهُمَّ إِنِّي أَعُوذُ بِكَ مِنَ الْهَمِّ وَالْحَزَنِ وَالْعَجْزِ وَالْكَسَلِ وَالْجُبْنِ وَالْبُخْلِ وَضَلَعِ الدَّيْنِ وَغَلَبَةِ الرِّجَالِ

Allahumma innī a'ūdhu bika mina l-hammi wa l-ḥazani wa l-'ajzi wa l-kasali wa l-jubni wa l-bukhli wa ḍala'i d dayni wa ghalabati r-rijāl

Seigneur ! Préserve-moi des soucis et de la tristesse, de la faiblesse et de la paresse, de l'avarice et de la lâcheté, de l'endettement et de la dépendance aux hommes ! [Ṣaḥīḥ Al-Bukhārī 6369]

InsoucIance

Le pardon pour l'oubli et l'erreur

رَبَّنَا لَا تُؤَاخِذْنَآ إِن نَّسِينَآ أَوْ أَخْطَأْنَاۚ رَبَّنَا وَلَا تَحْمِلْ عَلَيْنَآ إِصْرًا كَمَا حَمَلْتَهُۥ عَلَى ٱلَّذِينَ مِن قَبْلِنَاۚ رَبَّنَا وَلَا تُحَمِّلْنَا مَا لَا طَاقَةَ لَنَا بِهِۦ وَٱعْفُ عَنَّا وَٱغْفِرْ لَنَا وَٱرْحَمْنَآۚ أَنتَ مَوْلَىٰنَا فَٱنصُرْنَا عَلَى ٱلْقَوْمِ ٱلْكَٰفِرِينَ

Rabbānā lā tu'ākhidhnā in nasīna aw akhta'nā, rabbanā wa lā taḥmil 'alaynā iṣrān kamā ḥamaltahu 'ala lladhīna min qablina, wa lā tuḥammilnā mā ṭāqata la nā bihi, wa'fu 'annā wa-ghfir lanā wa-rḥamnā anta mawlānā fa-nṣurnā 'ala l-qawmi l-kāfirīn

Seigneur, ne nous châtie pas s'il nous arrive d'oublier ou de commettre une erreur. Seigneur ! Ne nous charge pas d'un fardeau lourd comme Tu as chargé ceux qui vécurent avant nous. Seigneur ! Ne nous impose pas ce que nous ne pouvons supporter, efface nos fautes, pardonne-nous et fais-nous miséricorde. Tu es Notre Maître, accorde-nous donc la victoire sur les peuples infidèles. [Al-Baqarah 2:286]

Le pardon pour l'ignorance et la négligence

اَللّٰهُمَّ اغْفِرْ لِي خَطِيئَتِي وَجَهْلِي وَإِسْرَافِي فِي أَمْرِي، وَمَا أَنْتَ أَعْلَمُ بِهِ مِنِّي، اَللّٰهُمَّ اغْفِرْ لِي هَزْلِي وَجِدِّي وَخَطَايَ وَعَمْدِي، وَكُلُّ ذَلِكَ عِنْدِي

Allāhumma ghfirlī khaṭī'atī wa jahlī wa isrāfī fī amrī, wa mā anta a'lamu bihī minnī, Allāhumma ghfirlī hazlī wa jiddī wa khaṭāya wa 'amdī wa kullu dhālika 'indī

Seigneur, pardonne-moi mes péchés, mon ignorance et toute extravagance que j'ai pu commettre, ainsi que tout ce dont Tu es bien mieux informé que moi. Seigneur, pardonne-moi mes actes délibérés, mes plaisanteries comme mes faits et dires sérieux, ainsi que toutes les choses qui me sont comptées. [Ṣaḥīḥ Al-Bukhārī 6399]

Insoucience

Le pardon pour les fautes commises en privé et en public

اَللّٰهُمَّ اغْفِرْ لِي مَا قَدَّمْتُ وَمَا أَخَّرْتُ وَمَا أَسْرَرْتُ وَمَا أَعْلَنْتُ وَمَا أَنْتَ أَعْلَمُ بِهِ مِنِّي أَنْتَ الْمُقَدِّمُ وَأَنْتَ الْمُؤَخِّرُ وَأَنْتَ عَلَى كُلِّ شَيْءٍ قَدِيرٌ

Allāhumma ghfir lī mā qaddamtu wa mā akhkhartu wa mā asrartu wa mā a'lantu wa mā anta a 'lamu bihī minnī, anta l-muqaddim wa antal mu'akhkhir wa anta 'alā kulli shay'in qadīr

Ô Allāh, Pardonne-moi les péchés que j'ai déjà commis et ceux à venir, ceux que j'ai accomplis en secret ou en public, et ceux dont Tu es bien plus au fait que moi. Tu es Celui qui avance et Celui qui retarde, et Tu es Capable de toute chose. [Ṣaḥīḥ Muslim 2719a]

Conscience de Dieu et obéissance

اَللّٰهُمَّ اجْعَلْنِي أَخْشَاكَ حَتَّى كَأَنِّي أَرَاكَ أَبَدًا حَتَّى أَلْقَاكَ، وَأَسْعِدْنِي بِتَقْوَاكَ، وَلَا تُشْقِنِي بِمَعْصِيَتِكَ

Allāhumma j'alnī akhshāka ḥattā ka'annī arāka abadan ḥattā alqāka, wa as'idnī bi taqwāka wa lā tushqinī bi ma'ṣiyatika

Ô Allāh, fais-moi Te craindre comme si je Te voyais en permanence jusqu'à Ta rencontre. Que la taqwa (crainte d'Allāh ﷻ mêlée de piété) fasse de moi un bienheureux. Que je ne sois pas damné par désobéissance envers Toi. [5982 Aṭ-Ṭabarānī in Al-Mu'jam Al-Awṣaṭ]

Insoucance

La pleine conscience dans les actes

اَللَّهُمَّ اجْعَلْنِي مِنَ الَّذِينَ إِذَا أَحْسَنُوا اسْتَبْشَرُوا وَإِذَا أَسَاءُوا اسْتَغْفَرُوا

Allāhumma j'alnī mina-lladhīna idhā aḥsanū istabsharū wa idhā asā'ū istaghfarū

Ô Allāh, place-moi parmi ceux qui se réjouissent lorsqu'ils commettent un acte vertueux, et qui cherchent Ton pardon lorsqu'ils commettent un péché. [Sunan Ibn Mājah 3820]

Fidélité et miséricorde

اَللَّهُمَّ أَقْبِلْ بِقَلْبِي إِلَى دِينِكَ، وَاحْفَظْ مَنْ وَرَاءَنَا بِرَحْمَتِكَ

Allāhumma aqbil bi qalbī ilā dīnik wa-ḥfaẓ man warā'anā bi raḥmatika

Ô Allāh, tourne mon cœur vers Ta religion et protège-nous de toute part par Ta miséricorde. [Musnad Abī Ya'lā 3485]

Fermeté dans la religion

يَا مُقَلِّبَ الْقُلُوبِ ثَبِّتْ قَلْبِي عَلَى دِينِكَ

Yā muqalliba l-qulūbi thabbit qalbī 'alā dīnika

Ô Toi qui retourne les cœurs, maintiens mon cœur ferme dans Ta religion. [Jāmi` At-Tirmidhī 3522]

Insouciance

Fermeté et détermination

اَللّٰهُمَّ إِنِّي أَسْأَلُكَ الثَّبَاتَ فِي الأَمْرِ وَالْعَزِيمَةَ عَلَى الرُّشْدِ

Allāhumma innī as'aluka th-thabāta fi l-'amri
wa l-'azīmati 'ala r-rushdi

Ô Allāh, je Te demande la fermeté dans les affaires (de la religion) et je Te demande la détermination sur le droit chemin. [Sunan An-Nasaī 1304]

Fermeté jusqu'à la fin

يَا وَلِيَّ الْإِسْلَامِ وَأَهْلِهِ، ثَبِّتْنِي بِهِ حَتَّى أَلْقَاكَ

Yā Waliyya l-Islāmi wa ahlihi, thabbitnī bihī ḥattā alqāka

Ô Gardien de l'Islām et de ses adeptes, garde-moi fermement en lui (l'islam) jusqu'à Ta rencontre. [Aṭ-Ṭabarānī in Al-Mu'jam Al-Awsaṭ 661]

Aisance sur la voie droite

رَبِّ أَعِنِّي وَلاَ تُعِنْ عَلَيَّ وَانْصُرْنِي وَلاَ تَنْصُرْ عَلَيَّ وَامْكُرْ لِي وَلاَ تَمْكُرْ عَلَيَّ
وَاهْدِنِي وَيَسِّرِ الْهُدَى لِي

Rabbi a'innī wa lā tu'in 'alayya wa-nṣurnī wa lā tanṣur 'alayya
wa-mkur lī wa lā tamkur 'alayya wa-hdinī wa yassiri l-hudā lī

Ô Allâh ! Aide-moi et n'aide personne contre moi. Accorde-moi la victoire et ne l'accorde à personne contre moi. Sois un stratège pour moi et non contre moi. Et facilite pour moi le Chemin droit. [Jāmi` At-Tirmidhī 3551]

INSOUCIANCE

كَرَاهِيَةُ الإِسْتِنْكَار

Mécontentement face aux critiques et aux reproches

ÉMOTIONS RELIÉES

Agité | Anxieux | Discuteur | Fourbe
Amer | Sombre | Frustré | Blessé | Contrarié
Déprimé | Déçu | Abattu | Rétif | Obstiné
Réticent | Troublé | Énervé

NOMS D'ALLĀH سبحانه وتعالى POUR L'INVOCATION

- **Al-Ḥamīd - Le Digne de louange**
- **Al-Mu'izz - Celui qui donne l'honneur**
- **Al-Khāfiḍ - Celui qui abaisse**
- **Ar-Rāfi' - Celui qui élève**
- **Al-Ḥakīm - Le Sage**
- **Al-Ḥaqq - La Vérité**

AṢ-ṢALĀH AL-IBRĀHĪMIYYAH

INVOCATIONS EXAUCÉES

- **Pour éviter le mécontentement d'Allāh سبحانه وتعالى**
- **Pour ne placer sa confiance qu'en Allāh سبحانه وتعالى**
- **Pour obtenir la conviction de la vérité**
- **Pour la vérité, être guidé et s'écarter du mensonge**
- **Pour la sagesse et l'honneur**
- **Pour la satisfaction d'Allāh سبحانه وتعالى**

CHAPITRE 18

Mécontentement face aux critiques et aux reproches

[Karāhiyat al-Istinkār] كَرَاهِيَةُ الإِسْتِنْكَار

De tous les comportements nocifs, celui-ci est si efficace pour exciter l'amour de la vie d'ici-bas, qu'il peut vite s'ériger en muraille infranchissable entre nous et l'iḥsān (excellence dans l'adoration).

Se préoccuper des blâmes ou des critiques, chercher la louange des créatures d'Allāh ﷻ, c'est oublier que la louange véritable appartient au Créateur et au plus digne de la recevoir, Allāh ﷻ, Al-Ḥamīd.

Si cette idée essentielle s'évapore, elle emporte avec elle l'intégrité de celui ou de celle qui flattera alors ses propres caprices et n'aspirera plus qu'à l'approbation des autres.

Mécontentement face aux critiques et aux reproches

Invocation des Noms d'Allāh ﷻ

الْحَمِيدُ

Al-Ḥamīd
Le Digne de louange

الْمُعِزُّ

Al-Mu'izz
Celui qui donne l'honneur

الْخَافِضُ

Al-Khāfiḍ
Celui qui abaisse

الرَّافِعُ

Ar-Rāfi'
Celui qui élève

الْحَكِيمُ

Al-Ḥakīm
Le Sage

الْحَقُّ

Al-Ḥaqq
La Vérité

Mécontentement face aux critiques et aux reproches

Méditations et Réflexions sur les Noms Excellents d'Allāh ﷻ

- Vous réalisez que, malgré des qualités sans doute estimables, vous n'êtes pas exempts de reproches ou de faiblesses. Ce n'est pas le cas d'Allāh ﷻ, absolument pur de tout défaut.

- Vous comprenez que si vos actes sont louables aux yeux d'Allāh ﷻ, alors les critiques des autres ne doivent ni vous inquiéter ni vous contrarier.

- Vous vous souvenez de Celui qui accorde les honneurs à qui Il veut (Celui qui élève) et les retire à qui Il veut (Celui qui abaisse).

- Vous êtes prêts à défendre et à soutenir la vérité, même si elle ne plaît pas aux autres (qu'elle les mécontente ou les offense). Vous réalisez que la vérité a le pouvoir de pénétrer le cœur des gens.

- Votre sagesse vous invite à placer votre confiance en Allāh ﷻ, et en Lui seulement. Vous êtes soucieux d'éviter Son mécontentement et vous cherchez refuge auprès de Sa satisfaction et de Son approbation.

- Vous vous rappelez que les actes ne peuvent être séparés de leurs intentions et de la profonde sagesse qu'Allāh ﷻ a glissée dans le ḥadīth : « Les actions n'existent que par les intentions. » Grâce à ce rappel, vous prêtez a priori, et spontanément, de bonnes intentions aux autres.

- Vous choisissez d'investir votre temps dans les activités les plus fructeuses : celles qui œuvrent pour la satisfaction des autres, sans chercher directement leurs faveurs.

Mécontentement face aux critiques et aux reproches

Aṣ-Ṣalāh Al-Ibrāhīmiyyah

اَللّٰهُمَّ صَلِّ عَلَى مُحَمَّدٍ وَعَلَى آلِ مُحَمَّدٍ كَمَا صَلَّيْتَ عَلَى
إِبْرَاهِيمَ وَآلِ إِبْرَاهِيمَ إِنَّكَ حَمِيدٌ مَجِيدٌ وَبَارِكْ عَلَى
مُحَمَّدٍ وَعَلَى آلِ مُحَمَّدٍ كَمَا بَارَكْتَ عَلَى إِبْرَاهِيمَ
وَآلِ إِبْرَاهِيمَ إِنَّكَ حَمِيدٌ مَجِيدٌ

Allāhumma ṣalli ʿalā Muḥammadin wa ʿalā āli Muḥammadin kamā ṣallayta ʿalā Ibrāhīm wa āli Ibrāhīm innaka ḥamīdum majīd, wa bārik ʿalā Muḥammadin wa ʿalā āli Muḥammadin kamā bārakta ʿalā Ibrāhīm wa āli Ibrāhīm innaka ḥamīdum majīd

Ô Seigneur ! Prie pour Muḥammad et pour la famille de Muḥammad comme Tu as prié pour Ibrāhīm et pour la famille d'Ibrāhīm. Et bénis Muḥammad et la famille de Muḥammad comme Tu as béni Ibrāhīm et la famille d'Ibrāhīm, Tu es certes Digne de louange et de glorification.
[Sunan An-Nasaī 1290]

Mécontentement face aux critiques et aux reproches

Éviter le mécontentement d'Allāh ﷻ

اَللّٰهُمَّ إِنِّي أَعُوذُ بِكَ مِنْ زَوَالِ نِعْمَتِكَ وَتَحَوُّلِ عَافِيَتِكَ وَفُجَاءَةِ نِقْمَتِكَ وَجَمِيعِ سَخَطِكَ

Allāhumma innī a'ūdhu bika min zawāl ni'matika wa taḥawwuli 'āfiyatika wa fujā-ati niqmatika wa jamī' sakhatik

Ô Allāh ! Je demande Ta protection contre la suppression de Tes bienfaits, de Ton salut, de la santé dont Tu m'as comblé ! Ne m'expose ni à Ton châtiment soudain, ni à tout ce qui provoque Ta colère ! [Ṣaḥīḥ Muslim 2739]

Ne placer sa confiance qu'en Allāh ﷻ

حَسْبِيَ اللّٰهُ لَآ إِلَهَ إِلَّا هُوَ، عَلَيْهِ تَوَكَّلْتُ، وَهُوَ رَبُّ الْعَرْشِ الْعَظِيمِ

Ḥasbiya Allāhu lā ilāha illā hū, 'alayhi tawakkaltu wa huwa rabbul 'arshi-l 'aẓīm

Allāh ﷻ me suffit, nulle divinité ne mérite d'être adorée en dehors de Lui, c'est en Lui que je place ma confiance et Il est le Seigneur du Trône immense. [Sunan Abī Dawūd 5081]

Mécontentement face aux critiques et aux reproches

La conviction dans la vérité

اَللّٰهُمَّ إِنِّي أَعُوذُ بِكَ مِنَ الشَّكِّ فِي الْحَقِّ بَعْدَ الْيَقِينِ، وَأَعُوذُ بِكَ مِنَ الشَّيْطَانِ الرَّجِيمِ، وَأَعُوذُ بِكَ مِنْ شَرِّ يَوْمِ الدِّينِ

Allāhumma innī a'ūdhu bika mina-sh-shakki fil ḥaqqi ba'dal yaqīn, wa a'ūdhu bika mina-sh-Shayṭāni r-rajīm, wa a'ūdhu bika min sharri yawmi -d-dīn

Ô Allāh, je demande Ta protection contre le fait de nourrir quelques doutes à propos de la Vérité après avoir atteint la ferme conviction. Je demande Ta protection contre Shayṭān le maudit. Je demande Ta protection contre le mal du Jour du Jugement. [Abū Nu'aym Al-Aṣbahānī dans Tārīkh Aṣbahān v.2 pg.170/219/276]

Apercevoir la vérité et être guidé afin de s'écarter du mensonge

اَللّٰهُمَّ أَرِنَا الْحَقَّ حَقًّا وَارْزُقْنَا اتِّبَاعَهُ، وَأَرِنَا الْبَاطِلَ بَاطِلًا وَوَفِّقْنَا لِاجْتِنَابِهِ

Allāhumma arina al-ḥaqqa ḥaqqān warzuqna ittibā'ah wa arina al-bāṭila bāṭilan wa waffiqnā lijtinābih

Ô Allāh, montre-moi la vérité en tant que telle et guide-moi afin que je la suive. Montre-moi l'erreur en tant que tel et guide-moi afin que je m'en écarte. [Tafsīr Ibn Kathīr 1:571 sous le verset 2:213]

Mécontentement face aux critiques et aux reproches

Sagesse et Honneur

رَبِّ هَبْ لِي حُكْمًا وَأَلْحِقْنِي بِالصَّالِحِينَ، وَاجْعَل لِّي لِسَانَ صِدْقٍ فِي الْآخِرِينَ، وَاجْعَلْنِي مِن وَرَثَةِ جَنَّةِ النَّعِيمِ

Rabbi hab lī ḥukman wa alḥiqnī biṣṣāliḥīn, waj'al lī lisāna ṣidqin fil ākhirīn, waj'alnī min warathati jannatin na'īm

Mon Seigneur, accorde-moi par pure grâce un jugement sage et fais-moi rejoindre les hommes intègres; accorde-moi un langage véridique pour la postérité et place-moi parmi les héritiers du Jardin de la Béatitude. [Ash-Shu'arā 26:83-85]

Satisfaction d'Allāh ﷻ

اَللّٰهُمَّ أَعُوذُ بِرِضَاكَ مِنْ سَخَطِكَ وَبِمُعَافَاتِكَ مِنْ عُقُوبَتِكَ وَأَعُوذُ بِكَ مِنْكَ لاَ أُحْصِي ثَنَاءً عَلَيْكَ أَنْتَ كَمَا أَثْنَيْتَ عَلَى نَفْسِكَ

Allāhumma innī a'ūdhu bika bi riḍāka min sakhatik wa bi mu'āfātika min 'uqūbatik wa a'ūdhu bika minka la uḥṣī thanā-an 'alayka anta kamā athnayta 'alā nafsik

Ô Allāh, je me réfugie auprès de Ta satisfaction contre Ta colère et auprès de Ton pardon contre Ta punition. Je me réfugie auprès de Toi contre Toi. Je ne peux Te louer comme il faut. Tu es Tel que Tu as Toi-même fait Ton éloge. [Ṣaḥīḥ Muslim 486]

كَرَاهِيَةُ القَدَر

Mécontentement face au Décret Divin

ÉMOTIONS RELIÉES

Déçu | Frustré | Impatient | Aigri | Contrarié | Hostile
Agité | Anxieux | Arrogant | Cynique | Déprimé | Abattu
Incertain | Craintif | Furieux | Rétif | Ignorant | Inquiet
Submergé | Réticent | Amer | Troublé | Lâche

NOMS D'ALLĀH ﷻ POUR L'INVOCATION

- **Al-Qahhār - Le Dominateur**
- **Al-Ḥakam - Le Juge**
- **An-Nāfi' - Le Bienfaiteur**
- **Al-Qābiḍ - Celui qui saisit**
- **Al-Bāsiṭ - Le Prodigue**
- **Al-Ḥakīm - Le Sage**
- **Al-Ḥaqq - La Vérité**
- **Al-'Alīm - L'Omniscient**
- **Al-'Adl - Le Juste**
- **Aṣ-Ṣabūr - Le Patient**

AṢ-ṢALĀH AL-IBRĀHĪMIYYAH

INVOCATIONS EXAUCÉES

- **Pour avoir confiance en Allāh ﷻ**
- **Pour accroître son amour pour Allāh ﷻ**
- **Pour se satisfaire du décret d'Allāh ﷻ**
- **Pour atteindre la véritable conviction**
- **Pour trouver le contentement face au destin**
- **Pour un esprit satisfait**

CHAPITRE 18

Mécontentement face au Décret Divin

[Karāhiyat al-Qadr] كَرَاهِيَةُ القَدر

Il existe, paraît-il, un trait de caractère ignoré de la plupart des hommes et qui, pourtant, détruit leurs bonnes actions : l'insatisfaction face à ce qu'Allāh ﷻ a décrété (qadr) qui, à son tour, nous plonge dans l'insouciance (ghaflah). Elle est souvent liée au déni de la nature Toute-Puissante d'Allāh ﷻ, Celui qui ordonne toute chose. En résumé, il s'agit d'ingratitude.

Allāh ﷻ dit : « Or, il se peut que vous ayez de l'aversion pour une chose alors qu'elle vous est un bien. Et il se peut que vous aimiez une chose alors qu'elle vous est mauvaise. C'est Allāh ﷻ qui sait, alors que vous ne savez pas. » [Al-Baqarah 2:216]

Selon ce qui nous a été révélé, l'être humain peut embrasser quatre « états » dans cette vie : recevoir des bienfaits d'Allāh ﷻ (ni'mah) ou des épreuves (balā') ; vivre dans l'obéissance à Allāh ﷻ (ṭā'ah) ou dans la désobéissance (ma'ṣiyah). Chacun de ces états est imposé à l'individu avec un objectif : scruter sa réaction, comme une étape du grand examen qu'Allāh ﷻ nous fait passer jusqu'à notre mort.

Mécontentement face au Décret Divin

Invocation des Noms d'Allāh ﷻ

الْقَهَّارُ
Al-Qahhār
Le Dominateur

الْحَكَمُ
Al-Ḥakam
Le Juge

النَّافِعُ
An-Nāfi'
Le Bienfaiteur

الْقَابِضُ
Al-Qābiḍ
Celui qui saisit

الْبَاسِطُ
Al-Bāsiṭ
Le Prodigue

الْحَكِيمُ
Al-Ḥakīm
Le Sage

الْحَقُّ
Al-Ḥaqq
La Vérité

الْعَلِيمُ
Al-'Alīm
L'Omniscient

الْعَدْلُ
Al-'Adl
Le Juste

الصَّبُورُ
Aṣ-Ṣabūr
Le Patient

Mécontentement face au Décret Divin

Méditations et Réflexions sur les Noms Excellents d'Allāh ﷻ

- Vous réalisez que la connaissance et le contrôle de tout ce qui vous entoure (y compris vous-mêmes) n'appartiennent qu'à Allāh ﷻ. Vous saisissez également cette vérité indiscutable : Allāh maîtrise intégralement les cieux, la terre et l'espace entre ces deux étendues.
- Vous réalisez qu'Allāh ﷻ approvisionne Ses créatures suivant une certaine mesure. Il retient et Il étend la subsistance selon Sa volonté et Son infinie sagesse.
- Vous apprenez à comprendre que ni le regret, ni l'amertume ne changent quelque chose à Son décret. D'autre part, si quelque chose n'a pas été décrétée par Allāh ﷻ, aucune raison de s'en inquiéter.
- Vous prenez donc conscience que tout ce qui a été décrété se produira (si le décret est manifesté). Par conséquent, vous bâtissez votre vie avec soin, l'esprit tranquille, l'âme sereine et le cœur loin de l'agitation.
- Vous comprenez que le croyant, s'il recherche la perfection dans la foi, ne doit pas faire d'objections à Allāh ﷻ mais plutôt savoir que chaque évènement dépend de Sa volonté. Tout ce que vous observez Lui obéit manifestement et Il guide tout ce qui existe dans le meilleur des ordres et la meilleure des directions, du point de vue de la plus haute justice et de la plus grande compassion.
- Vous vous rappelez que la meilleure des directions pour votre âme et votre esprit consiste à accepter Son plan, Son juste décret et tous Ses actes, qu'ils s'accordent à votre volonté ou non.
- Vous comprenez que tout événement qui pourrait échapper à la volonté d'Allāh ﷻ serait moins bénéfique que Son décret.
- Vous admettez que c'est le chemin emprunté par la justice d'Allāh ﷻ et que votre foi en Lui doit suspendre toute objection et toute résistance face à Son décret, intérieurement et extérieurement.
- Vous développez une confiance intrinsèque en votre Créateur et en Lui Seul (appelée « tawakkul »). Cela implique que vous agissiez « en accord avec » le plan d'Allāh ﷻ, c'est-à-dire que vous adoptiez les principes et les commandements de la sharī'ah et placiez votre confiance en Lui.
- Vous êtes satisfait et à l'aise avec le décret d'Allāh ﷻ. Vous ne montrez ni frustration, ni agacement.
- Vous vous rappelez que le décret d'Allāh ﷻ est, en fin de compte, définitif et irrévocable. Vous obéissez donc à Ses commandement afin de Lui plaire.

Mécontentement face au Décret Divin

Aṣ-Ṣalāh Al-Ibrāhīmiyyah

اَللَّهُمَّ صَلِّ عَلَى مُحَمَّدٍ وَعَلَى آلِ مُحَمَّدٍ كَمَا صَلَّيْتَ عَلَى
إِبْرَاهِيمَ وَآلِ إِبْرَاهِيمَ إِنَّكَ حَمِيدٌ مَجِيدٌ وَبَارِكْ عَلَى
مُحَمَّدٍ وَعَلَى آلِ مُحَمَّدٍ كَمَا بَارَكْتَ عَلَى إِبْرَاهِيمَ
وَآلِ إِبْرَاهِيمَ إِنَّكَ حَمِيدٌ مَجِيدٌ

Allāhumma ṣalli 'alā Muḥammadin wa 'alā āli Muḥammadin kamā ṣallayta 'alā Ibrāhīm wa āli Ibrāhīm innaka ḥamīdum majīd, wa bārik 'alā Muḥammadin wa 'alā āli Muḥammadin kamā bārakta 'alā Ibrāhīm wa āli Ibrāhīm innaka ḥamīdum majīd

Ô Seigneur ! Prie pour Muḥammad et pour la famille de Muḥammad comme Tu as prié pour Ibrāhīm et pour la famille d'Ibrāhīm. Et bénis Muḥammad et la famille de Muḥammad comme Tu as béni Ibrāhīm et la famille d'Ibrāhīm, Tu es certes Digne de louange et de glorification.
[Sunan An-Nasaī 1290]

Mécontentement face au Décret Divin

Faire confiance à Allāh ﷻ

رَبَّنَا عَلَيْكَ تَوَكَّلْنَا وَإِلَيْكَ أَنَبْنَا وَإِلَيْكَ ٱلْمَصِيرُ

Rabbanā 'alayka tawakkalnā wa ilayka anabnā wa ilayka l-maṣīr

Seigneur, c'est en Toi que nous mettons notre confiance et à Toi nous revenons [repentants]. Et vers Toi est le Devenir. [Al-Mumtaḥinah 60:4]

Accroître l'amour pour Allāh ﷻ

اَللّٰهُمَّ اجْعَلْ حُبَّكَ أَحَبَّ إِلَيَّ مِنْ نَفْسِي وَأَهْلِي وَمِنَ الْمَاءِ الْبَارِدِ

Allāhumma j'al ḥubbaka aḥabba ilayya min nafsī wa ahlī wa mina l-mā-il bārid

Ô Allāh, fais que Ton amour me soit plus précieux que moi-même, ma famille et l'eau fraîche. [Jāmi` At-Tirmidhī 3490]

Se satisfaire du décret d'Allāh ﷻ

اَللّٰهُمَّ وَأَسْأَلُكَ نَعِيمًا لاَ يَنْفَدُ وَأَسْأَلُكَ قُرَّةَ عَيْنٍ لاَ تَنْقَطِعُ وَأَسْأَلُكَ الرِّضَاءَ بَعْدَ الْقَضَاءِ وَأَسْأَلُكَ بَرْدَ الْعَيْشِ بَعْدَ الْمَوْتِ

Allāhumma wa as'aluka na'īman la yanfad wa as-aluka qurrata 'aynin la tanqaṭi' wa as'alukar riḍā ba'dal qaḍ'ā, wa as'aluka bardal 'ayshi ba'dal mawt

Ô Allāh, je Te demande un ravissement perpétuel et une joie qui ne cesse jamais. Rends-moi satisfait de ce que Tu as décrété et accorde-moi une vie confortable après la mort. [Sunan An-Nasaī 1305]

Mécontentement face au Décret Divin

Atteindre la véritable conviction

اَللّٰهُمَّ إِنِّي أَسْأَلُكَ إيمانًا يُباشِرُ قَلْبِي، ويَقِينًا صادِقًا حَتّى أَعْلَمَ أَنَّهُ لا يُصِيبُنِي إلّا ما كَتَبْتَ لِي، ورَضِّنِي بِما قَسَمْتَ لِي

Allāhumma innī as-aluka īmānan yubāshiru qalbī wa yaqīnan ṣādiqan ḥattā a'lama annahū lā yuṣībunī illā mā katabta lī wa raḍḍinī bimā qasamta lī

Ô Allāh, je Te supplie de me donner une foi profondément ancrée dans le cœur, une authentique conviction afin que je comprenne que rien ne peut m'atteindre si ce n'est ce que Tu as décrété pour moi, ainsi que la satisfaction pour la part des biens que Tu as bien voulu m'accorder. [Aṭ-Ṭabarānī dans Al-Mu'jam Al-Awṣaṭ 5974]

Le contentement face au destin

اَللّٰهُمَّ رَضِّنِي بِقَضَائِكَ، وَبارِكْ لِي فِي قَدَرِكَ، حَتَّى لَا أُحِبَّ تَعْجِيلَ مَا أَخَّرْتَ وَلَا تَأْخِيرَ مَا عَجَّلْتَ

Allāhumma raḍḍinī bi qaḍā'ika wa bārik lī fī qadarika ḥattā lā uḥibba ta'jīla ma akhkharta wa lā ta-khīra mā 'ajjalta

Ô Allāh, rends-moi heureux face à Ta volonté, et favorise-moi dans Ton décret afin que je ne souhaite ni précipiter ce que Tu retardes, ni retarder ce que Tu précipites. [Aṭ-Ṭabarānī dans Ad-Du'ā 410]

Mécontentement face au Décret Divin

La satisfaction de l'esprit

اَللّٰهُمَّ إِنِّي أَسْأَلُكَ نَفْسًا بِكَ مُطْمَئِنَّةً، تُؤْمِنُ بِلِقَائِكَ، وَتَرْضَى بِقَضَائِكَ، وَتَقْنَعُ بِعَطَائِكَ

Allāhumma innī as'aluka nafsan bika muṭma'innah, tu'minu biliqā'ik, wa tarḍā bi qaḍā'ik, wa taqna'u bi 'aṭā'ik

Ô Allāh, je Te demande une âme apaisée à travers Toi, une âme qui croit à Ta rencontre, satisfaite de Ton décret et comblée par Tes grâces. [Al-Mu'jam Al-Kabīr Aṭ-Ṭabarānī 7490]

السُخْرِيَّة

Moquerie

ÉMOTIONS RELIÉES

Ignorant | Immature | Dédaigneux | Pessimiste | Cynique
Méprisant | Dur | Hostile | Malveillant | Dépendant | Impitoyable
Inattentif | Cruel | Déprimé | Abattu | Égocentrique | Excessif
Insensible | Hypocrite | Hypercritique | Blessé | Désinvolte
Indigne | Désagréable | Énervé

NOMS D'ALLĀH ﷻ POUR L'INVOCATION

- **As-Samī' - Celui qui entend tout**
- **Al-Baṣīr - Celui qui voit tout**
- **Ash-Shahīd - Le Témoin**
- **Ar-Raqīb - Le Vigilant**
- **Al-Mu'izz - Celui qui donne l'honneur**
- **Al-Mudhil - Celui qui humilie**
- **Al-Ḥalīm - L'Indulgent**

AṢ-ṢALĀH AL-IBRĀHĪMIYYAH

INVOCATIONS EXAUCÉES

- **Pour se faire pardonner de plaisanteries blâmables**
- **Pour réparer le fait d'avoir blessé, frappé ou maudit un autre croyant**
- **Pour se protéger contre le fait d'opprimer ou d'être opprimé**
- **Pour se protéger contre le bonheur des ennemis à nos dépens**
- **Pour se protéger contre les méfaits de nos sens**
- **Pour se protéger contre le fait d'abuser des autres et contre le comportement stupide**

CHAPITRE 19

Moquerie [Sukhriyyah] السُخرِيَّة

La moquerie consiste à ridiculiser quelqu'un - en plaisantant à ses dépens - dans le but de l'humilier. La plupart du temps, la moquerie vient d'un individu qui se considère comme supérieur à sa victime ou, en réalité, l'envie.

Le Prophète ﷺ a dit : « Le Musulman, et l'intégralité de son être, est sacré pour un autre Musulman en ce qui concerne sa vie, sa propriété et son honneur. » [Ṣaḥīḥ Muslim 2564:32]

Il est important que l'humour et la légèreté puissent exister dans nos vies. Mais lorsque l'humour devient un mode de vie, il endommage notre cœur spirituel. De plus, il est totalement indécent de rire et de s'amuser aux dépens de la dignité des autres.

Moquerie

Invocation des Noms d'Allāh سبحانه وتعالى

الْسَّمِيعُ

As-Samīʿ
Celui qui entend tout

الْبَصِيرُ

Al-Baṣīr
Celui qui voit tout

الْشَّهِيدُ

Ash-Shahīd
Le Témoin

الْرَّقِيبُ

Ar-Raqīb
Le Vigilant

الْمُعِزُّ

Al-Muʿizz
Celui qui donne l'honneur

الْمُذِلُّ

Al-Mudhil
Celui qui humilie

الْحَلِيمُ

Al-Ḥalīm
L'Indulgent

Moquerie

Méditations et Réflexions sur les Noms Excellents d'Allāh ﷾

- Vous réalisez qu'Allāh ﷾ aperçoit le moindre ricanement ou rictus qui se dessine dans l'esprit du moqueur. Vous vous sentez mieux avec vous-mêmes car vous résistez à l'envie de parler avec dédain ou de vous engager dans un humour cynique et condescendant. Vous vous entraînez plutôt à utiliser vos paroles au profit de la foi et de l'obéissance.

- Vous vous rendez-compte que vous avez l'habitude (c'est même, peut-être, une addiction) de mépriser les autres. Cependant, vous décidez d'arrêter de juger les autres et vous devenez un être bien plus agréable à leurs yeux. Les gens se rapprochent de vous, cherchent votre compagnie, tout simplement parce que vous ne faites aucun commentaire sur le comportement des autres ou leurs fautes supposées.

- Vous vous rappelez que chaque personne qui aide les autres à préserver leur honneur est, de ce fait, une personne honorable.

- Vous vous souvenez que la douceur (la patience, pas la brutalité) fait partie des qualités les plus précieuses chez l'être humain.

Moquerie

Aṣ-Ṣalāh Al-Ibrāhīmiyyah

اَللّٰهُمَّ صَلِّ عَلَى مُحَمَّدٍ وَعَلَى آلِ مُحَمَّدٍ كَمَا صَلَّيْتَ عَلَى
إِبْرَاهِيمَ وَآلِ إِبْرَاهِيمَ إِنَّكَ حَمِيدٌ مَجِيدٌ وَبَارِكْ عَلَى
مُحَمَّدٍ وَعَلَى آلِ مُحَمَّدٍ كَمَا بَارَكْتَ عَلَى إِبْرَاهِيمَ
وَآلِ إِبْرَاهِيمَ إِنَّكَ حَمِيدٌ مَجِيدٌ

Allāhumma ṣalli 'alā Muḥammadin wa 'alā āli Muḥammadin kamā ṣallayta 'alā Ibrāhīm wa āli Ibrāhīm innaka ḥamīdum majīd, wa bārik 'alā Muḥammadin wa 'alā āli Muḥammadin kamā bārakta 'alā Ibrāhīm wa āli Ibrāhīm innaka ḥamīdum majīd

Ô Seigneur ! Prie pour Muḥammad et pour la famille de Muḥammad comme Tu as prié pour Ibrāhīm et pour la famille d'Ibrāhīm. Et bénis Muḥammad et la famille de Muḥammad comme Tu as béni Ibrāhīm et la famille d'Ibrāhīm, Tu es certes Digne de louange et de glorification.
[Sunan An-Nasaī 1290]

Moqueerie

Se faire pardonner les plaisanteries blâmables

اَللّٰهُمَّ اغْفِرْ لِي خَطِيئَتِي وَجَهْلِي وَإِسْرَافِي فِي أَمْرِي، وَمَا أَنْتَ أَعْلَمُ بِهِ مِنِّي،
اَللّٰهُمَّ اغْفِرْ لِي هَزْلِي وَجِدِّي وَخَطَايَ وَعَمْدِي، وَكُلُّ ذَلِكَ عِنْدِي

Allāhumma ghfirlī khaṭī'atī wa jahlī wa isrāfī fī amrī, wa mā anta a'lamu bihī minnī, Allāhumma ghfirlī hazlī wa jiddī wa khaṭāya wa 'amdī wa kullu dhālika 'indī

Seigneur, puisses-Tu me pardonner mes péchés, mon ignorance et toute extravagance que j'ai pu commettre à mon propre détriment, ainsi que tout ce dont Tu es bien plus informé que moi. Seigneur, puisses-Tu pardonner mes péchés, mes actes délibérés, mes plaisanteries comme mes faits et dires sérieux, ainsi que toutes les choses qui me sont comptées. [Ṣaḥīḥ Al-Bukhārī 6399]

Réparer le fait d'avoir blessé, frappé ou maudit un autre croyant

اَللّٰهُمَّ إِنِّي أَتَّخِذُ عِنْدَكَ عَهْدًا لَنْ تُخْلِفَنِيهِ فَإِنَّمَا أَنَا بَشَرٌ فَأَيُّ الْمُؤْمِنِينَ آذَيْتُهُ شَتَمْتُهُ لَعَنْتُهُ جَلَدْتُهُ فَاجْعَلْهَا لَهُ صَلَاةً وَزَكَاةً وَقُرْبَةً تُقَرِّبُهُ بِهَا إِلَيْكَ يَوْمَ الْقِيَامَةِ

Allāhumma innī attakhidhu 'indaka 'ahdan lan tukhlifanīhi fa innamā ana basharun fa ayyu l- mu'minīna ādhaytuhū shatamtuhū la'antuhū jaladtuhū fa j'alhā lahū ṣalātan wa zakātan wa qurbatan tuqarribuhū bihā ilayka yawma l-qiyāmah

Ô Allāh, je Te demande une promesse qui ne sera jamais rompue. Je ne suis qu'un être humain. Chaque croyant que j'ai blessé, réprimandé, frappé ou maudit, transforme cela pour lui en miséricorde, en purification et en moyen de se rapprocher de Toi au Jour du Jugement.
[Ṣaḥīḥ Muslim 2601b]

Moquerie

Se protéger contre le fait d'opprimer ou d'être opprimé

بِسْمِ اللهِ تَوَكَّلْتُ عَلَى اللهِ اللَّهُمَّ إِنَّا نَعُوذُ بِكَ مِنْ أَنْ نَزِلَّ أَوْ نَضِلَّ أَوْ نَظْلِمَ أَوْ نُظْلَمَ أَوْ نَجْهَلَ أَوْ يُجْهَلَ عَلَيْنَا

Bismillāhi tawakkaltu ʿalā Allāhi Allāhumma innī aʿūdhu bika min an nazilla aw naḍilla aw naẓlima aw nuẓlama aw najhala aw yujhala ʿalaynā

Ô Allāh, protège-nous des péchés involontaires ou de l'égarement, empêche-nous de devenir des oppresseurs ou des opprimés, d'agir dans l'ignorance ou d'être traités par l'ignorance. [Jāmiʿ At-Tirmidhī 3427]

Se protéger contre le bonheur des ennemis à nos dépens

أَعُوذُ بِاللهِ مِنْ جَهْدِ الْبَلَاءِ، وَدَرَكِ الشَّقَاءِ، وَسُوءِ الْقَضَاءِ، وَشَمَاتَةِ الأَعْدَاءِ

Aʿūdhu billāhi min jahdi l-balāʾi wa daraki sh-shiqāʾi wa sūʾi l-qaḍāʾi wa shamātati l-aʿdāʾi

Ô Allāh, je Te demande protection contre l'épreuve des calamités, contre une fin mauvaise et un destin malheureux, et contre le bonheur des ennemis à mes dépens. [Ṣaḥīḥ Al-Bukhārī 6616]

Moquerie

Se protéger contre les méfaits de nos sens

اَللّٰهُمَّ إِنِّي أَعُوذُ بِكَ مِنْ شَرِّ سَمْعِي وَمِنْ شَرِّ بَصَرِي وَمِنْ شَرِّ لِسَانِي وَمِنْ شَرِّ قَلْبِي وَمِنْ شَرِّ مَنِيِّي

Allāhumma innī a'ūdhu bika min sharri sam'ī wa min sharri baṣarī wa min sharri lisānī wa min sharri qalbī wa min sharri maniyyī

Ô Allāh, Je me réfugie auprès de Toi contre le mal de mon ouïe, contre le mal de ma vue, contre le mal de ma langue, contre le mal de mon cœur et contre le mal de ma semence (la passion sexuelle).

[Sunan Abī Dawūd 1551]

Se protéger contre le fait d'abuser des autres et contre le comportement stupide

اَللّٰهُمَّ إِنِّي أَعُوذُ بِكَ أَنْ أَضِلَّ أَوْ أُضَلَّ أَوْ أَزِلَّ أَوْ أُزَلَّ أَوْ أَظْلِمَ أَوْ أُظْلَمَ أَوْ أَجْهَلَ أَوْ يُجْهَلَ عَلَيَّ

Allāhumma innī a'ūdhu bika an aḍilla, aw uḍalla, aw azilla, aw uzalla, aw aẓlima, aw uẓlama, aw ajhala aw yujhala 'alayya

Ô Allāh, je demande Ta protection pour ne point égarer (les autres), ni être égaré, pour ne point humilier, ni être humilié, pour ne point opprimer, ni être opprimé, pour ne point être un ignorant ni le devenir.

[Sunan Abī Dawūd 5094]

الرِيَاء

Ostentation ou Frime

ÉMOTIONS RELIÉES

Excessif | Hypocrite | Prétentieux | Bien-pensant | Dépendant
Hypercritique | Arrogant | Immature | Lubrique | Indigne | Vaniteux
Égocentrique | Vulgaire

NOMS D'ALLĀH ﷻ POUR L'INVOCATION

- Al-Khabīr - L'Informé
- Al-Ḥakīm – Le Sage
- Al-Bā'ith - Celui qui ressuscite
- Al-Mudhil - Celui qui humilie
- Al-Mu'izz - Celui qui donne l'honneur
- As-Samī' - Celui qui entend tout
- Al-Baṣīr - Celui qui voit tout
- Ar-Raqīb - Le Vigilant
- Ash-Shahīd - Le Témoin
- Al-Muḥṣī - Celui garde les comptes
- Al-Ḥasīb - Celui qui compte

AṢ-ṢALĀH AL-IBRĀHĪMIYYAH

INVOCATIONS EXAUCÉES

- Pour purifier son cœur de l'ostentation et de la prétention dans ses actes
- Pour améliorer son état intérieur et rectifier son état extérieur
- Pour se prémunir contre le fait de chercher à plaire aux autres
- Pour se protéger de l'ostentation
- Pour la miséricorde et la protection immuables
- Pour obtenir la grâce dans l'Au-Delà et se protéger du Feu de l'Enfer

CHAPITRE 21

Ostentation ou Frime [Riyā'a] الرِيَاء

L'ostentation désigne tout acte de dévotion réalisé dans un autre but que de satisfaire son Créateur : un bénéfice matériel, l'éloge ou l'admiration de Ses créatures. L'ostentation est une branche de l'amour de la renommée et de la gloire, ḥubb al-jāh.

Si votre adoration comporte deux objectifs, que vous vous efforcez d'obtenir, en même temps, les acclamations du public et la satisfaction d'Allāh ﷻ (et que, par conséquent, vous associez quelque chose à Allāh ﷻ), il y a dans cette attitude un soupçon de polythéisme (shirk mineur).

Le Messager d'Allāh ﷺ a dit :

- Si quelqu'un désire que ses actes soient largement rendus publics, Allāh ﷻ rendra largement public (son humiliation). Et si quelqu'un expose ses actes avec hypocrisie, Allāh ﷻ l'exposera. » [Ṣaḥīḥ Muslim 2986:47]
- « En réalité, la moindre ostentation fait partie du shirk. » [Ibn Mājah 3989]
- « Dois-je vous informer de ce que je redoute pour vous, plus encore que la présence du Faux Messie ? » « Bien sûr ! », avons-nous répondu. Il dit : « Le polythéisme dissimulé, qu'un homme se lève pour prier et embellisse sa prière parce qu'il sait qu'un autre homme le regarde. » [Ibn Mājah 4204]

Nous connaissons, chez les hommes, les causes de riyā'a :

- Un désir d'éloges et d'acclamations (l'admiration des autres) plus ardent que celui de satisfaire Allāh ﷻ, à cause d'une foi devenue faible
- La peur des critiques et de l'humiliation qui pousse à étaler ses bonnes actions (par exemple : prier à la mosquée par crainte que les autres puissent nous reprocher de ne pas le faire)
- L'avidité qui jalouse les richesses de ce monde : lorsqu'un individu désire de tout son cœur les biens observés chez les autres et nourrit l'espoir qu'il pourra, un jour, parader avec le même genre de babioles et de trophées

Ostentation ou Frime

Invocation des Noms d'Allāh ﷻ

الْخَبِيرُ
Al-Khabīr
L'Informé

الْحَكِيمُ
Al-Ḥakīm
Le Sage

الْبَاعِثُ
Al-Bā'ith
Celui qui ressuscite

الْمُذِلُّ
Al-Mudhil
Celui qui humilie

الْمُعِزُّ
Al-Mu'izz
Celui qui donne l'honneur

السَّمِيعُ
As-Samī'
Celui qui entend tout

الْبَصِيرُ
Al-Baṣīr
Celui qui voit tout

الرَّقِيبُ
Ar-Raqīb
Le Vigilant

الشَّهِيدُ
Ash-Shahīd
Le Témoin

الْمُحْصِي
Al-Muḥṣī
Celui garde les comptes

الْحَسِيبُ
Al-Ḥasīb
Celui qui compte

Ostentation ou Frime

Méditations et Réflexions sur les Noms Excellents d'Allāh

- Vous vous rappelez que la vie d'ici-bas n'est que divertissement et distraction, et que ces mécanismes engendrent (sauf s'ils sont réfrénés) la plupart des mauvais penchants spirituels (amour de la renommée, de la gloire, l'addiction aux éloges publiques, etc.). Vous vous souvenez également que votre véritable objectif, ici-bas, est de prendre toutes vos dispositions afin de réussir votre voyage vers l'Au-Delà.
- Ce regain de sagesse vous apprend à faire attention à vos bas instincts, à la manière dont ils vous trompent, à leurs illusions et leur capacité à dérégler profondément les comportements : c'est souvent par l'accumulation de petites failles (perçues comme « inoffensives ») que nous accouchons d'un véritable penchant, extrême et addictif.
- Vous faites en sorte de ne jamais posséder une âme maudite, celle qui malgré la « connaissance » de sa propre ostentation, choisit de juger les autres lorsqu'ils affichent la même perversion spirituelle.
- Vous êtes conscient de ce qui se passe dans votre monde, c'est-à-dire dans votre coeur, votre corps et ses recoins secrets : tromperie, tricherie, préoccupation pour les choses d'ici-bas, les bonnes intentions qui servent de façades aux mauvaises.
- Vous faites le bilan de votre vie en examinant, parmi vos actes, ceux qui ont été réalisés « uniquement pour Allāh ». Vous essayerez, dorénavant, d'agir seulement pour la satisfaction d'Allāh.
- Sachant que certaines personnes (dont vous mêmes) dissimulent des « objectifs » ostentatoires derrière leurs actes, vous n'aimez pas particulièrement lorsqu'un ami souligne votre piété. Pour la même raison, vous vous assurez d'agir en public comme en privé. Mieux encore, vous en faites plus en privé qu'en public. Par exemple, le nombre de vos prières accomplies la nuit, en vous arrachant du lit, dépasse celui des prières obligatoires accomplies collectivement, le jour.
- Vous n'avez pas peur de vous dire, à vous-mêmes, que des efforts supplémentaires sont nécessaires.
- Les ruses de l'ostentation peuvent être apparentes (en arabe : jaliyy), cachées (khafiyy) ou profondément dissimulées (akhfā). Vous les connaissez toutes et vous repérez facilement la première sorte d'ostentation : elle est liée à des objectifs précis et visés par les actes que vous étalez. La présence de la deuxième sorte d'ostentation se ressent, à l'intérieur : lorsqu'il est plus facile d'accomplir un acte de dévotion en présence des autres que seul. Vous observez également la troisième sorte d'ostentation en vous-même : tout simplement lorsque vous ressentez un certain plaisir à être observé pendant vos gestes d'adoration.
- Vous vous rappelez votre modeste origine et vous restez totalement sourd au moindre murmure de la jalousie ou de l'angoise lorsque vous croisez quelqu'un de plus pieux, de plus populaire ou de plus compétent que vous. En fait, vous êtes même heureux pour lui. Vous arrêtez de vous « donner un air important » lorsque vous vous trouvez en présence de personnes estimées par les autres.
- Vous réalisez qu'Allāh est le Témoin, qu'Il observe toutes les actions et sera satisfait si vous ne tirez pas avantage des autres. Cela concerne ces situations dans lesquelles votre « partie ostentatoire » en profite pour sortir sa tête répugnante : cette partie de vous qui aimerait écraser les autres en profitant de leurs erreurs, de leurs soucis ou de leurs péchés. Au lieu de tirer un avantage ou du plaisir de leurs soucis ou de leurs malheurs, vous priez pour eux, en privé.
- Prier ainsi pour les autres fait partie de votre stratégie pour éviter vos propres soucis et votre échec dans l'Au-Delà.

Ostentation ou Frime

Aṣ-Ṣalāh Al-Ibrāhīmiyyah

اَللّٰهُمَّ صَلِّ عَلَى مُحَمَّدٍ وَعَلَى آلِ مُحَمَّدٍ كَمَا صَلَّيْتَ عَلَى
إِبْرَاهِيمَ وَآلِ إِبْرَاهِيمَ إِنَّكَ حَمِيدٌ مَجِيدٌ وَبَارِكْ عَلَى
مُحَمَّدٍ وَعَلَى آلِ مُحَمَّدٍ كَمَا بَارَكْتَ عَلَى إِبْرَاهِيمَ
وَآلِ إِبْرَاهِيمَ إِنَّكَ حَمِيدٌ مَجِيدٌ

Allāhumma ṣalli 'alā Muḥammadin wa 'alā āli Muḥammadin kamā ṣallayta 'alā Ibrāhīm wa āli Ibrāhīm innaka ḥamīdum majīd, wa bārik 'alā Muḥammadin wa 'alā āli Muḥammadin kamā bārakta 'alā Ibrāhīm wa āli Ibrāhīm innaka ḥamīdum majīd

Ô Seigneur ! Prie pour Muḥammad et pour la famille de Muḥammad comme Tu as prié pour Ibrāhīm et pour la famille d'Ibrāhīm. Et bénis Muḥammad et la famille de Muḥammad comme Tu as béni Ibrāhīm et la famille d'Ibrāhīm, Tu es certes Digne de louange et de glorification.
[Sunan An-Nasaī 1290]

Ostentation ou Frime

Purifier son cœur de l'ostentation et de la prétention dans ses actes

اَللّٰهُمَّ طَهِّرْ قَلْبِي مِنَ النِّفَاقِ وَعَمَلِي مِنَ الرِّيَاءِ وَلِسَانِي مِنَ الْكَذِبِ وَعَيْنِي مِنَ الْخِيَانَةِ، فَإِنَّكَ تَعْلَمُ خَائِنَةَ الأَعْيُنِ وَمَا تُخْفِي الصُّدُورُ

Allāhumma ṭahhir qalbī mina n-nifāqi wa 'amalī mina r-riyā'i wa lisānī mina l-kadhibi wa 'aynī mina l-khiyānati, fa innaka ta'lamu khā'inata l-a'yuni wa mā tukhfi ṣ-ṣudūr

Ô Allāh, purifie mon cœur de l'hypocrisie, mes actes de l'ostentation et de la prétention, ma langue du mensonge et mes yeux des regards coupables. Car, en vérité, Tu sais ce que les yeux regardent sournoisement et ce que cachent les cœurs. [Al-Bayhaqī dans Ad-Da'awāt Al-Kabīr 258]

Améliorer son état intérieur et rectifier son état extérieur

اَللّٰهُمَّ اجْعَلْ سَرِيرَتِي خَيْرًا مِنْ عَلاَنِيَتِي وَاجْعَلْ عَلاَنِيَتِي صَالِحَةً اَللّٰهُمَّ إِنِّي أَسْأَلُكَ مِنْ صَالِحِ مَا تُؤْتِي النَّاسَ مِنَ الْمَالِ وَالأَهْلِ وَالْوَلَدِ غَيْرِ الضَّالِّ وَلاَ الْمُضِلِّ

Allāhumma j'al sarīratī khayran min 'alāniyatī wa j'al 'alāniyatī ṣāliḥatan, Allāhumma innī as'aluka min ṣāliḥi mā tu'ti n-nāsa mina l-māli wa l-ahli wa l-waladi ghayri ḍ-ḍālli wa lā l-muḍilli

Ô Allāh, fais que ma vie privée soit meilleure que ma vie publique, et que ma vie publique soit vertueuse. Ô Allāh, je Te demande une part des biens que Tu accordes aux hommes en termes de richesse, de famille et d'enfants. Je Te demande de n'être ni égaré, ni source d'égarement. [Jāmi` At-Tirmidhī 3586]

Ostentation ou Frime

Se protéger contre la tentation de chercher à plaire aux autres

اَللّٰهُمَّ إِنِّي أَعُوذُ بِكَ أَنْ أُشْرِكَ بِكَ وَأَنَا أَعْلَمُ، وَأَسْتَغْفِرُكَ لِمَا لاَ أَعْلَمُ

Allāhumma innī a'ūdhu bika an ushrika bika wa ana a'lamu, wa astaghfiruka limā lā a'lamu

Ô Allāh, Je cherche refuge en Toi de peur de T'associer quoi que ce soit consciemment, et je demande Ton pardon si je l'ai déjà fait insconsciemment. [Al-Adab Al-Mufrad 716]

Se protéger contre l'ostentation

اَللّٰهُمَّ إِنِّي أَسْأَلُكَ بِحَقِّ السَّائِلِينَ عَلَيْكَ وَأَسْأَلُكَ بِحَقِّ مَمْشَايَ هَذَا فَإِنِّي لَمْ أَخْرُجْ أَشَرًا وَلاَ بَطَرًا وَلاَ رِيَاءً وَلاَ سُمْعَةً وَخَرَجْتُ اتِّقَاءَ سُخْطِكَ وَابْتِغَاءَ مَرْضَاتِكَ فَأَسْأَلُكَ أَنْ تُعِيذَنِي مِنَ النَّارِ وَأَنْ تَغْفِرَ لِي ذُنُوبِي إِنَّهُ لاَ يَغْفِرُ الذُّنُوبَ إِلاَّ أَنْتَ

Allāhumma innī as'aluka bi ḥaqqi s-sā'ilīna 'alayka, wa as'aluka bi ḥaqqi mamshāya hādhā, fa innī lam akhruj asharan wa lā baṭaran, wa riyā'an, wa lā sum'atan, wa kharajtu it-tiqā'a sukhtika wa ibtighā'a marḍātika, fa as'aluka an tu'īdhanī mina n-nāri wa an taghfira lī dhunūbī, innahu lā yaghfiru dh-dhunūba illā Anta

Ô Allāh, je m'adresse à Toi au nom des droits qu'ont ceux qui s'adressent à Toi, et je fais cette demande au nom de la manière avec laquelle je marche sur cette terre, car je ne me déplace ni avec orgueil ni avec vanité, ni par ostentation ni pour nourrir une réputation. Je me déplace plutôt avec la crainte de Ta punition et en cherchant à Te satisfaire. Je Te demande alors de me protéger contre le Feu et de pardonner mes péchés, car personne ne peut, à part Toi, les pardonner. [Sunan Ibn Mājah 778]

Ostentation ou Frime

Miséricorde et protection immuables

اَللّٰهُمَّ رَحْمَتَكَ أَرْجُو فَلاَ تَكِلْنِي إِلَى نَفْسِي طَرْفَةَ عَيْنٍ وَأَصْلِحْ لِي شَأْنِي كُلَّهُ لاَ إِلَهَ إِلاَّ أَنْتَ

Allāhumma raḥmataka arjū, falā takilnī ilā nafsī ṭarfata 'aynin, wa aṣliḥ lī sha'nī kullahu, lā ilāha illā anta

Ô Allāh, je porte l'espoir de Ta miséricorde. Ne m'abandonne pas à moi-même, ne serait-ce qu'un instant, mais rétablis l'ordre pour moi dans tout ce qui me concerne. Il n'existe aucun dieu en-dehors de Toi. [Sunan Abī Dawūd 5090]

Obtenir la grâce dans l'Au-Delà et se protéger contre le Feu de l'Enfer

رَبَّنَآ ءَاتِنَا فِى ٱلدُّنْيَا حَسَنَةً وَفِى ٱلْءَاخِرَةِ حَسَنَةً وَقِنَا عَذَابَ ٱلنَّارِ

Rabbanā ātinā fī d-dunyā ḥasanatan wa fī l-ākhīrati ḥasanatan wa qinā 'adhāba n-nār

« Seigneur ! Accorde-nous belle part ici-bas, et belle part aussi dans l'au-delà ; et protège-nous du châtiment du Feu ! » [Al-Baqarah 2:201-202]

التَوَاضُعُ المَلُؤُوم

Retenue blâmable

ÉMOTIONS RELIÉES

Timide | Embarrassé | Appréhensif | Inquiet | Vulnérable
Menacé | Indifférent | Honteux | Ignorant | Réticent
Troublé | Lâche

NOMS D’ALLĀH سبحانه وتعالى POUR L’INVOCATION

- **Al-Ḥakīm - Le Sage**
- **Al-ʿAlīm - L’Omniscient**
- **Al-ʿAdl - Le Juste**
- **Al-Khāfiḍ - Celui qui abaisse**
- **Ar-Rāfiʿ - Celui qui élève**
- **Al-Qawiyy - Le Fort**
- **Al-Matīn - L’Inébranlable**
- **Al-Fattāḥ - Celui qui ouvre**

AṢ-ṢALĀH AL-IBRĀHĪMIYYAH

INVOCATIONS EXAUCÉES

- **Pour faciliter une tâche**
- **Pour rectifier ses paroles et guider son coeur**
- **Pour rechercher la connaissance**
- **Pour rechercher la sagesse**
- **Pour rechercher la fermeté et la détermination**
- **Pour se protéger contre les malfaiteurs**

CHAPITRE 22

Retenue blâmable

[At-Tawāḍu' al-Malūm] التَواضُعُ المَلُوم

De manière générale, la retenue est une attitude louée et considérée comme vertueuse par l'Islām. Cette retenue devient blâmable lorsqu'elle « retient » notre action face à une brutalité évidente ou face à la corruption. Cette forme de retenue se transforme très souvent en timidité dans des situations où nous devrions plutôt être direct et courageux. Une chose répréhensible (munkar) est mauvaise, peu importe le statut de son auteur, qu'il s'agisse d'un proche ou d'une personne que nous tenons en haute-estime.

Outre qu'elle nous « retient » d'empêcher le munkar, la retenue injustifiée ou blâmable met également en échec notre quête de la connaissance sacrée.

Retenue blâmable

Invocation des Noms d'Allāh سُبْحَانَهُ وَتَعَالَى

الْحَكِيمُ
Al-Ḥakīm
Le Sage

الْعَلِيمُ
Al-'Alīm
L'Omniscient

الْعَدْلُ
Al-'Adl
Le Juste

الْخَافِضُ
Al-Khāfiḍ
Celui qui abaisse

الرَّافِعُ
Ar-Rāfi'
Celui qui élève

الْقَوِيُّ
Al-Qawiyy
Le Fort

الْمَتِينُ
Al-Matīn
L'Inébranlable

الْفَتَّاحُ
Al-Fattāḥ
Celui qui ouvre

Retenue blâmable

Méditations et Réflexions sur les Noms Excellents d'Allāh ﷾

- Votre manque d'assurance ou votre timidité, et bien-sûr votre ignorance, ne vous dispensent pas d'un effort sincère et consciencieux afin d'ouvrir les portes de la connaissance divine (Allāh ﷾ est le Sage, la Source et le Pourvoyeur de tout le savoir qui nous est accessible).

- Vos hésitations ne vous empêchent pas de condamner n'importe quel acte d'injustice ou d'oppression, peu importe le statut de l'auteur ou sa relation avec vous.

- Vous vous tournez vers Allāh ﷾, Source de toute puissance, afin de renforcer et d'affermir tant votre foi que votre esprit.

- Vous ne devez loyauté qu'à la Vérité, échappant alors à toute autre influence extérieure (une menace, par exemple).

- Vous défendez la Vérité et combattez le mensonge. Ainsi, vous soutenez ceux qui portent cette vérité et désapprouvez ceux qui se trompent.

- Si aucun mal ne peut en résulter, vous offrez votre aide lorsque vous apercevez quelqu'un qui pourrait bénéficier de soutien ou d'encouragements.

Retenue blâmable

Aṣ-Ṣalāh Al-Ibrāhīmiyyah

اَللّٰهُمَّ صَلِّ عَلَى مُحَمَّدٍ وَعَلَى آلِ مُحَمَّدٍ كَمَا صَلَّيْتَ عَلَى
إِبْرَاهِيمَ وَآلِ إِبْرَاهِيمَ إِنَّكَ حَمِيدٌ مَجِيدٌ وَبَارِكْ عَلَى
مُحَمَّدٍ وَعَلَى آلِ مُحَمَّدٍ كَمَا بَارَكْتَ عَلَى إِبْرَاهِيمَ
وَآلِ إِبْرَاهِيمَ إِنَّكَ حَمِيدٌ مَجِيدٌ

Allāhumma ṣalli 'alā Muḥammadin wa 'alā āli Muḥammadin kamā ṣallayta 'alā Ibrāhīm wa āli Ibrāhīm innaka ḥamīdum majīd, wa bārik 'alā Muḥammadin wa 'alā āli Muḥammadin kamā bārakta 'alā Ibrāhīm wa āli Ibrāhīm innaka ḥamīdum majīd

Ô Seigneur ! Prie pour Muḥammad et pour la famille de Muḥammad comme Tu as prié pour Ibrāhīm et pour la famille d'Ibrāhīm. Et bénis Muḥammad et la famille de Muḥammad comme Tu as béni Ibrāhīm et la famille d'Ibrāhīm, Tu es certes Digne de louange et de glorification.
[Sunan An-Nasaī 1290]

Retenue blâmable

Faciliter une tâche

رَبِّ ٱشْرَحْ لِى صَدْرِى وَيَسِّرْ لِىٓ أَمْرِى وَٱحْلُلْ عُقْدَةً مِّن لِّسَانِى يَفْقَهُوا۟ قَوْلِى

Rabbi shrahlī ṣadrī wa yassir lī amrī waḥlul 'uqdatan mil lisānī yafqahū qawlī

Seigneur, ouvre-moi ma poitrine, et facilite ma mission, et dénoue un nœud en ma langue, afin qu'ils comprennent mes paroles. [Ṭāhā 20:25-28]

Rectifier ses paroles et guider son coeur

رَبِّ تَقَبَّلْ تَوْبَتِي، وَاغْسِلْ حَوْبَتِي، وَأَجِبْ دَعْوَتِي، وَثَبِّتْ حُجَّتِي، وَسَدِّدْ لِسَانِي، وَاهْدِ قَلْبِي، وَاسْلُلْ سَخِيمَةَ صَدْرِي

Rabbi taqabbal tawbatī, wa-ghsil ḥawbatī, wa ajib da'watī, wa thabbit ḥujjatī, wa saddid lisānī, wa-hdi qalbī, wa-slul sakhīmata ṣadrī

Seigneur! Accepte mon repentir, lave mes péchés, exauce mon invocation, raffermis mes arguments, guide mon cœur, accorde la justesse à ma langue et retire la haine de mon cœur. [Jāmi` At-Tirmidhī 3551]

Recherche de la connaissance

رَّبِّ زِدْنِي عِلْمًا

Rabbī zidnī 'ilman

Ô mon Seigneur, accroîs mes connaissances! [Ṭāhā 20:114]

Retenue blâmable

Recherche de la sagesse

رَبِّ هَبْ لِي حُكْمًا وَأَلْحِقْنِي بِالصَّالِحِينَ، وَاجْعَل لِّي لِسَانَ صِدْقٍ فِي الْآخِرِينَ، وَاجْعَلْنِي مِن وَرَثَةِ جَنَّةِ النَّعِيمِ

Rabbi hab lī ḥukman wa alhiqnī biṣṣāliḥīn, waj'al lī lisāna ṣidqin fil ākhirīn, waj'alnī min warathati jannatin na'īm

Seigneur, accorde-moi sagesse (et savoir) et fais-moi rejoindre les gens de bien ; fais que j'aie une mention honorable sur les langues de la postérité ; et fais de moi l'un des héritiers du Jardin des délices.
[Ash-Shu'arā 26: 83-85]

Recherche de fermeté et de détermination

اَللّٰهُمَّ إِنِّي أَسْأَلُكَ الثَّبَاتَ فِي الأَمْرِ وَأَسْأَلُكَ عَزِيمَةَ الرُّشْدِ وَأَسْأَلُكَ شُكْرَ نِعْمَتِكَ وَحُسْنَ عِبَادَتِكَ وَأَسْأَلُكَ لِسَانًا صَادِقًا وَقَلْبًا سَلِيمًا وَأَعُوذُ بِكَ مِنْ شَرِّ مَا تَعْلَمُ وَأَسْأَلُكَ مِنْ خَيْرِ مَا تَعْلَمُ وَأَسْتَغْفِرُكَ مِمَّا تَعْلَمُ إِنَّكَ أَنْتَ عَلاَّمُ الْغُيُوبِ

Allāhumma innī as-alukath thabāta fil amri wa as-aluka 'azīmatar rushdi wa as-aluka shukra ni'matika wa ḥusna 'ibādatik, wa as-aluka lisānan ṣādiqa, wa qalban salīma, wa a'ūdhu bika min sharri ma ta'lam, wa as-aluka min khayri ma ta'lam, wa astaghfiruka mimmā ta'lam, innaka anta 'allāmul ghuyūb

Ô Seigneur, je Te demande d'affermir mes décisions et de m'inspirer la fermeté dans la droiture. Je Te demande de me permettre d'être reconnaissant pour Ton bienfait et de parfaire Ton adoration, et je Te demande un coeur sain et une langue véridique. Et je cherche refuge auprès de Toi contre le mal que Tu connais [et que j'ignore], et j'implore Ton pardon pour mes manquements que Tu connais, car c'est Toi le parfait connaisseur de l'invisible. [Jāmi' At-Tirmidhī 3407]

Retenue blâmable

Protection contre les malfaiteurs

عَلَى اللهِ تَوَكَّلْنَا رَبَّنَا لَا تَجْعَلْنَا فِتْنَةً لِلْقَوْمِ الظَّالِمِينَ وَنَجِّنَا بِرَحْمَتِكَ مِنَ الْقَوْمِ الْكَافِرِينَ

'Ala Allāhi tawakkalnā rabbanā lā taj'alnā fitnatan lil qawmi-ẓ ẓālimīn wa najjinā bi raḥmatika minal qawmil kāfirīn

En Allāh nous plaçons notre confiance. Ô notre Seigneur, ne fais pas de nous une cible pour les persécutions des injustes. Et délivre-nous, par Ta miséricorde, des gens mécréants. [Yūnus 10:85-86]

الأَفْكَارُ السَّلْبِيَّة

Sentiments négatifs

ÉMOTIONS RELIÉES

Amer | Frustré | Anxieux | Soupçonneux | Coupable | Déprimé | Aigri | Malveillant | Obstiné | Pessimiste | Vidé | Contrarié Cynique | Abattu | Hypocrite | Désagréable | Vindicatif

NOMS D'ALLĀH سبحانه وتعالى POUR L'INVOCATION

- **Al-Malik - Le Roi**
- **Ar-Raḥmān - Celui qui fait miséricorde**
- **Ar-Raḥīm - Le Miséricordieux**
- **Al-Mu'min - Celui qui inspire la foi**
- **Al-Muhaymin - Le Surveillant**
- **Ar-Raqīb - Le Vigilant**
- **Al-Waliyy - L'Ami protecteur**
- **Al-'Adl - Le Juste**
- **Al-Baṣīr - Celui qui voit tout**
- **Al-Khabīr - L'Informé**
- **Al-Muqsi - L'Équitable**
- **Al-Muntaqim - Le Vengeur**
- **Al-Mujīb - Celui qui répond**
- **Al-Qawiyy - Le Fort**
- **Al-Matīn - L'Inébranlable**
- **Al-Wālī - Le Gouverneur**

AṢ-ṢALĀH AL-IBRĀHĪMIYYAH

INVOCATIONS EXAUCÉES

- **Pour reconnaître ses mauvaises actions**
- **Pour soulager l'inquiétude et l'angoisse**
- **Pour se réfugier, contre l'angoisse, auprès du Plus Miséricordieux des miséricordieux**
- **Pour se protéger contre les doutes et atteindre la conviction**
- **Pour la miséricorde et la purification de ceux que vous avez blessés ou maudits**
- **Pour se protéger contre les grandes difficultés et le bonheur des ennemis à nos dépens**
- **Pour soulager l'angoisse**
- **Pour apaiser les relations et trouver des chemins pacifiques**
- **Pour une langue véridique et se protéger du mal**
- **Pour se protéger contre l'angoisse et la tristesse**
- **Pour la paix**
- **Pour la miséricorde et la protection immuables**
- **Pour protéger le cœur contre l'amertume envers un autre croyant**
- **Pour faire du Qur'ān le moteur du cœur et un antidote contre la tristesse et l'angoisse**
- **Pour se satisfaire du décret d'Allāh ﷻ**

CHAPITRE 23

Sentiments négatifs

[Al-Afkār as-Salbiyyah] الأَفْكَارُ السَّلْبِيَّة

Dans le cadre de ce livre, nous appelons « sentiments négatifs » ceux qu'une personne nourrit à l'égard d'un individu qui se comporte pourtant de manière juste. Cette personne est comme « dérangée » par cet individu, par ses paroles ou ses actes (pourtant tout à fait positifs) et se met à le juger sur la base des soupçons de son cœur (ẓann), sans aucune preuve. Les racines les plus problables, et de loin, de ces sentiments négatifs se trouvent dans la jalousie, alimentée évidemment par l'orgueil, et de nombreux autres complices : faiblesse de la foi et manque de conscience d'Allāh ﷻ ; colère enfouie depuis longtemps ; aversion infondée et animosité injustifiée envers un autre ; désir de s'élever en étalant les péchés des autres.

Allāh ﷻ dit : « Ô vous qui avez cru ! Évitez de trop conjecturer [sur autrui] car une partie de ces conjectures est un péché. » [Al-Hujurāt 49:12]

Le Messager d'Allāh ﷺ a dit : « Allāh ﷻ a dit : « Je suis selon l'opinion que Mon serviteur se fait de moi. S'il pense du bien de Moi, alors c'est ainsi ; et s'il pense du mal de Moi, alors c'est ainsi. » [Musnad Aḥmad 9076]

Imām As-Shafi'ī dit dans un ses poèmes : « Que ta langue ne mentionne pas ce qui fait la honte d'autrui, car tu es toi-même couvert de honte et tous les hommes possèdent une langue. Si ton œil tombe sur les péchés de ton frère, protège-les et dis : « Ô mon œil, tous les hommes possèdent des yeux ! » » [Dīwān As-Shafi'ī, p.144]

Il faut faire la distinction entre, d'une part, ces sentiments négatifs qui découlent d'une défaillance de caractère et, d'autre part, le mécanisme social constructif qui autorise à exposer des preuves pertinentes contre quelqu'un qui a mal agi, dans le but d'éviter de futurs méfaits.

Sentiments négatifs

Invocation des Noms d'Allāh ﷻ

الْمَلِكُ	الرَّحْمَانُ	الرَّحِيمُ	الْمُؤْمِنُ
Al-Malik Le Roi	Ar-Raḥmān - Celui qui fait miséricorde	Ar-Raḥīm Le Miséricordieux	Al-Mu'min - Celui qui inspire la foi
الْمُهَيْمِنُ	الرَّقِيبُ	الْوَلِيُّ	الْعَدْلُ
Al-Muhaymin Le Surveillant	Ar-Raqīb Le Vigilant	Al-Waliyy L'Ami protecteur	Al-'Adl Le Juste
الْبَصِيرُ	الْخَبِيرُ	الْمُقْسِطُ	الْمُنْتَقِمُ
Al-Baṣīr Celui qui voit tout	Al-Khabīr L'Informé	Al-Muqsi L'Équitable	Al-Muntaqim Le Vengeur
الْمُجِيبُ	الْقَوِيُّ	الْمَتِينُ	الْوَالِي
Al-Mujīb Celui qui répond	Al-Qawiyy Le Fort	Al-Matīn L'Inébranlable	Al-Wālī Le Gouverneur

Sentiments négatifs

Méditations et Réflexions sur les Noms Excellents d'Allāh ﷻ

- Vous comprenez que la jalousie est une des nombreuses causes de ces sentiments négatifs et que cette même jalousie engendre le ressentiment. De votre étude des 99 Noms d'Allāh ﷻ, vous savez que le titre d'« Al-Mutakabbir », le Suprême, ne convient qu'à Allāh ﷻ, Lui Seul peut le porter. En conséquence, il n'est ni convenable, ni même permis (et pour personne) d'avoir un cœur si plein d'orgueil qu'il puisse nourrir des sentiments négatifs à l'égard de quelqu'un d'autre.
- Vous désirez sincèrement que tout ce qui entoure les autres leur permette de se sentir mieux. Avec cet objectif en tête, vous choisissez... de sourire. En effet, vous avez pris conscience qu'un simple sourire était un acte de charité : simple mais efficace.
- Vous savez que Satan est votre ennemi et qu'il saisit la moindre opportunité pour vous pousser vers la négativité et la désobéissance. Au lieu de vous attarder sur vos idées noires et vos tracasseries, vous vous souvenez d'Allāh ﷻ, votre réconfort, votre guide. De cette manière, peu importe les difficultés, vous ne vous vautrez jamais dans le chagrin ou l'apitoiement sur vous-mêmes.
- Vous comprenez que le serviteur qui efface le ressentiment et la suspicion de son cœur, le serviteur qui, à cet égard, retrouve son lit chaque nuit sans la moindre angoisse, aura non seulement une vie remplie de joie mais fera aussi la satisfaction d'Allāh ﷻ et sera donc élevé en degré dans le prochain monde.
- Vous ressentez un très fort sentiment de réconfort et d'amitié. Dans vos du'ā', vos conversations avec Allāh ﷻ, vous êtes plus inspiré et convaincu qu'Allāh ﷻ répondra de la meilleure des manières à vos prières.
- Vous vous rappelez que, face à la dépression et à l'angoisse, il n'y a pas d'ami plus parfait auquel se confier qu'Allāh ﷻ. Vous venez vite à bout des frustrations et des malheurs lorsque vous faites la louange d'Allāh ﷻ et que vous Lui demandez d'apaiser votre cœur.
- Vous réalisez qu'à la source de tout chagrin se trouve l'attachement à ce qui n'est qu'éphémère. Vous réalisez que ces réalités éphémères sont l'exact opposé de Son éternité : si tout peut disparaître ou mourir, Allāh ﷻ demeure toujours avec vous. Vous attachez donc tout votre amour à Lui.
- Vous n'exposez jamais les péchés ou les défauts perçus chez les autres, sauf s'il est nécessaire d'en avertir un tiers ou de prévenir un danger. Vous ne permettez pas à votre langue de mentionner ce qui fait la honte d'autrui, car vous savez que vous êtes vous-même couvert de honte et que tous les hommes possèdent une langue !
- En constatant des signes d'angoisse ou de dépression chez les autres, surtout chez des croyants, vous sentez qu'il est de votre devoir d'offrir des paroles réconfortantes ou un simple sourire. Vous choisirez des paroles qui ravivent leur foi et leur confiance en eux, en leur existence.
- Vous placez votre confiance dans la protection immuable qu'Allāh ﷻ offre à Ses fidèles. Pour vous, Il est notre premier et notre meilleur allié lorsque nous pénétrons sur le champ bataille où nous attendent, au quotidien, pensées défaitistes et négativité.
- Il existe de nombreuses techniques pour dissiper vos doutes et vos malheurs. Dans vos du'ā', et pour l'amour d'Allāh ﷻ, vous améliorez le dhikr et la récitation du Qur'ān car vous avez découvert que votre bonheur dépendait de ces deux louables pratiques.
- Pour le développement et le maintien de vos facultés, de votre santé, de votre bonheur et de votre bien-être, vous vous tournez uniquement vers Allāh ﷻ.

Sentiments négatifs

Aṣ-Ṣalāh Al-Ibrāhīmiyyah

اَللّٰهُمَّ صَلِّ عَلَى مُحَمَّدٍ وَعَلَى آلِ مُحَمَّدٍ كَمَا صَلَّيْتَ عَلَى
إِبْرَاهِيمَ وَآلِ إِبْرَاهِيمَ إِنَّكَ حَمِيدٌ مَجِيدٌ وَبَارِكْ عَلَى
مُحَمَّدٍ وَعَلَى آلِ مُحَمَّدٍ كَمَا بَارَكْتَ عَلَى إِبْرَاهِيمَ
وَآلِ إِبْرَاهِيمَ إِنَّكَ حَمِيدٌ مَجِيدٌ

Allāhumma ṣalli 'alā Muḥammadin wa 'alā āli Muḥammadin kamā ṣallayta 'alā Ibrāhīm wa āli Ibrāhīm innaka ḥamīdum majīd, wa bārik 'alā Muḥammadin wa 'alā āli Muḥammadin kamā bārakta 'alā Ibrāhīm wa āli Ibrāhīm innaka ḥamīdum majīd

Ô Seigneur ! Prie pour Muḥammad et pour la famille de Muḥammad comme Tu as prié pour Ibrāhīm et pour la famille d'Ibrāhīm. Et bénis Muḥammad et la famille de Muḥammad comme Tu as béni Ibrāhīm et la famille d'Ibrāhīm, Tu es certes Digne de louange et de glorification.
[Sunan An-Nasaī 1290]

Sentiments négatifs

Reconnaître ses mauvaises actions

لَآ إِلَٰهَ إِلَّآ أَنتَ سُبۡحَٰنَكَ إِنِّي كُنتُ مِنَ ٱلظَّٰلِمِينَ

Lā ilāha illā anta subḥānaka innī kuntu mina ẓ-ẓālimīn

Pas de divinité à part Toi ! Pureté à Toi ! J'ai été vraiment du nombre des injustes. [Al-Anbiyā 21:87]

Soulager l'inquiétude et l'angoisse

اَللّٰهُمَّ فَارِجَ الْهَمِّ، كَاشِفَ الْغَمِّ، مُجِيبَ دَعْوَةِ الْمُضْطَرِّينَ، رَحْمَانَ الدُّنْيَا وَالْآخِرَةِ وَرَحِيمَهُمَا، أَنْتَ تَرْحَمُنِي، فَارْحَمْنِي بِرَحْمَةٍ تُغْنِينِي بِهَا عَنْ رَحْمَةِ مَنْ سِوَاكَ

Allāhumma fārij l-hammi kāshifa l-ghammi mujība da'wati l-muḍṭarrīn, raḥmāna d-dunyā wal ākhirati wa raḥīmahumā, anta tarḥamunī farḥamnī bi raḥmatin tughnīnī bihā 'an raḥmati man siwāk

Ô Allāh, Toi qui soulages l'inquiétude et apaises l'angoisse, Toi qui réponds à l'appel du désespéré, le Très-Miséricordieux et le Tout-Miséricordieux dans ce monde et le suivant. Tu es Celui qui peut m'accorder la miséricorde, alors accorde-la moi afin que je puisse me passer de la miséricorde de toute autre personne. [Al-Ḥākim 1898]

Sentiments négatifs

Contre l'angoisse, refuge auprès du Plus Miséricordieux des miséricordieux

رَبِّ أَنِّي مَسَّنِيَ الضُّرُّ وَأَنْتَ أَرْحَمُ الرَّاحِمِينَ

(Rabbi) Annī massaniya ḍ-ḍurru wa anta arḥamu r-raḥimīn

(Seigneur !), le mal m'a touché. Mais Toi, tu es le Plus Miséricordieux des miséricordieux ! [Al-Anbiyā' 21:83]

Se protéger contre les doutes et atteindre la conviction

اَللَّهُمَّ إِنِّي أَعُوذُ بِكَ مِنَ الشَّكِّ فِي الْحَقِّ بَعْدَ الْيَقِينِ، وَأَعُوذُ بِكَ مِنَ الشَّيْطَانِ الرَّجِيمِ، وَأَعُوذُ بِكَ مِنْ شَرِّ يَوْمِ الدِّينِ

Allāhumma innī a'ūdhu bika mina sh-shakki fil haqqi ba'da l-yaqīn, wa a'ūdhu bika mina sh-shayṭāni r-rajīm, wa a'ūdhu bika min sharri yawmi d-dīn

Ô Allāh, je demande Ta protection contre le fait de nourrir quelques doutes à propos de la Vérité après avoir atteint la ferme conviction. Je demande Ta protection contre Shayṭān le maudit. Je demande Ta protection contre le mal du Jour du Jugement. [Abū Nu'aym Al-Aṣbahānī in Tārīkh Aṣ bahān v.2 pg.170/219/276]

Sentiments négatifs

Miséricorde et purification pour ceux que vous avez blessés ou maudits

اَللّٰهُمَّ إِنِّي أَتَّخِذُ عِنْدَكَ عَهْدًا لَنْ تُخْلِفَنِيهِ فَإِنَّمَا أَنَا بَشَرٌ فَأَيُّ الْمُؤْمِنِينَ آذَيْتُهُ شَتَمْتُهُ لَعَنْتُهُ جَلَدْتُهُ فَاجْعَلْهَا لَهُ صَلاَةً وَزَكَاةً وَقُرْبَةً تُقَرِّبُهُ بِهَا إِلَيْكَ يَوْمَ الْقِيَامَةِ

Allāhumma innī attakhidhu 'indaka 'ahdan lan tukhlifanīhi fa innamā ana basharun fa ayyu l-mu'minīna ādhaytuhū shatamtuhū la'antuhū jaladtuhū fa j'alhā lahū ṣalātan wa zakātan wa qurbatan tuqarribuhū bihā ilayka yawma l-qiyāmati

Ô Allāh, je Te demande une promesse qui ne sera jamais rompue. Je ne suis qu'un être humain. Chaque croyant que j'ai blessé, réprimandé, frappé ou maudit, transforme cela pour lui en miséricorde, en purification et en moyen de se rapprocher de Toi au Jour du Jugement.
[Ṣaḥīḥ Muslim 2601b]

Se protéger contre les grandes difficultés et le bonheur des ennemis à nos dépens

أَعُوذُ بِاللهِ مِنْ جَهْدِ الْبَلاَءِ، وَدَرَكِ الشَّقَاءِ، وَسُوءِ الْقَضَاءِ، وَشَمَاتَةِ الأَعْدَاءِ

A'ūdhu billāhi min jahdi l-balā'i wa daraki sh-shiqā'i wa sū'i l-qaḍā'i wa shamātati l-a'dā'i

Ô Allāh, je Te demande protection contre l'épreuve des calamités, contre une fin mauvaise et un destin malheureux, et contre le bonheur des ennemis à mes dépens. [Ṣaḥīḥ Al-Bukhārī 6616]

Sentiments négatifs

Soulager l'angoisse

اَللّٰهُمَّ إِنِّي أَسْأَلُكَ مُوجِبَاتِ رَحْمَتِكَ وَعَزَائِمَ مَغْفِرَتِكَ وَالْغَنِيمَةَ مِنْ كُلِّ بِرٍّ
وَالسَّلاَمَةَ مِنْ كُلِّ إِثْمٍ أَسْأَلُكَ أَلاَّ تَدَعَ لِي ذَنْبًا إِلاَّ غَفَرْتَهُ وَلاَ هَمًّا إِلاَّ فَرَّجْتَهُ
وَلاَ حَاجَةً هِيَ لَكَ رِضًا إِلاَّ قَضَيْتَهَا لِي

Allāhumma innī as'aluka mūjibāti raḥmatika wa 'azā'ima maghfiratika wa l-ghanīmata min kulli birrin was salāmata min kulli ithmin as'aluka allā tada'a lī dhanban illā ghafartahū wa lā hamman illā farrajtahū wa ḥājatan hiya laka riḍan illā qaḍaytahā lī

Ô Allāh, je demande à recevoir Ta miséricorde et Ton pardon, ainsi que les bienfaits des bonnes actions et l'éloignement de tous les péchés. Je Te demande de ne laisser aucun de mes péchés orphelins de Ton pardon, aucune angoisse orpheline de Ton soulagement. Je Te demande de satisfaire le moindre de mes besoins s'il fait partie des besoins qui font Ta satisfaction. [Sunan Ibn Mājah 1384]

Sentiments négatifs

Apaiser les relations et trouver des chemins pacifiques

اَللّٰهُمَّ أَلِّفْ بَيْنَ قُلُوبِنَا وَأَصْلِحْ ذَاتَ بَيْنِنَا وَاهْدِنَا سُبُلَ السَّلَامِ وَنَجِّنَا مِنَ الظُّلُمَاتِ إِلَى النُّورِ وَجَنِّبْنَا الْفَوَاحِشَ مَا ظَهَرَ مِنْهَا وَمَا بَطَنَ وَبَارِكْ لَنَا فِي أَسْمَاعِنَا وَأَبْصَارِنَا وَقُلُوبِنَا وَأَزْوَاجِنَا وَذُرِّيَّاتِنَا وَتُبْ عَلَيْنَا إِنَّكَ أَنْتَ التَّوَّابُ الرَّحِيمُ وَاجْعَلْنَا شَاكِرِينَ لِنِعْمَتِكَ مُثْنِينَ بِهَا قَابِلِيهَا وَأَتِمَّهَا عَلَيْنَا

Allāhumma allif bayna qulūbina wa aṣliḥ dhāt bayninā wa-hdinā subula s-salāmi wa najjinā mina ẓ-ẓulumāti ilā n-nūr, wa jannibna l-fawāḥisha ma ẓahara minhā wa ma baṭan, wa bārik lanā fī asmā'inā wa abṣārinā wa qulūbinā wa azwājinā wa dhurriyyātinā wa tub 'alaynā innaka anta t-tawwābu r-raḥīm, wa j'alnā shākirīna li ni'matika muthnīna bihā qābilīhā wa atimmahā 'alaynā

Ô Allāh, rapproche nos cœurs, apaise nos relations, et guide-nous sur le chemin de la paix. Fais-nous sortir de l'obscurité vers la lumière et éloigne-nous des obscénités manifestes ou cachées. Bénis nos oreilles, nos yeux, nos cœurs, nos épouses et nos enfants. Accepte notre repentance. Car Tu es le Pardonneur, le Très-Miséricordieux. Remplis-nous de gratitude pour Tes bienfaits afin que nous les recevions avec les louanges qui conviennent. Et embellis-les pour nous. [Sunan Abī Dawūd 969]

Sentiments négatifs

Langue véridique et protection contre le mal

اَللّٰهُمَّ إِنِّي أَسْأَلُكَ الثَّبَاتَ فِي الأَمْرِ وَأَسْأَلُكَ عَزِيمَةَ الرُّشْدِ وَأَسْأَلُكَ
شُكْرَ نِعْمَتِكَ وَحُسْنَ عِبَادَتِكَ وَأَسْأَلُكَ لِسَانًا صَادِقًا وَقَلْبًا سَلِيمًا وَأَعُوذُ
بِكَ مِنْ شَرِّ مَا تَعْلَمُ وَأَسْأَلُكَ مِنْ خَيْرِ مَا تَعْلَمُ وَأَسْتَغْفِرُكَ مِمَّا تَعْلَمُ إِنَّكَ
أَنْتَ عَلاَّمُ الْغُيُوبِ

Allāhumma innī as'aluka th-thabāta fi l-amri wa as'aluka 'azīmata r-rushdi wa as'aluka shukra ni'matika wa ḥusna 'ibādatika, wa as'aluka lisānan ṣādiqan, wa qalban salīman, wa a'ūdhu bika min sharri ma ta'lam, wa as'aluka min khayri ma ta'lam, wa astaghfiruka mimmā ta'lam, innaka anta 'allāmu l-ghuyūb

Ô Allāh, je Te demande le maintien sur la rectitude et la ferme volonté d'être bienfaisant. Je Te demande la gratitude envers Ta grâce et la meilleure dévotion dans Ton adoration. Je Te demande un cœur pur, une langue véridique et un caractère droit. Je Te demande tout bien que Tu connais et j'invoque Ta protection contre tout mal que Tu connais. J'implore Ton pardon pour ce que Tu sais (de mes péchés). Tu es Celui qui connaît tout ce qui est caché. [Jāmi` At-Tirmidhī 3407]

Sentiments négatifs

Se protéger contre l'angoisse et la tristesse

اَللّٰهُمَّ إِنِّي أَعُوذُ بِكَ مِنَ الْهَمِّ وَالْحَزَنِ وَالْعَجْزِ وَالْكَسَلِ وَالْجُبْنِ وَالْبُخْلِ
وَضَلَعِ الدَّيْنِ وَغَلَبَةِ الرِّجَالِ

Allāhumma innī a'ūdhu bika mina l-hammi wa l-ḥazani wa l-'ajzi wa l-kasali wa l-jubni wa l-bukhli wa ḍala'i d-dayni wa ghalabati r-rijāl

Seigneur ! Préserve-moi des soucis et de la tristesse, de la faiblesse et de la paresse, de l'avarice et de la lâcheté, de l'endettement et de la dépendance aux hommes ! [Ṣaḥīḥ Al-Bukhārī 6369]

Pour la paix

اَللّٰهُمَّ أَنْتَ السَّلاَمُ وَمِنْكَ السَّلاَمُ تَبَارَكْتَ ذَا الْجَلاَلِ وَالإِكْرَامِ

Allāhumma anta s-salām, wa minka s-salām, tabārakta yā dha l-Jalāli wa l-'Ikrām

Ô Allāh, Tu es la Paix et c'est de Toi que provient la Paix. Béni sois-Tu, ô Toi qui possèdes la Majesté et la Noblesse. [Ṣaḥīḥ Muslim 591]

Sentiments négatifs

Miséricorde et protection immuables

اَللّٰهُمَّ رَحْمَتَكَ أَرْجُو فَلاَ تَكِلْنِي إِلَى نَفْسِي طَرْفَةَ عَيْنٍ وَأَصْلِحْ لِي شَأْنِي كُلَّهُ لاَ إِلَهَ إِلاَّ أَنْتَ

Allāhumma raḥmataka arjū, falā takilnī ilā nafsī ṭarfata 'aynin, wa aṣliḥ lī sha'nī kullahu, lā ilāha illā anta

Ô Allāh ! Je porte l'espoir de Ta miséricorde. Ne m'abandonne pas à moi-même, ne serait-ce qu'un instant, mais rétablit l'ordre pour moi dans tout ce qui me concerne. Il n'existe aucun dieu en-dehors de Toi. [Sunan Abī Dawūd 5090]

Protéger le cœur contre l'amertume envers un autre croyant

رَبَّنَا ٱغْفِرْ لَنَا وَلِإِخْوَٰنِنَا ٱلَّذِينَ سَبَقُونَا بِٱلْإِيمَٰنِ وَلَا تَجْعَلْ فِى قُلُوبِنَا غِلًّا لِّلَّذِينَ ءَامَنُوا۟ رَبَّنَآ إِنَّكَ رَءُوفٌ رَّحِيمٌ

Rabbana ghfir lanā wa li ikhwānina lladhīna sabaqūnā bi l-īmāni wa lā taj'al fī qulūbinā ghillan lilladhīna āmanu rabbāna innaka ra'ūfun r-raḥīm

Seigneur, pardonne-nous, ainsi qu'à nos frères qui nous ont précédés dans la foi ; et ne mets dans nos cœurs aucune rancœur pour ceux qui ont cru. Seigneur, Tu es Compatissant et Très Miséricordieux. [Al-Ḥashr 59:10]

Sentiments négatifs

Faire du Qur'ān le moteur du cœur et un antidote contre la tristesse et l'angoisse

اَللّٰهُمَّ إِنِّي عَبْدُكَ، ابْنُ عَبْدِكَ، ابْنُ أَمَتِكَ نَاصِيَتِي بِيَدِكَ، مَاضٍ فِيَّ حُكْمُكَ، عَدْلٌ فِيَّ قَضَاؤُكَ، أَسْأَلُكَ بِكُلِّ اسْمٍ هُوَ لَكَ سَمَّيْتَ بِهِ نَفْسَكَ، أَوْ عَلَّمْتَهُ أَحَدًا مِنْ خَلْقِكَ، أَوْ أَنْزَلْتَهُ فِي كِتَابِكَ، أَوِ اسْتَأْثَرْتَ بِهِ فِي عِلْمِ الْغَيْبِ عِنْدَكَ، أَنْ تَجْعَلَ الْقُرْآنَ رَبِيعَ قَلْبِي، وَنُورَ صَدْرِي، وَجِلَاءَ حُزْنِي، وَذَهَابَ هَمِّي

Allāhumma innī 'abduk, ibnu 'abdik, ibnu amatika, nāṣiyatī bi yadika, māḍin fiyya ḥukmuka, 'adlun fiyya qaḍā'uka, as'aluka bi kulli ismin huwa laka, sammayta bihī nafsaka, aw anzaltahū fī kitābika, aw 'allamtahū aḥadan min khalqika, aw ista'tharta bihī fī 'ilmil ghaybi 'indaka, an taj'ala l-qur'āna rabī'a qalbī, wa nūra ṣadrī, wa jalā'a ḥuznī, wa dhahāba hammī

Ô Allāh, Je suis Ton serviteur, fils de Ton serviteur, fils de Ta servante. Je suis sous Ton pouvoir. Ton jugement s'accomplit sur moi, Ton décret sur moi est juste. Je Te demande par tout nom qui T'appartient, par lequel Tu T'es nommé, ou que Tu as révélé dans Ton Livre ou que Tu as enseigné à l'une de Tes créatures, ou bien que Tu as gardé secret dans la science de l'inconnu, de faire en sorte que le Qur'ān soit le printemps de mon cœur, la lumière de ma poitrine, qu'il dissipe ma tristesse et mette fin à mes soucis. [Musnad Aḥmad 3712]

Sentiments négatifs

La satisfaction face au décret d'Allāh ﷻ

اَللّٰهُمَّ بِعِلْمِكَ الْغَيْبَ وَقُدْرَتِكَ عَلَى الْخَلْقِ أَحْيِنِي مَا عَلِمْتَ الْحَيَاةَ خَيْرًا لِي وَتَوَفَّنِي إِذَا عَلِمْتَ الْوَفَاةَ خَيْرًا لِي وَأَسْأَلُكَ الرِّضَاءَ بَعْدَ الْقَضَاءِ وَأَسْأَلُكَ بَرْدَ الْعَيْشِ بَعْدَ الْمَوْتِ وَأَسْأَلُكَ لَذَّةَ النَّظَرِ إِلَى وَجْهِكَ وَالشَّوْقَ إِلَى لِقَائِكَ فِي غَيْرِ ضَرَّاءَ مُضِرَّةٍ وَلاَ فِتْنَةٍ مُضِلَّةٍ

Allāhumma bi 'ilmika l-ghayba wa qudratika 'alā l-khalqi aḥyinī mā 'alimta l-ḥayāta khayran lī wa tawaffanī idhā 'alimta l-wafāta khayran lī, wa as'aluka r-riḍā ba'da l-qaḍā'i, wa as'aluka barda l-'ayshi ba'da l-mawti wa as'aluka ladhdhata n-naẓari ilā wajhika wa sh-shawqa ilā liqā'ika fi ghayri ḍarrā'a muḍirratin wa lā fitnatin muḍillatin

Ô Allāh, par Ta connaissance de l'invisible et Ton pouvoir sur la création, garde-moi en vie tant que Tu sais que vivre est bien pour moi et donne-moi la mort quand Tu sais que mourir est mieux pour moi. Rends-moi satisfait de ce que Tu as décrété et donne-moi une vie confortable après la mort. Accorde-moi la douceur d'apercevoir Ton visage et fais-moi désirer Ta rencontre sans m'imposer un malheur qui pourrait m'éprouver ou causer mon égarement. [Sunan An-Nasaī 1305]

السُمعة

Souci de la réputation

ÉMOTIONS RELIÉES

Vidé | Inquiet | Vaniteux | Dépendant | Hypocrite | Égocentrique
Arrogant | Envieux | Fourbe | Déçu | Immodéré | Manipulateur
Dur | Déficient | Insensible | Hypercritique | Lubrique
Inconscient | Prétentieux | Égocentré | Submergé

NOMS D'ALLĀH سبحانه وتعالى POUR L'INVOCATION

- **Al-Mudhil - Celui qui humilie**
- **Al-Jalīl - Le Majestueux**
- **Al-Mu'izz - Celui qui donne l'honneur**
- **Al-Khāfiḍ - Celui qui abaisse**
- **Ar-Rāfi' - Celui qui élève**
- **Ar-Raqīb - Le Vigilant**
- **Al-Ḥaqq - La Vérité**
- **Aḍ-Ḍārr - Celui qui afflige**
- **An-Nāfi' - Le Bienfaiteur**

AṢ-ṢALĀH AL-IBRĀHĪMIYYAH

INVOCATIONS EXAUCÉES

- **Pour se purifier de l'hypocrisie, de l'ostentation et de la prétention**
- **Pour améliorer notre état intérieur et extérieur**
- **Pour se protéger contre le fait d'associer un partenaire à Allāh ﷻ, consciemment ou inconsciemment**
- **Pour se protéger du souci de la réputation et, en fin de compte, de la colère d'Allāh ﷻ**
- **Pour faire que l'amour d'Allāh ﷻ soit le plus précieux et se détacher des désirs d'ici-bas**
- **Pour éviter le mécontentement d'Allāh ﷻ**

CHAPITRE 24

Souci de la réputation

[Sum'a] السُمْعَة

L'Islām est un mode de vie « transactionnel ». Le croyant mature admettra que le succès, au bout du compte, dépend de la volonté d'Allāh ﷻ : le Tout-Puissant passe en revue vos paroles, vos actes, vos sacrifices et vos relations puis, en fonction du résultat et selon Sa parfaite justice, Il choisit de récompenser ou de punir. Ceux qui déclarent aux autres leur volonté de satisfaire Allāh ﷻ mais qui, au fond d'eux, ne cherchent qu'admiration et honneur de leur part, ceux-là marchent en équilibre sur un fil haut-perché et dangereux, le fil de l'hypocrisie. Ils désirent jouir d'un « standing » élevé et immuable, virevoltant au sommet des défis spirituels et matériels, le cœur gonflé de joie par le sentiment que les autres s'émerveillent devant leurs succès.

Tout en marchant sur cette corde raide, ils « envoient au sol » les informations concernant ce qu'ils accomplissent, utilisant toute sorte de moyens de communication, de manière évidente ou sournoise. Résultat : les gens commencent à les connaître. L'appétit de la « sum'a » sera satisfait lorsque les langues se mettront à parler d'eux et les compliments à tomber en cascade. Puisqu'il s'agit d'un véritable « spectacle », le souci de la réputation est le proche cousin de l'ostentation ou « riyā'a ». Malheureusement, celui qui souffre de « sum'a » n'est souvent pas conscient de ce trouble, il refuse même de considérer sa position sur la corde raide comme dangereuse, méprisant la possibilité d'une chute à tout instant.

Le Prophète ﷺ, cependant, a dit :

- « Sache que même si toute la nation se réunissait pour t'offrir un quelconque bien, elle ne t'offrirait rien d'autre que ce qu'Allāh ﷻ a déjà prescrit pour toi, et si elle se réunissait pour te faire du mal, elle ne te ferait aucun autre mal que celui qu'Allāh ﷻ a déjà prescrit pour toi. La plume est levée et l'encre des feuilles a séché. » [At-Tirmidhī 2516]
- « Si le fils d'Ādam possédait deux vallées couvertes d'argent, il en désirerait une troisième. Car rien ne peut remplir sa bouche, si ce n'est la poussière. » [Ṣaḥīḥ Al-Bukhārī 6436]
- « Deux loups affamés lâchés sur un troupeau de moutons ne peuvent lui infliger autant de mal que le désir de richesse et de prestige n'en inflige à la religion d'un homme. » [At-Tirmidhī 2376]

Souci de la réputation

Invocation des Noms d'Allāh ﷻ

الْمُذِلُّ
Al-Mudhil
Celui qui humilie

الْجَلِيلُ
Al-Jalīl
Le Majestueux

الْمُعِزُّ
Al-Mu'izz
Celui qui donne l'honneur

الْخَافِضُ
Al-Khāfiḍ
Celui qui abaisse

الرَّافِعُ
Ar-Rāfi'
Celui qui élève

الرَّقِيبُ
Ar-Raqīb
Le Vigilant

الْحَقُّ
Al-Ḥaqq
La Vérité

الضَّارُّ
Aḍ-Ḍārr
Celui qui afflige

النَّافِعُ
An-Nāfi'
Le Bienfaiteur

Souci de la réputation

Méditations et Réflexions sur les Noms Excellents d'Allāh ﷻ

- Vous contenez et contrôlez ce sentiment plein d'orgueil qui désire atteindre une quelconque « majesté » dans ce monde. En effet, vous avez conscience qu'Allāh ﷻ est, sans comparaison possible, le Majestueux. Il est le Tout-Puissant, l'Omniscient et c'est donc de Lui que vous devez obtenir l'approbation et face à Lui que vous devez avoir une bonne réputation.

- Cela ne signifie pas abandonner vos efforts pour la réussite dans ce monde. Mais vous savez que, parmi les hommes, les êtres qui s'approchent de la beauté et de la majesté sont ceux qui recherchent la satisfaction d'Allāh ﷻ en obéissant à Ses commandements, en évitant Ses interdits et en élevant Sa religion.

- L'Islām est source de vérité, et Allāh ﷻ appelle tous Ses fidèles à défendre la vérité et à abandonner le mensonge. Vous vous tournez vers Lui avec humilité et une intention sincère, réalisant que c'est l'unique chemin pour obtenir, au bout du compte, Sa satisfaction.

- Vous vous rappelez que Seul Allāh ﷻ délègue pouvoir et souveraineté. Exactement de la même manière, Il supprime l'autorité de qui Il veut, quand Il veut.

- Vous réalisez que vouloir se construire une réputation auprès des autres vous mène à l'humiliation et, finalement, vous privera de la seule chose digne d'être désirée.

- Vous vous rappelez votre humble origine, quels que soient le statut de votre famille ou la richesse dans laquelle vous êtes peut-être né. Grâce à votre lecture du Qur'ān, vous comprenez qu'un royaume (al-Mulk) est composé d'un seigneur (al-Mālik) qui s'occupe d'un domaine (al-Milk) et d'un roi (al-Malik) qui gouverne ce seigneur. Allāh ﷻ possède chaque roi, chaque seigneur et chaque domaine. Tant que le royaume repose entre les mains d'Allāh ﷻ, vous n'avez aucun doute sur l'ordre des priorités. Vous ne cherchez de l'aide et le bon chemin qu'auprès d'Allāh ﷻ, Seul. Vous vous réfugiez auprès de Lui pour vous protéger de la moindre manifestation de shirk, consciente ou inconsciente.

- Vous êtes conscient, en permanence, que la vie d'ici-bas n'est que divertissement et distraction, et qu'en lâchant la bride à la glorification de l'égo, vous laissez naître la plupart des mauvais penchants spirituels (égoïsme, arrogance, etc.), des penchants qui ne servent à rien ni personne dans l'Au-Delà. Sachant cela, vous apercevez votre véritable objectif : prendre toutes vos dispositions afin de réussir votre voyage vers l'Au-Delà, en commençant par votre séjour dans la tombe.

Souci de la réputation

Aṣ-Ṣalāh Al-Ibrāhīmiyyah

اَللّٰهُمَّ صَلِّ عَلَى مُحَمَّدٍ وَعَلَى آلِ مُحَمَّدٍ كَمَا صَلَّيْتَ عَلَى
إِبْرَاهِيمَ وَآلِ إِبْرَاهِيمَ إِنَّكَ حَمِيدٌ مَجِيدٌ وَبَارِكْ عَلَى
مُحَمَّدٍ وَعَلَى آلِ مُحَمَّدٍ كَمَا بَارَكْتَ عَلَى إِبْرَاهِيمَ
وَآلِ إِبْرَاهِيمَ إِنَّكَ حَمِيدٌ مَجِيدٌ

Allāhumma ṣalli ʿalā Muḥammadin wa ʿalā āli Muḥammadin kamā ṣallayta ʿalā Ibrāhīm wa āli Ibrāhīm innaka ḥamīdum majīd, wa bārik ʿalā Muḥammadin wa ʿalā āli Muḥammadin kamā bārakta ʿalā Ibrāhīm wa āli Ibrāhīm innaka ḥamīdum majīd

Ô Seigneur ! Prie pour Muḥammad et pour la famille de Muḥammad comme Tu as prié pour Ibrāhīm et pour la famille d'Ibrāhīm. Et bénis Muḥammad et la famille de Muḥammad comme Tu as béni Ibrāhīm et la famille d'Ibrāhīm, Tu es certes Digne de louange et de glorification.
[Sunan An-Nasaī 1290]

Souci de la réputation

Se purifier de l'hypocrisie, de l'ostentation et de la prétention

اَللّٰهُمَّ طَهِّرْ قَلْبِي مِنَ النِّفَاقِ وَعَمَلِي مِنَ الرِّيَاءِ وَلِسَانِي مِنَ الْكَذِبِ وَعَيْنِي مِنَ الْخِيَانَةِ، فَإِنَّكَ تَعْلَمُ خَائِنَةَ الأَعْيُنِ وَمَا تُخْفِي الصُّدُورُ

Allāhumma ṭahhir qalbī mina n-nifāq wa 'amalī mina r-riyā'a wa lisānī mina l-kadhibi wa 'aynī mina l-khiyānati, fa innaka ta'lamu khā'inata l-a'yuni wa mā tukhfi ṣ-ṣudūr

Ô Allāh, purifie mon cœur de l'hypocrisie, mes actes de l'ostentation et de la prétention, ma langue du mensonge et mes yeux des regards coupables. Car, en vérité, Tu sais ce que les yeux regardent sournoisement et ce que cachent les cœurs. [Al-Bayhaqī dans Ad-Da'awāt Al-Kabīr 258]

Améliorer notre état intérieur et extérieur

اَللّٰهُمَّ اجْعَلْ سَرِيرَتِي خَيْرًا مِنْ عَلاَنِيَتِي وَاجْعَلْ عَلاَنِيَتِي صَالِحَةً اَللّٰهُمَّ إِنِّي أَسْأَلُكَ مِنْ صَالِحِ مَا تُؤْتِي النَّاسَ مِنَ الْمَالِ وَالأَهْلِ وَالْوَلَدِ غَيْرِ الضَّالِّ وَلاَ الْمُضِلِّ

Allāhumma j'al sarīratī khayran min 'alāniyatī wa j'al 'alāniyatī ṣāliḥatan, Allāhumma innī as'aluka min ṣāliḥi mā tu'ti n-nāsa mina l-māli wa l-ahli wa l-waladi ghayri ḍ-ḍālli wa lā l-muḍilli

Ô Allāh, fais que ma vie privée soit meilleure que ma vie publique, et que ma vie publique soit vertueuse. Ô Allāh, je Te demande une part des biens que Tu accordes aux hommes en termes de richesse, de famille et d'enfants. Je Te demande de n'être ni égaré, ni source d'égarement. [Jāmi' At-Tirmidhī 3586]

Souci de la réputation

Se protéger contre le fait d'associer un partenaire à Allāh ﷻ, consciemment ou inconsciemment

اَللّٰهُمَّ إِنِّي أَعُوذُ بِكَ أَنْ أُشْرِكَ بِكَ وَأَنَا أَعْلَمُ، وَأَسْتَغْفِرُكَ لِمَا لاَ أَعْلَمُ

Allāhumma innī a'ūdhu bika an ushrika bika wa ana a'lam, wa astaghfiruka limā lā a'lam

Ô Allāh! Je cherche refuge en Toi de peur de T'associer quoi que ce soit consciemment, et je demande Ton pardon si je l'ai déjà fait insconsciemment. [Al-Adab Al-Mufrad 716]

Se protéger du souci de la réputation et, en fin de compte, de la colère d'Allāh ﷻ

اَللّٰهُمَّ إِنِّي أَسأَلُكَ بِحَقِّ السَّائِلِينَ عَلَيكَ وَأَسأَلُكَ بِحَقِّ مَمْشَاىَ هَذَا فَإِنِّي لَمْ أَخْرُجْ أَشَرًا وَلاَ بَطَرًا وَلاَ رِيَاءً وَلاَ سُمْعَةً وَخَرَجْتُ اتِّقَاءَ سُخْطِكَ وَابْتِغَاءَ مَرْضَاتِكَ فَأَسأَلُكَ أَنْ تُعِيذَنِي مِنَ النَّارِ وَأَنْ تَغْفِرَ لِي ذُنُوبِي إِنَّهُ لاَ يَغْفِرُ الذُّنُوبَ إِلاَّ أَنْتَ

Allāhumma innī as-aluka bi ḥaqqissā-ilīna 'alayka, wa as-aluka bi ḥaqqi mamshāya hādhā, fa innī lam akhruj asharan wa lā baṭaran, wa lā riyā-an, wa la sum'atan, wa kharajtut-tiqā-a sukhtika wabtighā-a marḍātika, fa as-aluka an tu'īdhanī minan nāri wa an taghfira lī dhunūbī, innahu lā yaghfirudh dhunūba illā Anta

Ô Allāh, je m'adresse à Toi au nom des droits qu'ont ceux qui s'adressent à Toi, et je fais cette demande au nom de la manière avec laquelle je marche sur cette terre, car je ne me déplace ni avec orgueil ni avec vanité, ni par ostentation ni pour nourrir une réputation. Je me déplace plutôt avec la crainte de Ta punition et en cherchant à Te satisfaire. Je Te demande alors de me protéger contre le Feu et de pardonner mes péchés, car personne ne peut, à part Toi, les pardonner. [Sunan Ibn Mājah 778]

Souci de la réputation

Faire que l'amour d'Allāh ﷻ soit le plus précieux et se détacher des désirs d'ici-bas

اَللّٰهُمَّ اجْعَلْ حُبَّكَ أَحَبَّ الْأَشْيَاءِ إِلَيَّ وَاجْعَلْ خَوْفَكَ أَخْوَفَ الْأَشْيَاءِ إِلَيَّ وَاقْطَعْ عَنِّي حَاجَاتِ الدُّنْيَا بِالشَّوْقِ إِلَى لِقَائِكَ وَإِذَا أَقْرَرْتَ أَعْيُنَ أَهْلِ الدُّنْيَا مِنْ دُنْيَاهُمْ فَأَقِرَّ عَيْنِي مِنْ عِبَادَتِكَ

Allāhumma j'al ḥubbaka aḥabba l-ashyā'a ilāyya wa j'al khawfaka akhwafa l ashyā'a ilāyya waqṭa' 'annī ḥājāti d-dunyā bi sh-shawqi ilā liqā'ika wa idhā aqrartu a'yuna ahli d- dunya min dunyāhum fa aqirra 'aynī min 'ibādatika

Ô Allāh, fais de Ton amour l'amour le plus précieux pour moi, et fais de Ta crainte la chose que je redoute le plus. Détache-moi des désirs d'ici-bas en faisant naître en moi le désir puissant de Ta rencontre. Et, de même que Tu réconfortes les yeux des hommes de ce monde avec les richesses matérielles, réconforte mes yeux avec Ton obéissance et Ton adoration. [Abū Nu'aym Al-Aṣbahānī in Ḥilyah Al-Awliyā' v.8 pg.282]

Éviter le mécontentement d'Allāh ﷻ

اَللّٰهُمَّ إِنِّي أَعُوذُ بِكَ مِنْ زَوَالِ نِعْمَتِكَ وَتَحَوُّلِ عَافِيَتِكَ وَفُجَاءَةِ نِقْمَتِكَ وَجَمِيعِ سَخَطِكَ

Allāhumma innī a'ūdhu bika min zawāli ni'matika wa taḥawwuli 'āfiyatika wa fujā'ati niqmatika wa jamī'i sakhatika

Ô Allāh, Je demande Ta protection contre la suppression de Tes bienfaits, de Ton salut, de la santé dont Tu m'as comblé ! Ne m'expose ni à Ton Châtiment soudain, ni à tout ce qui provoque Ta Colère ! [Ṣaḥīḥ Muslim 2739]

العُجب

Vanité

ÉMOTIONS RELIÉES

Inquiet | Inconscient | Bien-pensant | Égocentrique | Dépendant
Indigne | Aggressif | Illusionné | Déçu | Excessif
Étourdi | Ignorant | Immature | Déficient | Fantasme | Prétentieux
Égocentré | Vaniteux | Hypocrite

NOMS D'ALLĀH ﷻ POUR L'INVOCATION

- **Al-Jalīl - Le Majestueux**
- **Al-Mutakabbir - Le Suprême**
- **Dhul-Jalāli Wal-Ikrām - Le Possesseur de la Majesté et de la Générosité**
- **Al-Mājid - Le Glorieux**
- **Al-Bā'ith - Celui qui ressuscite**
- **Al-Muḥyī, Al-Mumīt - Celui qui donne la vie, Celui qui donne la mort**
- **Ar-Raqīb - Le Vigilant**
- **Al-Mudhil - Celui qui humilie**
- **An-Nāfi' - Le Bienfaiteur**

AṢ-ṢALĀH AL-IBRĀHĪMIYYAH

INVOCATIONS EXAUCÉES

- **Pour se protéger contre le mal en nous**
- **Pour se protéger contre le contrôle de l'égo**
- **Pour se protéger de la vanité et, en fin de compte, de la colère d'Allāh ﷻ**
- **Pour avoir le meilleur comportement**
- **Pour améliorer notre état intérieur et extérieur**
- **Pour montrer sa gratitude pour la beauté intérieure et l'état extérieur**

CHAPITRE 25

Vanité [Ujub] العُجب

La vanité consiste à s'attribuer à soi-même le mérite de ce qu'il y a d'excellent en nous, oubliant que tout éclat de perfection vient d'Allāh ﷻ et qu'Il peut également, à tout instant, nous l'arracher. Le vaniteux s'imagine avoir réuni des dons remarquables qui ne s'éteindront jamais. Le mot « vanité » vient du latin « vanus » qui signifie « vide » : la source de notre vanité est dépourvue de substance, elle disparaîtra.

Le Prophète ﷺ a dit : « Le Jour de la Résurrection, le vaniteux, se pavanant avec arrogance, rencontrera Allāh ﷻ. Et Il sera furieux. » [Al-Adab Al-Mufrad 549]

La vanité est liée à l'arrogance qui, dit-on, a besoin d'au moins deux personnes pour se manifester réellement : l'arrogant et le témoin de cette arrogance. Pour le vaniteux, en revanche, peu importe que quelqu'un soit, ou non, en train de l'observer, de le juger : il est sans cesse noyé dans le tourment de savoir ce que les autres pensent de lui. En d'autres mots, la vanité se porte très bien toute seule. De la même manière, il existe une différence entre la vanité et son très proche cousin, l'orgueil (takabbur). Si l'orgueilleux se doit d'être manifestement supérieur aux autres, ce n'est pas nécessairement le cas pour le vaniteux qui peut nourrir en lui, de manière fluctuante, un sentiment d'infériorité et de fragilité.

Vanité

Invocation des Noms d'Allāh ﷻ

الْجَلِيلُ

Al-Jalīl
Le Majestueux

الْمُتَكَبِّرُ

Al-Mutakabbir
Le Suprême

ذُو الْجَلَالِ وَالْإِكْرَام

Dhul-Jalāli Wal-Ikrām
Le Possesseur de la Majesté et de la Générosité

الْمَاجِدُ

Al-Mājid
Le Glorieux

الْبَاعِثُ

Al-Bā'ith
Celui qui ressuscite

الْمُحْيِي الْمُمِيت

Al-Muḥyī, Al-Mumīt
Celui qui donne la vie, Celui qui donne la mort

الرَّقِيبُ

Ar-Raqīb
Le Vigilant

الْمُذِلُّ

Al-Mudhil
Celui qui humilie

النَّافِعُ

An-Nāfi'
Le Bienfaiteur

Vanité

Méditations et Réflexions sur les Noms Excellents d'Allāh ﷻ

- Vous ne souffrez d'aucune illusion de grandeur, peu importe le nombre de bienfaits qu'Allāh ﷻ vous a accordés. Car vous savez que la puissance, la grandeur et la gloire véritables n'appartiennent qu'à Allāh ﷻ.

- Vous vous rappelez que la beauté extérieure est la moins précieuse et que l'être le plus respecté et le plus admiré parmi les hommes est celui qui séduit par ses qualités intérieures. Cet homme-là plaît à ceux qui savent distinguer la vérité de l'erreur.

- Vous comprenez qu'il n'est pas judicieux, et même indigne, de recevoir un bienfait puis d'en faire étalage.

- Vous êtes reconnaissant de faire partie des adeptes du Prophète Muḥammad, un homme qui a choisi volontairement d'être un « serviteur-messager » plutôt qu'un « prophète-roi ».

- Vous méditez sur votre fin. Lorsque vous allez mourir, tout ce temps passé devant le miroir, tous ces moments perdus dans la prison de vos rêves de grandeur, absorbé par vous-même, ne serviront à rien. Tous vos efforts frivoles en vue des choses terrestres, votre vaine dépendance à leur égard ne vous profiteront en rien, et les épreuves traversées en lien avec ces efforts seront confisquées et perdues. Vous aimez vous imaginer âgé, avec la peau ridée et des vêtements simples, trouvant le réconfort auprès des perles de votre chapelet ou dans la lecture du Qur'ān.

- Vous adoptez l'humilité et fuyez la suffisance en vous remémorant Allāh ﷻ avec gratitude. Vous réalisez que si vous ne choisissez pas l'humilité, Allāh ﷻ vous humiliera.

Vanité

Aṣ-Ṣalāh Al-Ibrāhīmiyyah

اَللّٰهُمَّ صَلِّ عَلَى مُحَمَّدٍ وَعَلَى آلِ مُحَمَّدٍ كَمَا صَلَّيْتَ عَلَى
إِبْرَاهِيمَ وَآلِ إِبْرَاهِيمَ إِنَّكَ حَمِيدٌ مَجِيدٌ وَبَارِكْ عَلَى
مُحَمَّدٍ وَعَلَى آلِ مُحَمَّدٍ كَمَا بَارَكْتَ عَلَى إِبْرَاهِيمَ
وَآلِ إِبْرَاهِيمَ إِنَّكَ حَمِيدٌ مَجِيدٌ

Allāhumma ṣalli 'alā Muḥammadin wa 'alā āli Muḥammadin kamā ṣallayta 'alā Ibrāhīm wa āli Ibrāhīm innaka ḥamīdum majīd, wa bārik 'alā Muḥammadin wa 'alā āli Muḥammadin kamā bārakta 'alā Ibrāhīm wa āli Ibrāhīm innaka ḥamīdum majīd

Ô Seigneur ! Prie pour Muḥammad et pour la famille de Muḥammad comme Tu as prié pour Ibrāhīm et pour la famille d'Ibrāhīm. Et bénis Muḥammad et la famille de Muḥammad comme Tu as béni Ibrāhīm et la famille d'Ibrāhīm, Tu es certes Digne de louange et de glorification.
[Sunan An-Nasaī 1290]

Vanité

Se protéger contre le mal en nous

اَللّٰهُمَّ قِنِي شَرَّ نَفْسِي، وَاعْزِمْ لِي عَلَى أَرْشَدِ أَمْرِي

Allāhumma qinī sharra nafsī wa 'zim lī 'alā arshadi amrī

Ô Allāh, protège-moi du mal en moi et donne-moi la détermination pour faire ce qui est le mieux pour moi. [Al-Ḥākim 1880]

Se protéger contre le contrôle de l'égo

يَا حَيُّ يَا قَيُّومُ بِرَحْمَتِكَ أَسْتَغِيثُ، أَصْلِحْ لِي شَأْنِي كُلَّهُ، وَلَا تَكِلْنِي إِلَى نَفْسِي طَرْفَةَ عَيْنٍ

Yā ḥayyu yā qayyūm bi raḥmatika astaghīthu aṣliḥ lī sha'nī kullahu, wa lā takilnī ilā nafsī ṭarafata 'aynin

Ô Toi l'Immuable, l'Éternel, par Ta miséricorde je Te demande d'arranger mes affaires. Ne fais pas de moi le seul responsable de mon âme, ne serait-ce que le temps d'un clin d'œil. [Al-Ḥākim 2000]

Vanité

Se protéger de la vanité et, en fin de compte, de la colère d'Allāh ﷻ

اَللّٰهُمَّ إِنِّي أَسْأَلُكَ بِحَقِّ السَّائِلِينَ عَلَيْكَ وَأَسْأَلُكَ بِحَقِّ مَمْشَايَ هَذَا فَإِنِّي لَمْ أَخْرُجْ أَشَرًا وَلَا بَطَرًا وَلَا رِيَاءً وَلَا سُمْعَةً وَخَرَجْتُ اتِّقَاءَ سُخْطِكَ وَابْتِغَاءَ مَرْضَاتِكَ فَأَسْأَلُكَ أَنْ تُعِيذَنِي مِنَ النَّارِ وَأَنْ تَغْفِرَ لِي ذُنُوبِي إِنَّهُ لَا يَغْفِرُ الذُّنُوبَ إِلَّا أَنْتَ

Allāhumma innī as'aluka bi ḥaqqi s-sā'ilīna 'alayka, wa as'aluka bi ḥaqqi mamshāya hādhā, fa innī lam akhruj asharan wa lā baṭaran, wa lā riyā'an, wa lā sum'atan, wa kharajtu it-tiqā'a sukhtika wa ibtighā'a marḍātika, fa as'aluka an tu'īdhanī mina n-nāri wa an taghfira lī dhunūbī, innahu lā yaghfiru dh-dhunūba illā Anta

Ô Allāh, je m'adresse à Toi au nom des droits qu'ont ceux qui s'adressent à Toi, et je fais cette demande au nom de la manière avec laquelle je marche sur cette terre, car je ne me déplace ni avec orgueil ni avec vanité, ni par ostentation ni pour nourrir une réputation. Je me déplace plutôt avec la crainte de Ta punition et en cherchant à Te satisfaire. Je Te demande alors de me protéger contre le Feu et de pardonner mes péchés, car personne ne peut, à part Toi, les pardonner. [Sunan Ibn Mājah 778]

Avoir le meilleur comportement

اَللّٰهُمَّ أَحْسَنْتَ خَلْقِي، فَأَحْسِنْ خُلُقِي

Allāhumma aḥsanta khalqī fa aḥsin khuluqī

Ô Allāh, Tu m'as créé avec perfection, alors parfais également mon comportement. [Musnad Aḥmad 3823]

Vanité

Améliorer notre état intérieur et extérieur

اَللّٰهُمَّ اجْعَلْ سَرِيرَتِي خَيْرًا مِنْ عَلاَنِيَتِي وَاجْعَلْ عَلاَنِيَتِي صَالِحَةً اللّٰهُمَّ إِنِّي أَسْأَلُكَ مِنْ صَالِحِ مَا تُؤْتِي النَّاسَ مِنَ الْمَالِ وَالأَهْلِ وَالْوَلَدِ غَيْرِ الضَّالِّ وَلاَ الْمُضِلِّ

Allāhumma ij'al sarīratī khayran min 'alāniyatī wa ij'al 'alāniyatī ṣāliḥatan, Allāhumma innī as'aluka min ṣāliḥi mā tu'ti n-nāsa mina l-māli wa l-ahli wa l-waladi ghayri ḍ-ḍālli wa lā l-muḍilli

Ô Allāh, fais que ma vie privée soit meilleure que ma vie publique, et que ma vie publique soit vertueuse. Ô Allāh, je Te demande une part des biens que Tu accordes aux hommes en termes de richesse, de famille et d'enfants. Je Te demande de n'être ni égaré, ni source d'égarement. [Jāmi` At-Tirmidhī 3586]

Montrer sa gratitude pour la beauté intérieure et l'état extérieur

اَلْحَمْدُ لِلّٰهِ الَّذِي سَوَّى خَلْقِي فَعَدَلَهُ، وَصَوَّرَ صُورَةَ وَجْهِي فَحَسَّنَهَا، وَجَعَلَنِي مِنَ الْمُسْلِمِينَ

Alḥamdulillāhi lladhī sawwā khalqī fa 'addalahu, wa ṣawwara ṣūrata wajhī fa ḥassanahā, wa ja'alanī mina l-muslimīna

La louange est à Allāh ﷻ, Celui qui a dessiné mon être puis l'a perfectionné, qui a dessiné la forme de mon visage puis l'a embellie, et qui a fait de moi un Musulman. [Aṭ-Ṭabarānī in Al-Mu'jam Al-Awṣaṭ 787]

التفاخر الكِبر التَكَبُّر

Vantardise, Arrogance et Orgueil

ÉMOTIONS RELIÉES

Bien-pensant | Égocentrique | Arrogant | Dur | Cruel | Impitoyable | Inattentif | Méprisant | Hypocrite | Hypercritique | Obstiné | Prétentieux | Égocentré | Désagréable | Vaniteux | Vulgaire

NOMS D'ALLĀH ﷻ POUR L'INVOCATION

- **Al-Bāri' - Le Producteur**
- **Al-Jalīl - Le Majestueux**
- **Al-'Aẓīm - L'Incommensurable**
- **Al-Kabīr - Le Très-Grand**
- **Al-Muṣawwir - Celui qui modèle les formes**
- **Al-Mubdī - Celui qui commence**
- **Aṣ-Ṣamad - L'Éternel**
- **Al-'Aliyy - Le Très-Haut**
- **Mālik-Ul-Mulk - Le Maître de la royauté**
- **Dhul-Jalāli Wal-Ikrām - Le Possesseur de la Majesté et de la Générosité**
- **Ar-Raqīb - Le Vigilant**
- **As-Samī' - Celui qui entend tout**
- **Al-Baṣīr - Celui qui voit tout**
- **Al-Mudhil - Celui qui humilie**
- **Al-Laṭīf - Le Bienveillant**

AṢ-ṢALĀH AL-IBRĀHĪMIYYAH

INVOCATIONS EXAUCÉES

- **Pour éliminer l'arrogance**
- **Pour développer l'humilité**
- **Pour avoir constamment conscience d'Allāh ﷻ**
- **Pour vivre et mourir humblement**
- **Pour s'en remettre uniquement à Allāh ﷻ**

CHAPITRE 26

Vantardise [Tafākhur] التَفاخُر

Arrogance [Kibr] الكِبْر et Orgueil [Takabbur] التَكَبُّر

En un mot, le tafākhur (vantardise) et le kibr (arrogance) consistent à se considérer, volontairement et consciemment, comme supérieur aux autres. Que l'on se sente supérieur dans le domaine religieux ou autre, la vantardise et l'arrogance forgent dans notre cœur le mépris pour les autres. Il est question, ici, de la glorification malsaine de soi.

Pour celui ou celle qui adopte l'Islam, cette mentalité du « Je suis meilleur que vous » est interdite. L'ironie de l'histoire – la justice, peut-être – c'est que la personne qui laisse l'arrogance pénétrer son cœur verra souvent naître l'inimitié chez les autres.

L'orgueil prend de multiples formes, la plupart discrètes et rampantes. Il se fraye un chemin vers le cœur et influence le caractère du croyant si celui-ci n'examine pas suffisamment ses intentions.

Allāh ﷻ dit : « Ne vantez pas vous-mêmes votre pureté ; c'est Lui qui connaît mieux ceux qui [Le] craignent. » [An-Najm 53:32]

Le Prophète ﷺ a dit : « L'arrogance est le rejet de la vérité et le mépris des gens. » [Ṣaḥīḥ Muslim 91:147, Al-Ḥākim 7367]

Le Prophète ﷺ a mis en garde contre l'arrogance : « Quiconque ayant dans son coeur un atome d'arrogance n'entrera pas au Paradis. » [Ṣaḥīḥ Muslim 91:147, 91:149]. Il en est de même de l'orgueil (ou takabbur) qui consiste à se croire plus proche de la perfection que les autres.

Vantardise, Arrogance et Orgueil

Invocation des Noms d'Allāh ﷻ

البَارِئُ
Al-Bāri'
Le Producteur

الجَلِيلُ
Al-Jalīl
Le Majestueux

العَظِيمُ
Al-'Aẓīm
L'Incommensurable

الكَبِيرُ
Al-Kabīr
Le Très-Grand

المُصَوِّرُ
Al-Muṣawwir
Celui qui modèle les formes

المُبْدِئُ
Al-Mubdī
Celui qui commence

الصَّمَدُ
Aṣ-Ṣamad
L'Éternel

العَلِيُّ
Al-'Aliyy
Le Très-Haut

مَالِكُ المُلْكِ
Mālik-Ul-Mulk
Le Maître de la royauté

ذُو الجَلَالِ وَالإِكْرَام
Dhul-Jalāli Wal-Ikrām
Le Possesseur de la Majesté et de la Générosité

الرَّقِيبُ
Ar-Raqīb
Le Vigilant

السَّمِيعُ
As-Samī'
Celui qui entend tout

البَصِيرُ
Al-Baṣīr
Celui qui voit tout

المُذِلُّ
Al-Mudhil
Celui qui humilie

اللَّطِيفُ
Al-Laṭīf
Le Bienveillant

Vantardise, Arrogance et Orgueil

Méditations et Réflexions sur les Noms Excellents d'Allāh ﷻ

- Vous êtes appelés à vous souvenir que l'inépuisable variété de la création a été créée, façonnée et initiée par Allāh ﷻ, dans les cieux et sur la terre ainsi qu'entre ces deux étendus. C'est Lui qui détient toute la puissance et tout le pouvoir. Ainsi, l'autosatisfaction, l'arrogance et l'égo doivent laisser place à l'humilité et à la douceur.

- Vous comprenez qu'Il est Éternel et que, par cette singularité absolue, Il est inégalé.

- Vous vous souvenez que « la puissance est Son vêtement et l'orgueil Son manteau ». Quiconque cherche à concurrencer Allāh ﷻ dans la puissance et l'orgueil, par un étalage permanent d'autosatisfaction et d'égoisme, sera humilié par le Tout-Puissant.

- Vous vous souvenez qu'Allāh ﷻ Seul est la Vérité et le Gouverneur Absolu. Nous, Ses sujets, ne pouvons qu'obéir à Ses commandements. Vous vous tenez donc devant Lui dans la plus sincère humilité et la plus profonde dévotion (dans l'espoir d'atteindre la véritable élévation spirituelle).

- Vous vous souvenez de votre modeste origine et de la véritable source de tous vos bienfaits. Ces-derniers, comme la santé ou le statut social, peuvent être diminués ou brusquement saisis à chaque instant.

- Vous comprenez qu'Il entend les secrets comme les murmures, qu'Il est témoin de toute chose et possède une vision telle que rien ne Lui échappe. Ainsi, vous réservez l'utilisation de vos sens à l'obéissance d'Allāh ﷻ.

- Vous remplacez l'arrogance, la dureté et la cruauté par la tolérance, la douceur et une attitude sincèrement bienveillante : gentillesse, politesse, bonnes manières et comportement exemplaire.

Vantardise, Arrogance et Orgueil

Aṣ-Ṣalāh Al-Ibrāhīmiyyah

اَللّٰهُمَّ صَلِّ عَلَى مُحَمَّدٍ وَعَلَى آلِ مُحَمَّدٍ كَمَا صَلَّيْتَ عَلَى
إِبْرَاهِيمَ وَآلِ إِبْرَاهِيمَ إِنَّكَ حَمِيدٌ مَجِيدٌ وَبَارِكْ عَلَى
مُحَمَّدٍ وَعَلَى آلِ مُحَمَّدٍ كَمَا بَارَكْتَ عَلَى إِبْرَاهِيمَ
وَآلِ إِبْرَاهِيمَ إِنَّكَ حَمِيدٌ مَجِيدٌ

Allāhumma ṣalli 'alā Muḥammadin wa 'alā āli Muḥammadin kamā ṣallayta 'alā Ibrāhīm wa āli Ibrāhīm innaka ḥamīdum majīd, wa bārik 'alā Muḥammadin wa 'alā āli Muḥammadin kamā bārakta 'alā Ibrāhīm wa āli Ibrāhīm innaka ḥamīdum majīd

Ô Seigneur ! Prie pour Muḥammad et pour la famille de Muḥammad comme Tu as prié pour Ibrāhīm et pour la famille d'Ibrāhīm. Et bénis Muḥammad et la famille de Muḥammad comme Tu as béni Ibrāhīm et la famille d'Ibrāhīm, Tu es certes Digne de louange et de glorification.
[Sunan An-Nasaī 1290]

Vantardise, Arrogance et Orgueil

Éliminer l'arrogance

اَللَّهُمَّ اجْعَلْنِي شَكُورًا، وَاجْعَلْنِي صَبُورًا، وَاجْعَلْنِي فِي عَيْنَيَّ صَغِيرًا، وَفِي أَعْيُنِ النَّاسِ كَبِيرًا

Allāhumma j'alnī shakūrā, waj'alnī ṣabūrā, waj'alnī fī 'aynayya ṣaghīrā, wa fī -a'yunin nāsi kabīrā

Ô Allāh, fais de moi un être plein de gratitude. Fais de moi un être patient. Que je sois petit à mes propres yeux et grand aux yeux des autres. [Musnad Al-Bazzār 4439]

Développer l'humilité

اَللَّهُمَّ إِنِّي أَعُوذُ بِكَ مِنْ قَلْبٍ لاَ يَخْشَعُ وَدُعَاءٍ لاَ يُسْمَعُ وَمِنْ نَفْسٍ لاَ تَشْبَعُ وَمِنْ عِلْمٍ لاَ يَنْفَعُ أَعُوذُ بِكَ مِنْ هَؤُلاَءِ الأَرْبَعِ

Allāhumma innī a`ūdhu bika min qalbin lā yakhsha`, wa du`ā'in lā yusma`, wa min nafsin lā tashba`, wa min `ilmin lā yanfa`, a`ūdhu bika min hā'ulā-il-arba`

Ô Allāh, je demande Ta protection contre un cœur qui ne s'humilie pas, contre l'invocation qui n'est pas entendue, contre l'âme qui n'est jamais satisfaite et contre le savoir qui n'est d'aucun bénéfice. Je demande Ta protection contre ces quatre choses. [Jāmi` At-Tirmidhī 3482]

Vantardise, Arrogance et Orgueil

Avoir constamment conscience d'Allāh ﷻ

رَبِّ اجْعَلْنِي لَكَ شَكَّارًا لَكَ ذَكَّارًا لَكَ رَهَّابًا لَكَ مِطْوَاعًا
لَكَ مُخْبِتًا إِلَيْكَ أَوَّاهًا مُنِيبًا

Rabbi j`alnī laka shakkārā, laka dhakkārā, laka rahhābā, laka miṭwā`ā, laka mukhbitan ilayka awwāham munībā

Seigneur, fais en sorte, sans cesse, que je Te sois reconnaissant, que je me rappelle de Toi, que je Te craigne, que je T'obéisse, que je sois humble devant Toi, que je me tourne et fasse retour vers Toi. [Jāmi` At-Tirmidhī 3551]

Vivre et mourir humblement

اَللّٰهُمَّ أَحْيِنِي مِسْكِينًا وَأَمِتْنِي مِسْكِينًا وَاحْشُرْنِي فِي
زُمْرَةِ الْمَسَاكِينِ يَوْمَ الْقِيَامَةِ

Allāhumma aḥyinī miskīnā wa amitnī miskīnā waḥshurnī fī zumratil masākīni yawmal qiyāmah

Ô Allāh, donne-moi la vie d'une humble personne et la mort d'une humble personne, et ressuscite-moi, le Jour du Jugement, parmi les humbles. [Jāmi` At-Tirmidhī 2352]

Vantardise, Arrogance et Orgueil

S'en remettre uniquement à Allāh ﷻ

اَللّٰهُمَّ لَكَ أَسْلَمْتُ، وَبِكَ آمَنْتُ، وَعَلَيْكَ تَوَكَّلْتُ، وَإِلَيْكَ أَنَبْتُ، وَبِكَ خَاصَمْتُ، وَإِلَيْكَ حَاكَمْتُ، فَاغْفِرْ لِي مَا قَدَّمْتُ وَمَا أَخَّرْتُ، وَأَسْرَرْتُ وَأَعْلَنْتُ، أَنْتَ إِلَهِي لاَ إِلَهَ لِي غَيْرُكَ

Allāhumma laka aslamtu wa bika āmantu wa 'alayka tawakkaltu wa ilayka anabtu wa bika khāṣamtu wa ilayka ḥākamtu faghfirlī mā qaddamtu wa mā akhkhartu wa asrartu wa a'lantu, anta ilāhī lā ilāha lī ghayruk

Seigneur ! À Toi je me soumets. En Toi je crois. À Toi je me fie. À Toi je reviens repentant. Je me fais fort de Ta loi et c'est Toi que je prends pour juge. Pardonne mes péchés passés et futurs, ceux commis en secret et ceux perpétrés en public. C'est Toi mon Seigneur, il n'y aucun dieu à part Toi. [Ṣaḥīḥ Al-Bukhārī 7385]

Glossaire des Noms Excellents d'Allāh سبحانه وتعالى

				Trouble	Page
1	ٱلرَّحْمَان	Ar-Raḥmān	**Celui qui fait miséricorde**	Injustice Sentiments négatifs	244 306
2	ٱلرَّحِيم	Ar-Raḥīm	**Le Miséricordieux**	Haine Injustice Sentiments négatifs	214 244 306
3	ٱلْمَلِك	Al-Malik	**Le Roi**	Injustice	244
4	ٱلْقُدُّوس	Al-Quddūs	**Le Sacré**	Insouciance	256
5	ٱلسَّلَام	As-Salām	**La Paix**	Colère Envie Sentiments négatifs	128 176 306
6	ٱلْمُؤْمِن	Al-Mu'min	**Celui qui inspire la foi**	Illusion Confiance en autre qu'Allāh سبحانه وتعالى	224 136
7	ٱلْمُهَيْمِن	Al-Muhaymin	**Le Surveillant**	Extravagance Injustice	186 244
8	ٱلْعَزِيز	Al-Azīz	**Le Triomphant**	Confiance en autre qu'Allāh سبحانه وتعالى	136
9	ٱلْجَبَّار	Al-Jabbār	**L'Impérieux**	Sentiments négatifs	306
10	ٱلْمُتَكَبِّر	Al-Mutakabbir	**Le Suprême**	Vanité	330
11	ٱلْخَالِق	Al-Khāliq	**Le Créateur**	Confiance en autre qu'Allāh سبحانه وتعالى	136
12	ٱلْبَارِئ	Al-Bāri'	**Le Producteur**	Vantardise, Arrogance et Orgueil Confiance en autre qu'Allāh سبحانه وتعالى	338 136
13	ٱلْمُصَوِّر	Al-Muṣawwir	**Celui qui modèle les formes**	Vantardise, Arrogance et Orgueil	338
14	ٱلْغَفَّار	Al-Ghaffār	**Celui qui ne cesse de pardonner**	Colère Haine Sentiments négatifs	128 214 306

Glossaire des Noms Excellents d'Allāh ﷻ

				Trouble	Page
15	ٱلْقَهَّار	Al-Qahhār	**Le Dominateur**	Mécontentement face au Décret Divin	274
16	ٱلْوَهَّاب	Al-Wahhāb	**Celui qui donne**	Avarice Inconscience des bienfaits ou Ingratitude	110 232
17	ٱلرَّزَّاق	Ar-Razzāq	**Celui qui pourvoit**	Crainte de la pauvreté Avarice	146 110
18	ٱلْفَتَّاح	Al-Fattāḥ	**Celui qui ouvre**	Retenue blâmable	298
19	ٱلْعَلِيم	Al-'Alīm	**L'Omniscient**	Mécontentement face au Décret Divin Fantasme Fraude	274 194 204
20	ٱلْقَابِض	Al-Qābiḍ	**Celui qui saisit**	Mécontentement face au Décret Divin Crainte de la pauvreté Amour de ce monde Inconscience des bienfaits ou Ingratitude Débauche ou Avidité	274 146 102 232 158
21	ٱلْبَاسِط	Al-Bāsiṭ	**Le Prodigue**	Mécontentement face au Décret Divin Crainte de la pauvreté	274 146
22	ٱلْخَافِض	Al-Khāfiḍ	**Celui qui abaisse**	Retenue blâmable Vantardise, Arrogance et Orgueil Mécontentement face aux critiques et aux reproches Extravagance Amour de ce monde Souci de la réputation	298 338 186 186 102

Glossaire des Noms Excellents d'Allāh ﷻ

				Trouble	Page
23	ٱلرَّافِع	Ar-Rāfi'	**Celui qui élève**	Retenue blâmable Vantardise, Arrogance et Orgueil Mécontentement face aux critiques et aux reproches Souci de la réputation	298 338 186 322
24	ٱلْمُعِزّ	Al-Mu'izz	**Celui qui donne l'honneur**	Extravagance Ostentation ou Frime	186 290
25	ٱلْمُذِلّ	Al-Mudhil	**Celui qui humilie**	Vantardise, Arrogance et Orgueil Souci de la réputation	338 322
26	ٱلسَّمِيع	As-Samī'	**Celui qui entend tout**	Vantardise, Arrogance et Orgueil Fraude Sentiments négatifs	338 204 306
27	ٱلْبَصِير	Al-Baṣīr	**Celui qui voit tout**	Extravagance Fantasme Fraude Injustice Moquerie Ostentation ou Frime	186 194 204 244 282 290
28	ٱلْحَكَم	Al-Ḥakam	**Le Juge**	Mécontentement face au Décret Divin Haine	274 214
29	ٱلْعَدْل	Al-'Adl	**Le Juste**	Colère Retenue blâmable Mécontentement face au Décret Divin Fraude Injustice Confiance en autre qu'Allāh ﷻ	128 298 186 204 244 136

Glossaire des Noms Excellents d'Allāh ﷻ

				Trouble	Page
30	ٱللَّطِيف	Al-Laṭīf	**Le Bienveillant**	Vantardise, Arrogance et Orgueil Dureté de cœur Inconscience des bienfaits ou Ingratitude	338 166 232
31	ٱلْخَبِير	Al-Khabīr	**L'Informé**	Fantasme Fraude Insouciance Injustice Amour de ce monde Avarice Sentiments négatifs Ostentation ou Frime	194 204 256 244 102 110 306 290
32	ٱلْحَلِيم	Al-Ḥalīm	**L'Indulgent**	Colère Dureté de cœur Haine	128 166 214
33	ٱلْعَظِيم	Al-'Aẓīm	**L'Incommensurable**	Vantardise, Arrogance et Orgueil	338
34	ٱلْغَفُور	Al-Ghafūr	**Le Clément**	Haine	214
35	ٱلشَّكُور	Ash-Shakūr	**Le Reconnaissant**	Amour de ce monde Inconscience des bienfaits ou Ingratitude Débauche ou Avidité	102 232 158
36	ٱلْعَلِيّ	Al-'Aliyy	**Le Très-Haut**	Vantardise, Arrogance et Orgueil	338
37	ٱلْكَبِير	Al-Kabīr	**Le Très-Grand**	Vantardise, Arrogance et Orgueil	338
38	ٱلْحَفِيظ	Al-Ḥafīẓ	**Le Préservateur**	Envie Sentiments négatifs	176 306

Glossaire des Noms Excellents d'Allāh ﷻ

				Trouble	Page
39	ٱلْمُقِيت	Al-Muqīt	**Le Nourricier**	Crainte de la pauvreté Sentiments négatifs Confiance en autre qu'Allāh ﷻ	146 306 136
40	ٱلْحَسِيب	Al-Ḥasīb	**Celui qui compte**	Aversion pour la mort Fraude Ostentation ou Frime	120 204 290
41	ٱلْجَلِيل	Al-Jalīl	**Le Majestueux**	Vantardise, Arrogance et Orgueil	338
42	ٱلْكَرِيم	Al-Karīm	**Le Généreux**	Extravagance Avarice Inconscience des bienfaits ou Ingratitude	186 110 232
43	ٱلرَّقِيب	Ar-Raqīb	**Le Vigilant**	Vantardise, Arrogance et Orgueil Fantasme Fraude Injustice Vanité	338 194 204 244 330
44	ٱلْمُجِيب	Al-Mujīb	**Celui qui répond**	Injustice Sentiments négatifs Confiance en autre qu'Allāh ﷻ	244 306 136
45	ٱلْوَاسِع	Al-Wāsi'	**Celui qui embrasse et comprend tout**	Envie	176
46	ٱلْحَكِيم	Al-Ḥakīm	**Le Sage**	Aversion pour la mort Retenue blâmable Mécontentement face aux critiques et aux reproches Mécontentement face au Décret Divin Illusion Inconscience des bienfaits ou Ingratitude	120 298 186 274 224 232

Glossaire des Noms Excellents d'Allāh سُبْحَانَهُ وَتَعَالَىٰ

				Trouble	Page
47	ٱلْوَدُود	Al-Wadūd	**Celui dont l'amour est constant**	Colère Dureté de cœur Sentiments négatifs	128 166 306
48	ٱلْمَجِيد	Al-Majīd	**L'Honorable**	Inconscience des bienfaits ou Ingratitude	232
49	ٱلْبَاعِث	Al-Bā'ith	**Celui qui ressuscite**	Aversion pour la mort Illusion Insouciance Ostentation ou Frime Débauche ou Avidité	120 224 256 290 158
50	ٱلشَّهِيد	Ash-Shahīd	**Le Témoin**	Fantasme Fraude Moquerie Ostentation ou Frime	194 204 282 290
51	ٱلْحَق	Al-Ḥaqq	**La Vérité**	Colère Mécontentement face aux critiques et aux reproches Mécontentement face au Décret Divin Fraude Souci de la réputation	128 186 274 204 322
52	ٱلْوَكِيل	Al-Wakīl	**Le Garant**	Crainte de la pauvreté Confiance en autre qu'Allāh سُبْحَانَهُ وَتَعَالَىٰ	146 136
53	ٱلْقَوِي	Al-Qawiyy	**Le Fort**	Retenue blâmable Injustice	298 244
54	ٱلْمَتِين	Al-Matīn	**L'Inébranlable**	Retenue blâmable Injustice	298 244
55	ٱلْوَلِي	Al-Waliyy	**L'Ami protecteur**	Injustice Avarice	244 110
56	ٱلْحَمِيد	Al-Ḥamīd	**Le Digne de louange**	Mécontentement face aux critiques et aux reproches	186

Glossaire des Noms Excellents d'Allāh سبحانه وتعالى

				Trouble	Page
57	ٱلْمُحْصِي	Al-Muḥṣī	**Celui garde les comptes**	Fantasme Fraude Ostentation ou Frime	194 204 290
58	ٱلْمُبْدِئ	Al-Mubdī	**Celui qui commence**	Vantardise, Arrogance et Orgueil	338
59	ٱلْمُعِيد	Al-Mu'īd	**Le Régénérateur**	Aversion pour la mort	120
60	ٱلْمُحْيِي	Al-Muḥyī	**Celui qui donne la vie**	Aversion pour la mort Vanité Débauche ou Avidité	120 330 158
61	ٱلْمُمِيت	Al-Mumīt	**Celui qui donne la mort**	Aversion pour la mort Illusion Vanité Débauche ou Avidité	120 224 330 158
62	ٱلْحَيّ	Al-Ḥayy	**Le Vivant**	Confiance en autre qu'Allāh سبحانه وتعالى	136
63	ٱلْقَيُّوم	Al-Qayyūm	**L'Immuable**	Crainte de la pauvreté Avarice	146 110
64	ٱلْوَاجِد	Al-Wājid	**Celui qui trouve**	Crainte de la pauvreté Sentiments négatifs	146 306
65	ٱلْمَاجِد	Al-Mājid	**Le Glorieux**	Vanité	330
66	ٱلْوَاحِد	Al-Wāḥid	**L'Un**	Confiance en autre qu'Allāh سبحانه وتعالى	136
67	ٱلْأَحَد	Al-Aḥad	**L'Unique**	Confiance en autre qu'Allāh سبحانه وتعالى	136
68	ٱلصَّمَد	Aṣ-Ṣamad	**L'Éternel**	Vantardise, Arrogance et Orgueil	338
69	ٱلْقَادِر	Al-Qādir	**Le Tout-Puissant**	Crainte de la pauvreté	146

Glossaire des Noms Excellents d'Allāh ﷻ

				Trouble	PAGE
70	ٱلْمُقْتَدِر	Al-Muqtadir	**L'Omnipotent**	Crainte de la pauvreté	146
71	ٱلْمُقَدِّم	Al-Muqaddim	**Celui qui approche**	Insouciance Dureté de cœur	256 166
72	ٱلْمُؤَخِّر	Al-Mu'akhkhir	**Celui qui retarde**	Illusions Fraude	224 204
73	ٱلأَوَّل	Al-Awwal	**Le Premier**	Confiance en autre qu'Allāh ﷻ	136
74	ٱلآخِر	Al-Ākhir	**Le Dernier**	Confiance en autre qu'Allāh ﷻ	136
75	ٱلظَّاهِر	Aṭ-Ṭāhir	**Le Manifeste**	Inconscience des bienfaits ou Ingratitude	232
76	ٱلْبَاطِن	Al-Bāṭin	**Le Caché**	Fantasme Fraude	194 204
77	ٱلْوَالِي	Al-Wālī	**Le Gouverneur**	Crainte de la pauvreté Injustice Sentiments négatifs	146 244 306
78	ٱلْمُتَعَالِي	Al-Muta'ālī	**Le Très-Haut**	Confiance en autre qu'Allāh ﷻ	136
79	ٱلْبَرّ	Al-Barr	**Celui qui fait le bien**	Envie Haine	176 214
80	ٱلتَّوَّاب	At-Tawwāb	**Celui qui ne cesse de revenir**	Colère Haine	128 214
81	ٱلْمُنْتَقِم	Al-Muntaqim	**Le Vengeur**	Injustice	244
82	ٱلعَفُوّ	Al-'Afuww	**L'Indulgent**	Insouciance	256
83	ٱلرَّؤُوف	Ar-Ra-ūf	**Le Compatissant**	Avarice	110

Glossaire des Noms Excellents d'Allāh ﷻ

				Trouble	Page
84	مَالِكُ ٱلْمُلْك	Mālik-Ul-Mulk	**Le Maître de la royauté**	Vantardise, Arrogance et Orgueil	338
85	ذُو ٱلْجَلَالِ وَٱلْإِكْرَام	Dhul-Jalāli Wal-Ikrām	**Le Possesseur de la Majesté et de la Générosité**	Vantardise, Arrogance et Orgueil Vanité	338 330
86	ٱلْمُقْسِط	Al-Muqsiṭ	**L'Équitable**	Fraude Injustice	204 244
87	ٱلْجَامِع	Al-Jāmi'	**Celui qui rassemble**	Aversion pour la mort	120
88	ٱلْغَنِيّ	Al-Ghaniyy	**Le Riche**	Crainte de la pauvreté	146
89	ٱلْمُغْنِي	Al-Mughniyy	**Celui qui enrichit**	Crainte de la pauvreté Dureté de cœur	146 166
90	ٱلْمَانِع	Al-Māni'	**Celui qui empêche**	Fantasme Fraude	194 204
91	ٱلضَّارّ	Aḍ-Ḍārr	**Celui qui afflige**	Confiance en autre qu'Allāh ﷻ Souci de la réputation	136 322
92	ٱلنَّافِع	An-Nāfi'	**Le Bienfaiteur**	Mécontentement face au Décret Divin Confiance en autre qu'Allāh ﷻ Souci de la réputation	274 136 322
93	ٱلنُّور	An-Nūr	**La Lumière**	Insouciance	256
94	ٱلْهَادِي	Al-Hādī	**Le Guide**	Insouciance	256
95	ٱلْبَدِيع	Al-Badī'	**Le Producteur**	Vantardise, Arrogance et Orgueil	338
96	ٱلْبَاقِي	Al-Bāqī	**Le Permanent**	Amour de ce monde Sentiments négatifs	102 306

Glossaire des Noms Excellents d'Allāh ﷻ

				Trouble	Page
97	ٱلْوَارِث	Al-Wārith	**L'Héritier**	Amour de ce monde	102
98	ٱلرَّشِيد	Ar-Rashīd	**Celui qui guide**	Fraude Insouciance	204 256
99	ٱلصَّبُور	Aṣ-Ṣabūr	**Le Patient**	Colère Mécontentement face au Décret Divin	128 274

Glossaire des termes arabes

Terme arabe	Définition
Adhān	Appel à la prière des Musulmans qui annonce le début de la période pendant laquelle la prière doit s'accomplir
Adhkār	Pluriel de dhikr, signifiant « litanies »
Ad'iyah	Pluriel de du'ā, signifiant « supplications », « invocations »
'Āfiyah	Protection d'Allāh ﷻ, s'oppose au fait d'être le sujet d'épreuves et de difficultés
Akhfā	Superlatif du terme « caché » en arabe (khafiyy), signifiant « le plus caché »
Al-Fātiḥah	Ouverture et premier chapitre du Qur'ān
Al-Firdaws	Plus haut degré du paradis
Allāh	L'unique divinité en Islam
Al-Mālik	Propriétaire d'une chose ou d'un domaine
Al-Marwah	Colline située dans la ville de La Mecque et concernée par les pratiques du pèlerinage musulman
Al-Masīḍ Ad-Dajjāl	Figure annoncée qui apparaîtra à la fin des temps et s'élèvera en épreuve pour le monde, avant d'être finalement vaincue par 'Īsā (Jésus)
Al-Milk	La chose possédée ; domaine
Al-Mulk	Concept de propriété (domaine)
Āmīn	Exclamation prononcée à la fin d'une prière
'Aqabah	Lieu situé entre les montagnes de La Mecque et lié aux rites musulmans du pélerinage
'Arafah	Plaine située près de La Mecque où les pèlerins doivent se rendre au 9e jour du dernier mois du calendrier lunaire des Musulmans – dhū al-ḥijjah
'Aṣr	Prière quotidienne accomplie lorsque le soleil est à peu près à la moitié de sa course descendante, entre midi et le coucher du soleil.

Glossaire des termes arabes

Terme arabe	Définition
Aṣ-Ṣafā	Colline située dans la ville de La Mecque et concernée par les pratiques du pèlerinage musulman
Astaghfirullah	«Je demande pardon à Allāh ﷻ»
Āyah	Verset du Qur'ān (littéralement, « signe »)
Djinn	Espèce de vie intelligente créée par Allāh ﷻ à partir d'une flamme sans fumée
Du'ā	Supplication, invocation
Farḍ	Acte obligatoire
Ḥadīth	Narration extraite du corpus de textes comprenant les paroles et les actes du Prophète Muḥammad
Hajj	Pèlerinage obligatoire jusqu'à La Mecque que chaque Musulman doit accomplir au moins une fois dans sa vie, s'il en a les moyens. Le pèlerinage implique d'accomplir des rituels spécifiques à certains endroits pendant cinq ou six jours.
Ḥijr	Annexe semi-circulaire situé à l'opposé de l'angle Yéménite et du mur de la Pierre Noire de la Ka'bah
Iblis	Djinn qui mène la fronde de la désobéissance, il a désobéi à Allāh ﷻ et murmuré à l'oreille d'Adam
Ibrāhīm	Abraham, l'ami d'Allāh ﷻ
Imām	Figure d'érudition élevée et respectée en Islām
Īmān	Conviction dans la croyance
Inshā'Allāh	Si Allāh ﷻ veut
Iqāmah	Appel à la prière effectué juste avant le début de la prière collective
Islām	Vision du monde basée sur les principes révélés dans le Qur'ān et enseignés par le Prophète Muḥammad ﷺ
Istiqāmah	Constance
Jaliyy	Apparent

Glossaire des termes arabes

Terme arabe	Définition
Jamrah	Pilliers situés près de La Mecque qui sont lapidés pendant le pèlerinage musulman
Jannah	Paradis
Jumu'ah	Vendredi ou la prière du vendredi
Ka'bah	Édifice situé à La Mecque qui détermine la direction vers laquelle prient les Musulmans ; la Maison d'Allāh ﷻ
Khafiyy	Caché
Ma'arifat	État le plus élevé de la connaissance d'Allāh ﷻ
Makkah	Ville d'Arabie où le Prophète ﷺ Muḥammad débuta sa mission
MāshāAllāh	« Ce que veut Allāh ﷻ », formule de félicitation attribuant tout succès à Allāh ﷻ
Masjid	Le lieu public de l'adoration dans lequel les Musulmans se réunissent pour prier ; il peut également remplir d'autres fonctions secondaires
Mughaffal	Imbécile ; celui qui a été rendu ignorant
Muḥāsabah	Introspection
Muḥammad	Nom du dernier et ultime Prophète d'Allāh ﷻ ; le Prophète ﷺ de l'Islām
Mukh	Essence
Mukh-ul-ibaadah	Essence de l'adoration
Muṣalli	Personne qui accomplit la prière ; celui qui offre la Ṣalāh (prière musulmane)
Nafl	Surérogatoire
Qadr	Destin
Qiblah	Direction de la Ka'bah
Qur'ān	Message divin révélé au Prophète Muḥammad
Ramadan	Neuvième mois du calendrier lunaire des Musulmans pendant lequel le jeûne est obligatoire
Rasūl	Messager

Glossaire des termes arabes

Terme arabe	Définition
Ṣadaqah	Charité
Ṣadaqah jāriyah	Charité qui continue d'être bénéfique et qui offre une récompense à son auteur même après sa mort
Sajdah	Prosternation
Ṣalāh	Prière
Salām	Salutation pacifique musulmane
Ṣalawāt	Salutations et invocations pour la paix
Sharī'ah	Système législatif islamique
Shayṭān	Serviteurs d'Allāh ﷻ maléfiques et rebelles, surtout parmi les djinns
Sunnah	Pratiques extraites du corpus de textes contenant les paroles et les actes du Prophète Muḥammad ﷺ
Surah	Chapitre du Qur'ān
Takbīr	Proclamation qu'« Allāh ﷻ est le Plus Grand » (Allāhu Akbar)
Taqwā	Conscience d'Allah ﷻ qui fait fuir la désobéissance
Tashahhud	Partie des dernières paroles récitées, à genoux, lors de la prière musulmane ; terme également utilisé pour désigner cette position, assis sur les genoux, dans laquelle ces paroles sont récitées
Tawakkul	Fait de s'en remettre, plein de confiance, à Allāh ﷻ
Tawḥīd	Monothéisme
'Ubūdiyyah	Servitude
Ummah	Terme utilisé pour désigner le corps de la collectivé musulmane qui transcende les ethnies, les origines, les cultures, etc.
Umrah	Pèlerinage volontaire à La Mecque
Zamzam	Eau d'un puits spécifique situé à La Mecque qui a surgi miraculeusement devant la femme d'Abraham et son fils Ismail.
Ẓuhr	Prière musulmane du milieu de la journée

BIBLIOGRAPHIE

Sources coraniques :

- Dr. Mustafa Khattab, The Clear Qur'ān : A Thematic English Translation of the Message of the Final Revelation, Book of Signs Foundation, 2016

Sources des Ḥadiths (paroles du Prophète) :

- Imām Al-Bukhārī, Ṣaḥīḥ Al-Bukhārī avec la numérotation de Muhammad Fuad Abdul Baqi
- Imām Al-Bukhārī, Al-Adab Al-Mufrad, Dar Al-Bashāir Al-Islāmiyyah Beirut, 1989, Troisième édition, vérifié par Muhammad Fuad Abdul Baqi
- Imām Muslim, Ṣaḥīḥ Muslim avec la numérotation de Muhammad Fuad Abdul Baqi
- Imām Nasai, Sunan An-Nasaī avec la numérotation de Muhammad Fuad Abdul Baqi
- Imām Abū Dāwūd, Sunan Abī Dāwūd avec la numérotation de Muhammad Fuad Abdul Baqi
- Imām Abū Dawūd, Marāsīl of Abū Dawūd, Muassasah Ar-Risālah Beirut, 1988, Première édition, vérifié par Shuaib Al Arna'ut
- Imām At-Tirmidhī, Sunan At-Tirmidhī, avec la numérotation de Muhammad Fuad Abdul Baqi
- Imām At-Tirmidhī, Shamāil Al-Muḥammadiyyah, Muassasah Al-Kutub At-Thaqafiyya (Cultural Books Publishing) Beirut, 1992, Première édition, vérifié par Sayyid Abbās Al-Jalīmī
- Imām Ibn Majah, Sunan Ibn Majah avec la numérotation de Muhammad Fuad Abdul Baqi

- Imām Mālik, Al-Muwaṭṭa, Zayed Foundation for Charity and Humanitarian Works Abu Dhabi, 2004, Première édition, vérifié par Dr. Muhammad Mustafa Azmi

- Imām Abū Dāwūd Aṭ-Ṭayālisī, Musnad Abī Dāwūd Aṭ-Ṭayālisī, Dār Hijr Égypte, 1999, Première édition, vérifié par Dr AbdAllāh ﷺ Ben Abdel Mohsen At-Turki

- Imām 'Abd Ar-Razzāq Aṣ-Ṣan'ānī, Muṣannaf 'Abd Ar-Razzāq, Al-Majlis Al-'Ilmī Inde, 1983, Seconde édition, vérifié par Ḥabībur Raḥmān Al-A'ẓamī

- Imām Aḥmad ibn Ḥanbal, Musnad Aḥmad, Mu'assasah Ar-Risalah Syrie, 2001, Première édition, vérifié par Shuaib Al Arna'ut

- Imām Ibn As-Sunnī, 'Amal Al-Yawm wa Al-Laylah, Dār Al-Qiblah li At-Thiqāfah Al-Islamiyyah wa Mu'assasah 'Ulūm Al-Qur'ān Jeddah/Beirut, n.d, N/A édition, vérifié par Kawthar Al-Burnī

- Imam Al-Bazzār, Musnad Al-Bazzār, Maktabah Al-'Ulūm wal Ḥikam Madinah, 2009, Première édition, vérifié par Maḥfūdhur Raḥmān Zaynullāh, Ṣabrī 'Abdul Khāliq Ash-Shāfi'ī and 'Ādil ibn Sa'd

- Imām Aṭ-Ṭabarānī, Al-Mu'jam Aṣ-Ṣaghir, Dar Ammar Publishing & Distribution Amman, 1985, Première édition, vérifié par Muḥammad Shakūr Maḥmūd Al-Hajj Amrīr

- Imām Aṭ-Ṭabarānī, Al-Mu'jam Al-Awsaṭ, Dar Elharamen Le Caire, 1995, Première édition, vérifié par Abdul Muḥsin ibn Ibrahim Al-Ḥusaini and Ṭāriq ibn 'Awaḍullāh ibn Muḥammad

- Imām Aṭ-Ṭabarānī, Al-Mu'jam Al-Kabīr, Maktaba Ibn Taymiyyah Le Caire, Seconde édition, vérifié par Ḥamdī ibn 'Abdul Majīd As-Salafī

- Imām Aṭ-Ṭabarānī, Ad-Du'ā li Aṭ-Ṭabarānī, Dar Al-Kotob Al-ilmiyah Beirut, 1992, Première édition, vérifié par Muṣṭafā 'Abdul Qādir 'Aṭā

- Imām Al-Bayhaqī, Ad-Da'awāt Al-Kabīr, Gheras Publishing Company, distribution and advertising Kuwait, 2009, Première édition, vérifié par Badr ibn 'Abdullah Al-Badr

- Imām Al-Bayhaqī, Shu'ab Al-Īmān, Al-Rushd Publishers Riyadh in collaboration with Ad-Dar As-Salafiyya Mumbai, 2003, Première édition, vérifié par Dr. Abdul 'Ālī Abdul Ḥamīd Ḥāmid

- Imām Al-Ḥākim, Al-Mustadrak, Dar Al-Kotob Al-ilmiyah Beirut, 1990, Première édition, vérifié par Muṣṭafā Abdul Qādir 'Aṭā

- Imām Abū Bakr ibn Abī Shaybah, Muṣannaf Ibn Abī Shaybah, Dar Al-Qiblah Jeddah, 2006, Première édition, vérifié par Muḥammad 'Awwamah

- Imām Ibn Ḥibbān, Ṣaḥīḥ Ibn Ḥibbān, Muassasah Ar-Risālah Beirut, 1993, Seconde édition, vérifié par Shuaib Al Arna'ut

- Imām Ibn Abī Dunyā, Al-Farj ba'd As-Shiddah, Dār Ar-Rayyān li At-Turāth Égypte, 1988, Seconde édition, vérifié par Abū Ḥudhayfah 'Ubaydullāh ibn 'Āliyah

- Imām Ibn Abī Dunyā, Al-Jū'u, Dar Ibn Ḥazm Beirut, 1997, Première édition, vérifié par Muḥammad Khayr Ramaḍān Yūsuf

- Imām Abū 'Awānah, Mustakhraj of Abū 'Awānah, Dār Al-Ma'rifah Beirut, 1998, Première édition, vérifié par Ayman ibn 'Ārif Ad-Dimashqī

- Imām Abū Ya'lā, Musnad Abī Ya'lā, Dār Al-Ma-mūn lit Turāth Damas, 1984, Première édition, vérifié par Ḥusayn Salīm Asad

- Imām Zakī Ad-Dīn Al-Mundhirī, At-Targhīb wa At-Tarhīb, Dar Al-Kotob Al-ilmiyah Beirut, 1996, Première édition, vérifié par Ibrāhīm Shams Ad-Dīn

- Imām Abū Al-Qasim Al-Aṣbahanī, At-Targhīb wa At-Tarhīb, Dar Al-Ḥadīth Le Caire, 1993, Première édition, vérifié par Ayman ibn Ṣālih ibn Sha'bān

Savants / Autres sources :

- Imām Ibn Al-Qayyim, Ad-Dā' wa Ad-Dawā', Dār Al-Ma'rifah Maroc, 1997, Première édition

- Imām Ibn Al-Qayyim, Badā'i Al-Fawā-id, Dār 'Aṭā-ātil 'Ilm Riyadh and Dār Ibn Ḥazm Beirut, 2019, Cinquième édition, vérifié par 'Alī ibn Muḥammad Al 'Imrān

- Imām Ibn Al-Qayyim, Madārij As-Sālikīn, Dār Al-Kitāb Al-'Arabī Beirut, 1996, Troisième édition, vérifié par Muḥammad Al-Mu'taṣim billāh Al-Baghdādī

- Imām Abū Nu'aym Al-Aṣbahānī, Tārīkh Aṣbahān, Dar Al-Kotob Al-ilmiyah Beirut, 1990, Première édition, vérifié par Sayyid Kasrawī Ḥasan

- Imām Abū Nu'aym Al-Aṣbahānī, Ḥilyah Al-Awliyā' wa Ṭabaqāt Al-Aṣfiyā', Dar Al-Kotob Al-ilmiyah Beirut, 1988, Première édition

- Imām Aṭ-Ṭabarī, Tafsīr Aṭ-Ṭabarī, Dār Hijr, 2001, Première édition, vérifié par Dr AbdAllāh ﷻ Ben Abdel Mohsen At-Turki

- Imām Al-Qurṭubī, Al-Jāmi' li Aḥkām al-Qur'ān (Tafsīr Al-Qurṭubī), Dār Al-Kutub Miṣriyyah Le Caire, 1964, Seconde édition, vérifié par Aḥmad Al-Bardūnī and Ibrāhīm Aṭfīsh

- Imām Ibn Kathīr, Tafsīr Ibn Kathīr, Dar Taibah for Publishing and Distribution Riyadh, 1999, Seconde édition, vérifié par Sāmī ibn Muḥammad Salāmah

- Imām Ibn Qutaybah, Gharīb Al-Ḥadīth, Maṭba'ah Al-'āni Bagdad, 1977, Première édition, vérifié par Abdullah al-Jabouri
- Imām Ibn 'Asākir, Tārīkh Dimashq, Dār Al-Fikr Amman, 1995, vérifié par 'Umar ibn Gharāmah Al-'Umrawī
- Imām Ibn Taymiyyah, Majmū' Al-Fatāwā, King Fahd Complex for the Printing of the Holy Qur'ān Madinah, 1995, vérifié par 'Abdur Raḥmān ibn Muḥammad ibn Qāsim
- Imām As-Sakhāwī, Al-Qawl Al-Badī' fi Aṣ-Ṣalāti 'alā Al-Ḥabīb As-Shafī', Muassasah Ar-Rayyān, 2002, vérifié par Muḥammad 'Awwāmah
- Imām Al-Ghazālī, Letter to a Disciple (Ayyuhāl Walad), The Islāmic Texts Society, 2005, bilingual English-Arabic édition
- Imām Al-Ghazālī, Iḥyā 'Ulūm Ad-Dīn, Dar ElMarefah, Beirut, 1982
- Imām Al-Ghazālī, The Beginning of Guidance (Bidāyah Al-Hidāyah), White Thread Press Londres, 2010, Traduit par Mashad al-Allaf
- Imām Al-Ghazālī, Mīzān Al-'Amal, Dār Al-Ma'ārif Égypte, 1964, Première édition, Verified by Dr Sulaymān Dunyā
- Imām An-Nawawī, Al-Adhkār, Dar Ibn Kathīr Damas, 1990, Seconde édition, vérifié par Muḥiyyuddīn Mastū

AVERTISSEMENT

Ce travail est une compilation d'invocations, sélectionnées à partir du Qur'ān et d'un vaste corpus de Ḥadiths, que l'auteur et l'équipe académique estiment correspondre aux troubles spirituels et aux émotions mis en évidence dans ce livre. Dans cet ouvrage, les invocations tirées du Qur'ān et des paroles prophétiques sont classées, la plupart du temps, selon leur pertinence en fonction des troubles et des émotions en question. La décision de tronquer certaines invocations, lorsque cela était nécessaire, a été prise sous une supervision académique afin de rendre ces invocations plus accessibles à un large public. Cependant, pour chaque du'ā', si le lecteur souhaite accéder à l'intégralité du texte, il trouvera les références de l'invocation d'origine à la fin de la traduction.

L'ÉQUIPE DU MANUEL

Auteur & éditeur

Ibn Daud

Directeur d'Ibn Daud Books, Leicester, Royaume-Uni

Qur'ān, Aḥādīth, Références savantes & Traductions

Mawlānā Amaan Muhammad

Diplômé de Darul Uloom Leicester, et élève de Shaykh Ayyub Surti, Leicester, Royaume-Uni

Correction

Mustafa Abid Russell

Leicester, Royaume-Uni

Graphisme & Illustrations

Irfan Chhatbar

Directeur de Brandboard Creative, Leicester, Royaume-Uni

Contributions

Khaleel Kassim (& son équipe)

Fondateur & Directeur d'Eclectic House & Mental Health Consultant, Leicester, Royaume-Uni

Inaayat Kassim

Co-Fondatrice & Directrice d'Eclectic House, Leicester, Royaume-Uni

Muhammad Uzair Kassim & Ammarah

Équipe de recherche, Eclectic House, Leicester, Royaume-Uni

Tehmina Parekh & Mashal Parekh

Halifax & Cleadon, Royaume-Uni

Ammaarah, Hafsah & Muhammad Ali Parekh

Élèves à l'université, au lycée et à l'école primaire, Royaume-Uni

Tout au long de mon chemin, j'ai reçu le soutien inestimable de beaucoup d'autres personnes bienveillantes et généreuses.

Qu'Allāh ﷻ leur accorde en retour les plus belles récompenses dans les deux mondes.

Āmīn.

تم بحمد الله

Achevé d'imprimer en mars 2024 par

SOFIAPRINT

La qualité au meilleur prix

+33 1 60 34 37 50 +33 7 69 90 13 32

print@sofiadis.fr